心理学实用丛书

心理学的陷阱

左右你一生的心理学

王华夏◎著

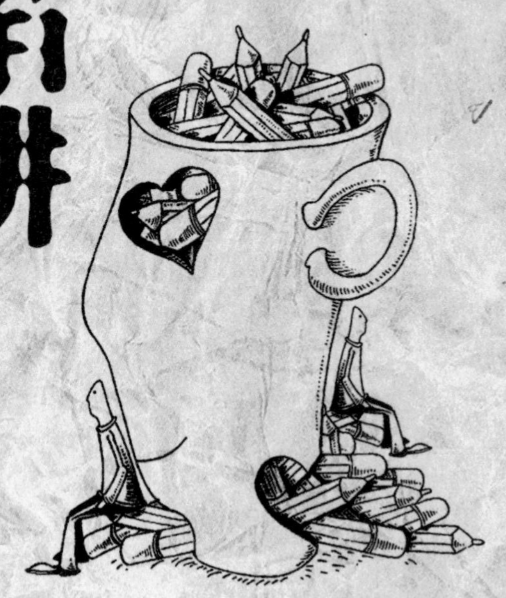

中国长安出版社

图书在版编目(C I P)数据

心理学的陷阱:左右你一生的心理学/王华夏编著. —北京:
中国长安出版社,2009.9
(心理学实用丛书)
ISBN 978-7-5107-0085-9

Ⅰ.心… Ⅱ.王… Ⅲ.心理学—通俗读物 Ⅳ.B84-49

中国版本图书馆 CIP 数据核字(2009)第 166053 号

心理学的陷阱:左右你一生的心理学

王华夏 编著

出版:中国长安出版社
社址:北京市东城区北池子大街 14 号(100006)
网址:http://www.ccapress.com
邮箱:ccapress@yahoo.com.cn
发行:中国长安出版社 全国新华书店
电话:(010)65281919 65270433
印刷:北京才智印刷厂
开本:787mm×1092mm 1/16
印张:19.75
字数:250 千字
版本:2009 年 10 月第 1 版 2009 年 10 月第 1 次印刷

书号:ISBN 978-7-5107-0085-9
定价:36.00 元

前　言

最近北京房价大涨，一位作家朋友想卖掉自己的房子，没想到，却带来了很多烦恼：本来预计能卖155万元，先被他视之为朋友的熟悉中介员砍到了150万元。而且那个中介员不管什么时间，都会带客户看房子，打乱了作家朋友的工作规律，使他无法安心写作；有五位客户看过房子了，却没有一位定下来。无奈之下这个作家朋友找到我求救。

我领教过中介的“两面三刀”：当你买、租房子时，他们用低价的鱼饵，把你“钩住”，当你卖、出租房子时，他们会用高价当鱼饵，同样让你上钩。

于是，我向他介绍了心理学上的“短缺原理”。针对他的房子是该小区唯一东向的房子，我向他建议回去后立即通知附近所有中介公司，对每一位打来电话的约看房子的中介员，都让他们周六两点接待客户，两点半后不再安排客户看房。这种安排的目的是：为有限的资源创造了一种竞争气氛，不仅给客户，也给中介们，造成一种竞争压力，从而尽快把房子卖出。

一切都在预料之中：

第一天，他接待了两个客户。第一个到达的买主是中科院的一位刚毕业的博士。这对夫妇按照“标准”的买房程序，仔细询问并检查房子，指出几项缺陷和不足，如紧临南三环主路，噪音比较大，问价钱能不能再商量。更可怕的是，中介员也指出，厨房的墙壁是改过的。博士太太还强调，她先生有恐高症，不太喜欢20层的房子。还指出，他们因为资金不多，要在同小区的另一处面积小15平方、总价只有145万元的房子之间，作出选择。然而，当第二个买房人和三位中介赶到时，气氛马上就变了，那两位年轻夫妇有点紧张，那位中介的脸色甚至都变了。第一个买主和中介，明显受到了第二个买主和其他三位中介的威胁，而第二个买主也感到第一个买主的在场，限制了他得到该房的可能性。通常，早到者会情不自禁地萌发竞争意识，觉得自己有优先考虑的权利。会说："请稍等一下，我先到这里的。"看到这种情况，作家朋友心中暗喜，尽管博士夫妇没有说话，他可不能不说话，于是他马上说话了："对不起，因为这两位博士夫妇比你先来。因此，能否请你等几分钟，让他们先看？如果他们决定不买或不能做决定，你们再慢慢看。"

那天下午，作家朋友沮丧地给我打电话，说两个客户都没有买，我安慰他再等等，不用着急。

转折出现在第二天的上午，那位中介"朋友"打电话说有一位客户看房子，朋友坚决地拒绝了。中介强调说，这一位一定会买的。碍于面子，朋友只好让他们过来了。

看过房子后，客户比较满意，但嫌价格高（已经涨到165万元了），只给153万元。作家朋友马上拒绝了。在把客户领回办公室休息后，中介又回来了，他们在楼下讨价还价。过了一会儿，店长领着客户一起来了，客户把价格涨到了155万元，作家把价格降到了158万元，反复声明"这是底价"。在最后的僵持中，店长"可怜兮兮"地对我的作家朋友说："客户最终同意出156万元，我们公司从中介费中出1万元，最后给您157万元，这个价格已经是这个小区的'天价'了，您就卖了吧！"

朋友看到价格已经不错了，就爽快地同意了（当然，他还是上了店长的一个"小当"：当他签合同时，发现客户出的价格却是157万元，中介公司并没有"吃亏"——这已经无关紧要了）。

心理学上的"短缺原理"，在这里起了决定性作用。

短缺原理认为："机会越少，价值就越高。"它会对我们的行为造成全面的影响，害怕失去某种东西的想法，比希望得到同等价值东西的想法，对人们的激励作用更大。（上面卖房与买房的过程中，短缺原理很好地体现出来了。）

最后还有一个插曲：第二天，原打算在两套房子中取舍的那对博士夫妇，也上了“短缺原理”的当：以卖房人的最高出价145万元，买了他们“中意”的房子，再也不会因为恐高症而烦恼了——因为这又是一个“唯一”，再不买，恐怕这一套房也买不到了。（因为无意伤害了博士夫妇，我在此道歉——这并不是我的本意！）

现实生活中，许多人认为，心理学是一门古老而神秘的学问，与人们的生活关联不是很大。其实这是一种误解，在我们的生活中，心理现象时时刻刻都存在着。像上面的案例中，其实心理现象一直都存在着，只是你不去了解心理学，就不知道心理学所产生的效果。

当今社会，可以说是心理学的陷阱“无所不在”：

你是一个高智商、高情商、理性的聪明人，你知道现在房价太高而不买房吗？好办！每次新房开盘，我花钱雇人排队买房，再请媒体记者报道“盛况”。你还不上当？我请专家们出来说“买房是最大的爱国”。再不上当，我拍出一个“地王”来，周围的二手房价会应声高涨……——最终你也会沉不住气而陷入“从众效应”，匆匆买我的高价房。

你是一个守信用的人，你害怕在官方信用体系中留下污点吗？那太好了！于是乎，你收到了电话欠费的通知——最终你被骗了。

你觉得股价太高，离场了，你赌赢了，竟然想不玩了？哪里有这样的好事！庄家“巨骗”们会永不何止地拉升大盘，直到散户的你进场——最终你要么“割肉剔骨”离场，要么在6000点“站岗放哨”。

…… ……

如果说以上是来自丑恶社会的外来的“心理学的陷阱”，少数人可以避免，而来自于你心中的“心理学的陷阱”，会让你防不胜防。

比如交友中的“淡水法则”，我的失误让我后悔终生。事情的经过非常简单：一个交往二十年的高中同学——号称有千万身价，确实也“不同凡响”——在北京二环内有五套房，五年前向我借10万元“应急”，说是还人的“高利贷”，讲明一周后还。在我答应后，他又问可否多给10万元，“吝啬”的我一口回绝了——在深圳租房十年的我准备贷款买房，如果他还不了这钱，我的“租房生涯”还要无限期地延续下去。事情正如我担心的那样，这笔钱分三年、三次还清了——我又租了五年的房子。事情还没有结束。时间到了去年八月，我在北京的新房卖掉了，赚了一些钱，尽管我事先声明，女儿可能出国读书，而且希望在北京买一套二手房(因为我比较懒，不想花力气装修房子)，但还是没有阻止朋友的“金口”——这次是50万元。有过前车之鉴的我，这次变“聪明”了，立即拒绝了。最终是：最好的朋友彻底消失了，在我心中我留下了“永远的痛”。

在汉语中，我们习惯于把思想和感情叫做“心”，把条理和规则叫做“理”。心理就是心思、思想、感情的总称，而心理学则是关于心思、思想、感情等规律的学问。也就是说，心理学是与我们的生活密切相关的，人的任何活动都伴有心理现象。我们熟知的感觉、思维、想象、情感、意志以及个性等等都是心理现象。人与人之间的交往、工作中的压力、管理上的无奈、婚恋中的心理、成败间的情绪等等，无时无刻不存在于我们内心。

所以，你要学会认识你的内心世界，发掘你的心灵潜力……

在现代社会，由于生活节奏的加快，竞争意识的提高以及噪音、拥挤等环境问题的加剧，人们的心理负担越来越重。物质生活与精神生活的反差，使人们在获得成功的同时往往会感到若有所失。人际关系的改变、利益关系的改变，常常使人们近在咫尺却犹如远在天涯。理想与现实、个人与社会、要求与能力、欲望与道德的种种矛盾频频袭来。人生的障碍变得越来越多。与此同时，也带来了各种各样的心理状况。因此，每个人都必须积极地去解决遇到的这些心理问题，不要让它影响到你的工作和生活。

本书通过一些精彩典型的案例深入浅出地分析了一些常用的心理学理论。让你在轻松愉快的阅读之中窥探到心理学的奥秘，并通过合理运用相关心理学知识有意识地指导自己的生活，有效地调整自己的情绪、有效地与人交往、轻松地纵横职场、成功地驾驭下属，健康、幸福地生活！

有人说："没有心理困惑的人生，是不可想象的，也是根本不存在的。"在人生的战场上，所谓喜与怒、得与失、成与败，常常是对心理素质的考验。

你准备好接受考验了吗？

相信在本书的启迪下，你会调整好自己的心态，如鱼得水地畅游于自己所处的环境中，使自己的生活充满色彩和活力！

不要让"心理"左右你，更不要落入无良者的"心理学陷阱"，让心理学真正走进你的生活，使你更成功、更幸福！

目录

Contents

第一章 与人共舞，让自己最受欢迎
——社交心理学

一个人的人生是不是幸福，生活是不是美满快乐，事业是不是发达成功，与良好的人际关系有着莫大的联系，因为有一些“效应”在作怪。如何让自己最受欢迎，这就需要积极地了解一些交往的心理学知识，巧妙地利用各类效应，给他人留有一个好印象，同时也帮助自己克服在人际交往中各类效应的消极作用。

首因效应——好的开端，成功了一半 …………………………… /3
近因效应——越熟悉交往越谨慎 …………………………………… /7
记住名字——我们不再是陌生人 …………………………………… /10
名片效应——相似感会快速拉近双方距离 ………………………… /13
赞美效应——给人一种支持和力量 ………………………………… /17
“留面子效应”——用好这把双刃剑 …………………………… /21
刻板印象——以偏概全，会导致人际交往失败 ………………… /25

淡水法则——君子之交淡如水 ………………………………………… /29
社交是一种智慧 ………………………………………………………… /33

第二章　只为成功找理由，不为失败找借口
——成功心理学

成功本身并不难，难的是成功之前面对失败的精神品质。人生是一场搏斗，敢于搏斗的人，才可能是命运的主人。在山穷水尽的绝境里，再搏一下，也许就能看到柳暗花明；在冰天雪地的严寒中，再搏一下，一定会迎来温暖的春风！

PMA 黄金定律——人之所以能，是相信能 ………………………… /41
奋起效应——假设失败就是成功 …………………………………… /45
“甜柠檬”心理——接纳自己，逐渐增强自信 …………………… /49
瓦拉赫效应——每个人都埋藏着成功的“宝藏”，
　看你如何挖掘 ……………………………………………………… /53
贝尔效应——想着成功，成功的景象就会在内心形成 ………… /58
成功是一种力量 ……………………………………………………… /62

第三章　爱情心理面面观，将美满婚姻进行到底
——婚恋心理学

男人和女人就像白天和夜晚，谁也离不开谁。我们每个人都在积极地寻找人生的另一半。有些人找到了，终生不渝；有些人自认为找到了，结婚后却分道扬镳；还有一些人仍然在寻找……

爱情，婚姻，几多痛苦，几多欢乐，几多坎坷，几多曲折……

择偶心理——你不是最好的，但我只爱你 ………………………… /69
审美错觉——情人眼里出西施 ……………………………………… /76
失恋心理——我的爱情鸟飞走了 …………………………………… /80

不满心理——绕开婚姻中的暗礁 ………………………………… /84
猜疑心理——爱情是件易碎品，让“亚健康”远离婚姻 ……… /89
婚外恋——“红杏出墙”的诱惑 ………………………………… /93
糊涂定律——婚前睁大双眼，婚后闭一只眼 ………………… /100
结婚是一种责任 ………………………………………………… /103

第四章　去除“恐惧”，乐在工作的心理密码——职场心理学

在职场中，时时都有着大量同样命运的“青蛙”们，在熟悉的工作中日复一日，慢慢强化了钝感神经，对“压力”已经麻木，动力也似乎总是不够。如果你也是这样，可要清醒了，否则很可能像温水中的青蛙一样等着“安乐死”。这个时候了解职场中的各种问题，洞悉问题深层次的心理因素就显得尤为重要。

上班恐惧症——别做工作的奴隶 ……………………………… /109
习得性无助——工作中的“无助感”…………………………… /114
职场休克——化解厌职情绪，越过职场“休克期”…………… /118
齐加尼克效应——现代职场的“通病”………………………… /122
青蛙效应——甩掉“安逸”，才能甩掉“危机”……………… /128
职场多动症——当“跳槽”成为一种习惯 …………………… /132
工作是一种态度 ………………………………………………… /137

第五章　掌管明灯，拆除你的情绪“地雷”——情绪心理学

当我们身处阴影之中，破茧而出并不困难。只要自己不倒，什么力量也不能把你击倒。无数的实例证明，人们面对的劲敌往往不是对手，而是自己。只要你不放弃，你的手中就有了能使你走出阴影的明灯。

自卑心理——一颗找不到自我的心 …………………………………… /143
怯懦心理——你就是自己的敌人 …………………………………… /149
嫉妒心理——不要跳入心灵的“深坑”…………………………… /155
抱怨心理——迷失自我的毒药 ……………………………………… /162
自私心理——藏于心底的一颗“雷” ……………………………… /168
冲动心理——不要让“魔鬼”时时出现 …………………………… /172
从今天起我要学会控制情绪 ………………………………………… /178

第六章 快乐生活，健康从“心”开始
——幸福心理学

戴尔·卡耐基曾说过：“快乐的人生，意味着心中充满阳光。”把自己置于百姓们平淡如水的衣、食、住、行中，才会在司空见惯的日子里一点点吮吸着人间的真情，在默默付出的同时，获得精神的满足和幸福，我们何乐而不为呢？只要内心深处把阳光锁定，时刻保持一颗健康明丽之心，就会让内心充满阳光！

平常心——生活是一种平淡，平平淡淡才是真 ………………… /189
得失心理——丰满人生在得失之间 ………………………………… /194
欲望心理——不能被贪念打败，知足常乐 ……………………… /199
乐观心理——心中有阳光，神采就会飞扬 ……………………… /205
吝啬心理——消除吝啬，学会感恩 ………………………………… /209
学会微笑——快乐人生的通行证，爱生活爱自己 ……………… /214
幸福是一种感觉 ……………………………………………………… /219

第七章　没有规矩不成方圆，别让你的权利睡着了
——管理心理学

一个领导者，怎样才能让企业长久地生存下去？又怎样才能保持基业常青？这是所有企业家都无法回避的问题，必须给出一个答案。这个答案将会给企业带来两种截然不同的结果——要么杰出，要么被淘汰，没有第三种。

权威效应——以身作则，给下属树立好榜样 …………………… /225

苛希纳定律——企业并不是人多就好 …………………………… /230

懒蚂蚁效应——善扬其长，力避其短 …………………………… /234

鲶鱼效应——合理刺激，才能共同进步 ………………………… /237

破窗效应——及时修好“第一块被打碎的玻璃” ………………… /241

热炉法则——严谨的制度是企业管理的关键 …………………… /246

管理是一门学问 ……………………………………………………… /252

第八章　摒弃恶习，培养良好的生活习惯
——健康心理学

生活中存在一些具有不良嗜好的人，而且也不难发现，这些不良嗜好往往是由心理上的原因引起的，挖掘这些不良嗜好的深层原因，有助于人们克服这些不良嗜好，培养良好的生活习惯。

吸烟成瘾——慢慢燃尽你生命的“火焰” ………………………… /259

酗酒成性——酩酊是暂时性的自杀 ……………………………… /266

赌博成瘾——伤财又伤身的“双响炮” …………………………… /271

上网成瘾症——别让网络“害”了你 …………………………… /276

恋物癖——畸形心理下的迷恋 …………………………………… /281

暴食症——心理“饥饿”引发的病症 …………………………… /285

厌食症——哈哈镜下的“苗条病” ………………………………… /290
疑病症——不要自己给自己找“病” ……………………………… /295
健康是最大财富 ……………………………………………………… /299

与人共舞，让自己最受欢迎
——社交心理学

一个人的人生是不是幸福，生活是不是美满快乐，事业是不是发达成功，与良好的人际关系有着莫大的联系，因为有一些“效应”在作怪。如何让自己最受欢迎，这就需要积极地了解一些交往的心理学知识，巧妙地利用各类效应，给他人留有一个好印象，同时也帮助自己克服在人际交往中各类效应的消极作用。

首因效应——好的开端，成功了一半

首因，是指首次认知客体而在脑中留下的“第一印象”。首因效应，是指个体在社会认知过程中，通过“第一印象”最先输入的信息对客体认知产生的影响作用。

有这样一个故事：一个新闻系的毕业生正急于寻找工作。一天，他到某报社对总编说：“你们需要一个编辑吗？”

“不需要！”

“那么记者呢？”

“不需要！”

“那么排字工人、校对呢？”

“不，我们现在什么空缺也没有了。”

“那么，你们一定需要这个东西。”说着他从公文包中拿出一块精致的小牌子，上面写着“额满，暂不雇用”。总编看了看牌子，微笑着点了点头，说：“如果你愿意，可以到我们广告部工作。”这个大学生通过自己制作的牌子表达了自己的机智和乐观，给总编留下了美好的“第一印象”，引起其极大的兴趣，从而为自己赢得了一份满意的工作。这种“第一印象”的微妙作用。

在心理学中，“第一印象”也叫首因效应。第一印象，是在短时间内以片面的资料为依据形成的印象，心理学研究发现，与一个人初次会面，45 秒钟内就能产生第一印象。这一最先的印象对他人

知觉产生较强的影响，并且在对方的头脑中形成并占据着主导地位。

近代心理学家艾滨浩斯就曾经指出：“保持和复现，在很大程度上依赖于有关的心理活动第一次出现时注意和兴趣的强度。”并且这种先入为主的第一印象是人的普遍的主观性倾向，会直接影响到以后的一系列行为。

从心理学角度讲：首因效应是人之常情，人人都有其切身体验。第一印象是难以改变的，因此在日常交往过程中，尤其是与别人的初次交往时，一定要注意给别人留下美好的印象。首因效应在人际交往中对人的影响较大，是交际心理中较重要的名词。

美国心理学家罗纳勃博士在他的《交往：重要的四分钟》一书中写道：“当你在社交场合第一次遇到某人，前四分钟必须绝对认真对待，这样做对许多人的一生都有益处。”

在结交朋友的时候，第一印象总是十分重要的，这是心理学上告诉我们的道理，可是你千万不要把第一印象变成对朋友挥之不去的“终影”，因为踏入这一误区，很多人的所谓友谊中途夭折。

现实生活中，一些素不相识的人，在许多场合，如出差在车、船上的邻位旅客，入学遇见同班新同学，出席会议初次邂逅的与会者等。虽然对人家的个性品德等一无所知，但却由对方的衣着、容貌、谈吐举止表情等方面，留下印象，并与之结交成朋友。

比尔走进公关经理室就对副经理戴伊颇有好感，他干脆利落的工作作风，风度翩翩的仪表，尤其是对比尔十分热情，当他抬头打量比尔时，戴伊便喊道：“嗨！小伙子，你好，请坐。”随后带着他熟悉了公司的各个部门，还重点介绍了室内情况，比尔对此感恩不尽，认为戴伊是个讲义气的朋友。而另一室的工程师劳德鲁普脸色阴沉沉地，手里正忙着设计，抬抬头连声招呼也没打，比尔在心里给劳德鲁普下的定义是“呆板、不热情，肯定是个冷血动物”。

此后，比尔碰上事，就以此为“尺度”进行衡量了。

可是过了不久，戴伊利用比尔的信任和年轻，让他在众人面前跌了一个大跟头。比尔后悔莫及，为什么要为戴伊卖命。而为他挽回损失与声誉的，恰恰是工程师劳德鲁普，他揭穿了戴伊的诡计，为比尔洗刷了不白之冤。

比尔之后痛责自己，不该“先入为主”，以一时的好恶来取舍朋友，直到那善于伪装的“朋友”把自己推入陷阱，可是此时后悔已经迟了。

社会复杂，人在与人交往时，因功利性，而心怀叵测，这种人到处都有，当朋友对你好时，不要沉湎于其中；当朋友对你有些冷淡时，也不要过分计较。“知人知面，不知心，画人画虎，难画骨”，每个朋友背后的“目的性”大多一时难以确认，所以还是以静观动好。俗话说“路遥之马力，日久见真心”。否则，以过早的表面印象取舍，下结论，会使你结交下“地雷式”的朋友，酿成灾祸。也会使你错过真诚的朋友，遗憾终生。

怎样使别人喜欢你，使你更容易受到欢迎，更容易交到朋友？

世界第二大畅销书《人性的弱点》的作者、成功学大师戴尔·卡耐基运用心理学知识，针对人类共同的心理特点，提出了使你成为人众宠儿的几种方法。任何人都喜欢那些欣赏和关心他们的人，因此最有效的交际窍门是对别人真心实意地感兴趣。要努力学会为别人提供服务，不惜花费时间、精力，诚心诚意地为别人设想和做事情，这样才能获得真正的朋友。

西班牙专家认为，人们在日常交际中对他人的第一印象主要来自动作、姿态、外表、目光和表情等非口头语言。

西班牙《先锋报》报道说，根据马德里孔普卢栋大学心理学教授玛丽亚·阿维亚的研究，与人初次交谈时，非口头语言可提供60%到70%的信息。

对无缘得见的社会名人，多数人也会产生或好或坏的第一印象，影响因素包括他们的外貌以及媒体对其公众形象的评价。此外，女人比男人感性，所以更容易先入为主；男人相对更加理性，在长远洞察力方面有优势。

第一印象无论好坏都很难抹去，因此初次见面就不讨人喜欢的人通常不具备良好的交际能力。

那么，什么样的举止会给人留下糟糕的第一印象呢？

阿维亚指出，初次见面就讲述私人生活或个人问题、搬弄是非或批评他人、只谈论自己、过于活泼或好开玩笑、举止莽撞冒失、自己高谈阔论却不给对方说话机会、认为自己永远有理或目空一切，都会给人留下坏印象。

怎样留下良好的第一印象呢？

阿维亚说："这需要有清楚的自我认识，能自我反省并及时改正，比如注意自己的表情是否僵硬、笑容是否令人不快；注意自身形象和个人卫生；交谈时适当保持沉默或改变说话语调；寻找自己与对方的共同话题等。此外，活跃谈话气氛的能力十分重要，因为很多人凭直觉来判断谈话对象是否值得结交。"

这位专家最后强调：没有人能够给所有人都留下好印象，因此，最重要的是别浪费时间，要结识那些值得交往的人。

左右你一生的心理学

1. 由于首因效应作用的存在，这就要求我们在和别人初次交往的时候，一定要注意修饰自己，从外表到语言到内在的素质，给人一种愉悦的感觉，让人愿意与你交往。

2. 人在与人交往时，不要仅凭第一印象，"路遥之马力，日久见真心"。

近因效应——越熟悉交往越谨慎

所谓“近因”，是指个体最近获得的信息。近因效应与首因效应相反，是指在多种刺激一次出现的时候，印象的形成主要取决于后来出现的刺激，即交往过程中，我们对他人最近、最新的认识占了主体地位，掩盖了以往形成的对他人的评价，因此，也称为“新颖效应”。

莎莎和宁宁是多年的朋友，莎莎比宁宁大一岁，平时就像姐姐一样关心宁宁。宁宁从心底里感激莎莎，把莎莎当做知心朋友。莎莎如有什么事，她也总是极力维护莎莎。大家都知道她们关系非常密切。可是最近，莎莎和宁宁却闹翻了。

“我把她当姐姐一样的尊重，她却这样对待我。”宁宁生气地对别人说。

“唉，我对她一直都很关照，却因为最近得罪了她一次，她居然就不理我了。”莎莎很伤心。

宁宁因为莎莎最近一次“得罪”了她，便中断了以往与莎莎的友情。

心理学家指出：在这则案例中，莎莎和宁宁两人在平常接触颇多，彼此之间却都将对方最后一次印象作为互相认识与评价的依据，因为最近发生的事或了解的东西掩盖了对对方的一贯了解。这就是近因效应所产生的结果。

近因效应就是在人际交往过程中新获得的信息往往起优势作用，也即最近的信息对认知的影响相对比较大，所留下的印象也相对深刻，也有人称这种现象为后摄作用。

美国心理学家卢钦斯用编撰的两段文字作为实验材料做研究。他编撰的文字材料主要是描写一个名叫吉姆的男孩的生活片段，第一段文字将吉姆描写成热情并外向的人，另一段文字则相反，把他描写成冷淡而内向的人。例如，第一段中说吉姆与朋友一起去上学，走在撒满阳光的马路上，与店铺里的熟人说话，与新结识的女孩子打招呼等；第二段中说吉姆放学后一个人步行回家，他走在马路的背阴一侧，他没有与新近结识的女孩子打招呼等。在实验中，卢钦斯把两段文字加以组合：

第一组，描写吉姆热情外向的文字先出现，冷淡内向的文字后出现。第二组，描写吉姆冷淡内向的文字先出现，热情外向的文字后出现。

第三组，只显示描写吉姆热情外向的文字。

第四组，只显示描写吉姆冷淡内向的文字。

卢钦斯让四组被试分别阅读一组文字材料，然后回答一个问题"吉姆是一个什么样的人？"结果发现,第一组被试中有78%的人认为吉姆是友好的，第二组中只有18%的被试认为吉姆是友好的，第三组中认为吉姆是友好的被试有95%，第四组只有3%的被试认为吉姆是友好的。

这项研究结果证明，信息呈现的顺序会对社会认知产生影响，先呈现的信息比后呈现的信息有更大的影响作用。但是，卢钦斯进一步的研究发现：如果在两段文字之间插入某些其他活动，如做数学题、听故事等，则大部分被试会根据活动以后得到的信息对吉姆进行判断，也就是说，最近获得的信息对他们的社会知觉起到了更大的影响作用，这个现象叫做近因效应。

近因效应指在总体印象形成过程中，新近获得的信息比原来获得的信息影响更大的现象。研究发现，近因效应一般不如首因效应明显和普遍。在印象形成过程中，当不断有足够引人注意的新信息，或者原来的印象已经淡忘时，新近获得的信息的作用就会较大，就会发生近因效应。个性特点也影响近因效应或首因效应的发生。一般心理上开放、灵活的人容易受近因效应的影响；而心理上保持高度一致，具有稳定倾向的人，容易受首因效应的影响。

这样看来，首因效应和近因效应似乎矛盾，其实二者并不矛盾。这两个心理活动的规律向我们揭示了一个很简单但很有价值的道理：在一般情况下，第一印象和最近印象对人际认知的影响比较大，心理学的研究还表明，在人与人的交往初期，即在彼此还生疏熟悉之后，近因效应的影响也同样重要。

由此不难看出，在人际交往中，最近、最后的印象，往往是最强烈的，可以冲淡在此之前产生的各种因素。所以，我们在交往中，在重视好的开始的同时也要重视好的结尾。

左右你一生的心理学

1. 在经常接触、长期共事的人之间，彼此之间往往都将对方的最后一次作为认识与评价的依据。并常常使彼此的人际关系和人际交往发生质和量的变化。现实生活中的友谊破裂、夫妻反目、朋友绝交等，都与近因效应有关。

2. 最近或最后的印象对人的认知有强烈的影响。结果往往会被视为过程的总结。

记住名字——我们不再是陌生人

国外一则格言说，人对自己的名字比对地球上所有名字的总和还要感兴趣。那些有所成就的人，往往能够记得很多人的名字，不管是名人还是门童。

安德鲁·卡内基被称为钢铁大王，他成功的原因究竟在哪里呢。实际上他对钢铁的了解并不比一般人多。他成功的原因，是由于他知道怎样为人处世。小时候，他就表现出组织的才华和领导的天才。等到十岁的时候，他发现了人们把自己的姓名看得惊人的重要，而他利用这项发现赢得了别人的合作。当他还是个苏格兰小孩的时候，他抓到了一只母兔子。后来他发现了一整群小兔子，但却没有东西喂它们。他想出了一个很妙的法子——他对邻居的孩子们说，如果他们能找到足够的苜蓿和蒲公英喂饱那些兔子的话，就可以用他们的名字命名那些兔子。这个法子太灵验了，所有的兔子都活了下来。卡内基对此一直不能忘怀。好几年之后，他用同样的方法赚了好几百万美元。比如，有一次他想把铁轨卖给宾夕法尼亚铁路公司，而该公司当时的董事长是艾格·汤姆森。因此，卡内基在匹兹堡建立了一座巨大的钢铁厂，取名为艾格·汤姆森钢铁厂。当汤姆森听到这一消息时，他觉得自己很受重视，得到了尊重，便很高兴地和卡内基签了合同。

谁都希望自己能够被人记住，谁都希望自己的名字受人重视。留心记住那些看来对你有用的人的名字，这不仅仅是礼貌的问题，而是你不知道在什么时候你就需要他的帮助。

人一生下来，父母就会费尽心思地设法取个好名字。观察一下，每个人都十分看重别人对自己名字的认识。当一个陌生人能叫出你的名字时，你就会马上产生似曾相识的感觉。

名字是一个人的记号，代表着一个人的一切，荣与辱，成与败，高贵与卑贱。你的名字也是你不同于他人的一个重要特征。俗语说："人过留名，雁过留声。"可见，名字会使人的声誉传得很久、很远。对于一个人来说，名字是所有语言中最突出、最动听的声音，清清楚楚地把它叫出来，就是对他人的赞美，就会获得他人的好感。

社会是复杂的，和人打交道是一件很奇妙的事情。有很多方法可以让我们在和别人交往时游刃有余，得心应手。记住别人的名字并在适当的时候叫出他，也是需要我们把握的一项和人交往的技巧。这是人际交往中的最基本的礼貌，我们会因记得对方的名字而获得别人的好感，而且有时还会得到意想不到的收获。

记住人们的名字，而且很轻易就能叫出来，等于给予别人一个很巧妙而又有效的赞美。但如果把别人的名字忘掉或者写错，你会处于一种非常不利的地位。

有这样一个故事，有一次，一个名叫乔治的人在巴黎开了一门公开演讲的课程，为了扩大这门课的知名度，他给所有居住在当地的美国人发出复印的邀请函。但由于那些法国打字员不太熟悉英文，所以在打名字的时候不断出错，因此有很多人的名字都被拼错了。结果，巴黎一家美国大银行的经理写了一封毫不客气的回信给乔治，因为他的名字被拼错了。

从心理学角度讲：准确的记住别人的名字并叫出它或者很好利用别人的名字，很可能对你的人生产生很大的影响。

那么，如何记住人的名字呢？

卡内基的技巧非常简单，如果他没有听清楚对方的名字，就说："抱歉。我没有听清楚。"如果碰到一个不常见的名字，他会问怎么写法；在谈话的时候，他会把那个字重复说几次，试着在心里把它跟那个人的特征、表情和一般容貌记在一起；如果对方是个重要人

物，他就把那个人的名字写在纸上，聚精会神地仔细瞧着，深深地留下印象。然后，再把那张纸条撕掉。就这样，他对那个名字就不仅有一个耳朵的印象，而且还有眼睛的印象。

做什么都要付出代价，记住那些人的名字需要花费些时间和精力，因为我们遇见的人很多，辨别他们需要一定的时间。但这样的代价是值得付出的，正如爱默生所说的："礼貌是由一些小小的牺牲组成的。"

吉姆很小时就失去了父亲，作为家里的长子，他 10 岁就到砖厂去工作，从未有机会接受教育，但后来他取得了巨大的成功，美国 4 所大学赠他学位，他成为民主党全国委员会主席，美国邮政总监。吉姆能叫出 5 万人名字，无论什么时候他遇见一个陌生人，他都要问清那人的姓名，家中人口，职业特征，当他下次再遇见那人时，哪怕是一年以后，他也能拍拍那人的肩膀，问候那人的妻子儿女，问他后花园的花草，难怪他得到人的追随。

因此，心理学家指出：如果你要获得好感，记住他人的姓名并十分容易地呼出，就会很快拉近了你和这个人的距离，为你们进一步交往打下了一个很好的基础。

左右你一生的心理学

1. 名字作为每个人特有的标识，是非常重要的。所以，准确地记住别人的名字，不仅是对他们的尊重和对他们的重视，同时也让别人对你产生更好的印象。

2. 人际交往中，记住别人的名字是以后成为朋友、合作伙伴的第一步。

名片效应——相似感会快速拉近双方距离

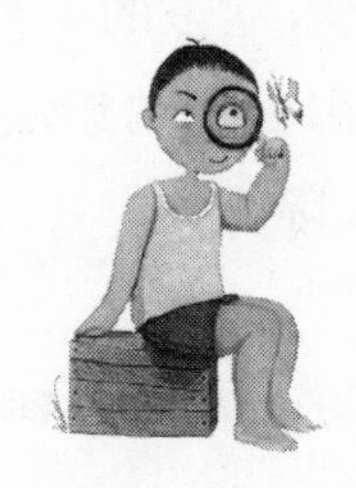

名片效应是指两个人在交往时，如果首先表明自己与对方的态度和价值观相同，就会使对方感觉到你与他有更多的相似性，从而很快地缩小与你的心理距离，更愿同你接近，结成良好的人际关系。

有一位求职青年，应聘几家单位都被拒之门外，感到十分沮丧。最后，他又抱着一线希望到一家公司应聘，在此之前，他先打听该公司老总的历史，通过了解，他发现这个公司老总以前也有与自己相似的经历，于是他如获珍宝，在应聘时，他就与老总畅谈自己的求职经历，以及自己怀才不遇的愤慨。果然，这一席话博得了老总的赏识和同情，最终他被录用为业务经理。

这位大学生所使用的就是所谓的“名片效应”。让对方接受你的观点、态度，你就要把对方与自己视为一体。首先向交际对方传播一些他们所能接受的和熟悉并喜欢的观点或思想，然后再悄悄地将自己的观点及思想渗透和组织进去，使对方产生一种印象。只要你的思想观点与他们已认可的思想观点是相近的，表明自己与对方的态度和价值观相同，就会使对方感觉到你与他有更多的相似性，从而很快地缩小与你的心理距离，更愿同你接近，结成良好的人际关系。

心理学家解释说：在交际中，心理名片是指在某环境下呈现自己的某一观点、想法、立场、态度等等，心理名片主要起导向的作

用。因为在当时，心理名片可以说是一种新异刺激物，很容易引起注意，它直接影响着对方的注意力、思维方向。如果你的名片提呈的观点是友好的，那么对方就会做出友善的反应，否则，就会持反对观点，对你保持戒备心理。

在人际交往中，尤其是第一次见面的，先寻求双方的一致性，保留差异性，待彼此有一定的了解交流后，再提出自己的想法——即心理名片，对方会比较容易接受，有利于你的人际交往。

里根迎合选民的手法就变化多端，富有吸引力。在向一群意大利血统的美国人讲话时，他说："每当我想到意大利人的家庭时，我总是想起温暖的厨房，以及更为温暖的爱。有这么一家意大利人住在一套稍显狭小的公寓房间里，但已决定迁到乡下一座大房子里去。一位朋友问这家人 12 岁的儿子托尼：'喜欢你的新居吗?'孩子回答说：'我们喜欢。我有了自己的房间，我的兄弟也有了他自己的房间，我的姐妹们都有了自己的房间。只是可怜的妈妈，她还是和爸爸住一个房间。'"

这个笑话明显地拉近了他与选民的心理距离，有效地推销了他的形象。他所使用的就是一种名片效应。

从心理学角度讲：名片效应对于陌生人之间的交往非常管用，它可以消除他人的防范心理，可以缓解他人的矛盾心情，能够帮助你减少信息传播渠道上的障碍，形成传授两者情投意合的沟通氛围。

日本松下电器的总裁——松下幸之助，大家知道他出身寒微，相貌平平，年轻时曾到一家电器厂去寻觅工作，负责管理这家工厂的主管，看到松下幸之助肮脏的衣着、瘦弱的身材，就有些瞧不起他，于是对他说："我们这里暂不缺人，你一个月后再来看看吧!"

其实主管本来是想打发他走的，可没想到一个月后，松下幸之助真的再一次来到这个公司求职，主管看到他那个样子，就是蔑视一番："就凭你这身脏兮兮的衣服还想进我们工厂，谁会相信你的能力啊!"

面对这样的尴尬侮辱，松下幸之助没有生气，而是回家借钱买了一套新衣服穿上，然后再次来到这个工厂面试。谁知主管还是一副高高在上的样子，问他"你懂得电器知识吗？不懂的话就请离开，我们这里不要不懂电器的员工。"

两个月之后，松下幸之助再一次来到这个工厂，出现在主管的面前，并对他说："我已经学了不少的电气知识，您看我哪一方面不懂，我一项项学习，直到会为止。"

主管终于被松下幸之助的真诚给打动了，然后激动地说："我做主管有几十年了，你是我见过的唯一一个这么执着的人。你的耐性和韧性让我不得不雇佣你。"

松下幸之助之所以能获得职位，是他的那种永不言放弃的精神感动了主管，在主管心目中形成了一种良好的名片效应，而他呢，借助这个工厂的平台，通过自己不断的努力，最终成为电气行业的英雄，商业界的风云人物和"经营之神"。

恰当地使用"心理名片"，可以尽快促成人际关系的建立，但要使"心理名片"起到应有的作用，首先，要善于捕捉对方的信息，把握真实的态度，寻找其积极的、你可以接受的观点，"制作"一张有效的"心理名片"。其次，寻找时机，恰到好处地向对方"出示"你的"心理名片"，这样，你就可以达到目标。

掌握"心理名片"的应用艺术，对于人际交往记忆处理人际关系具有很大的实用价值。

左右你一生的心理学

1. 名片效应对陌生人之间更容易起到很好的效果。因此首次与人交往，可以好好地利用名片效应。

2. 有意识、有目的地向对方所表明的态度和观点如同名片一样把你介绍给对方。从而让对方很快地缩小与你的心理距离，更愿同你接近，结成良好的人际关系。

赞美效应——给人一种支持和力量

赞美是对一个人价值的肯定，而得到你肯定评价的人，往往也会怀着一种潜在的快乐心情来满足你对他的期待，这在心理学上叫做赞美效应。

美国心理学家詹姆斯在哈佛大学任教时，班上的女学生在一次聚会上献给他一株杜鹃树，并大加赞赏詹姆斯知识的渊博以及他精彩的讲课内容。詹姆斯深受感动，写了一封答谢信，信中说："亲爱的姑娘们，你们的纪念品使我深受感动。这还是有生以来第一次有人对我这么好，因此你们完全可以相信：你们给这个孤苦伶仃的人心上留下的印象，要比哲学这门课程的全部教学内容在你们头脑中留下的印象深刻得多。现在我认识到我的《心理学》这本书中遗漏了一项重要的内容——即人性最深刻的原则是渴望得到赏识，而我在书中却把这一点完全漏掉了，原因是我的这种欲望直到如今才得以满足。……我将不分冬夏地照料它，为它浇水——哪怕是用我的眼泪呢。"

其实，詹姆斯的信心与能力的变化，就是赞美效应起了作用。

赞美应该说是一种激励机制，它对人的奋斗与成功是有积极意义的。一般来说，人们从事工作或某种活动总希望得到他人或组织的赞赏和肯定，他们热爱自己从事的工作，同时也希望他人给予支持，以求得心理上的满足。所谓赞美动机，就是指交际的目的要得到对方的鼓励和称赞，从而获得心理上的满足。

歌德说过：赞美他人会使别人愉快，更会使自己身心健康，被赞美者的良性回报会使我们更为自信，也会使我们更有魅力。一句赞美的话胜过一剂良药。真诚的赞美来自内心深处,是心灵的感应，如同和煦的阳光，能使人受到感染，甚至是一种拯救。

在非洲南部的巴贝姆族群，倘若族内的某个人犯了行为有失检点的错误，族长便会让犯错的人站在村落的中央，公开亮相，以示他人。但最值得称道的是，整个部落的人都会不由自主地放下手中的工作，从四面八方赶来，进行一个可以令他重新做人的仪式。

长者首先发言，讲述这个犯错误的人曾经为整个部落做过的有意义的事情。每个族人依次用真诚的话语叙述犯错者的优点和善行。当所有的族人都将“赞美语”说完后还要举行一次盛大的庆典。老族长是庆典的主持人，部落中的男女老幼都要载歌载舞，用一种隆重而热烈的礼仪来庆贺犯错误的人悬崖勒马，脱胎换骨，重新开始一种全新的生活。

一位心理学家说：“赞美是对一个人价值的肯定，而得到你肯定评价的人，往往也会怀着一种潜在的快乐心情来满足你对他的期待。”

在得不到别人的赏识与赞美，重视和激励，甚至充满负面评价的环境中，人往往会受到负面信息的左右，对自己做比较低的评价。而在充满信任和赞赏的环境中，人则容易受到启发和鼓励，往更好的方向努力，随着心态的改变，行动也越来越积极，最终做出更好的成绩。

这就是赞美与肯定的作用，它可以让一个人更加充分的挖掘其潜在的能力，可以让一个人发挥出无限的能量，做出超出他本身的想象能力的成绩。

赞美对于家庭婚姻也是不可少的。一个妻子或丈夫在适当的时候，说些赞美、鼓励对方的话，也就无异获得极具价值的婚姻保障了。

小孩子得到鼓励和赞赏。对他们的成长和日后发展，就如给了他们一块自信的基石一般。因为儿时碰到的事情不少，胆子和勇气也缺乏些，也就特别需要信心，哪怕一丁点的诚恳的赞赏，也可能令小孩渐渐培养出好的个性，而且受用终生。

一位年轻母亲曾讲过一个令人心痛的故事：她的孩子常常因做错事而受到她的责备。但是，有一天，孩子一点错事都没有做。到了晚上，她把孩子放到床上，转身往楼下走去，突然她听到孩子的哭泣声，她转回身去，只见孩子正把头埋在枕头中，在抽泣中问道："难道今天我没有做一个好孩子吗？"

"这一问就像触了电一样震动着我的全身，"年轻的母亲说，"当孩子做了错事时，我总不放过纠正她，但当她极力往好处做时。我却没有注意到。我把她放到床上时，连一句表扬鼓励的话都没有说。"

所以，不管是在社交场合，还是在家庭中，对待陌生人也好，对待朋友也好，对待孩子也好，人人都需要赞美。

不过，赞美也要讲究如下原则。

1. 赞美要有根据

即赞美并非无中生有的东西，它需要有根有据，有板有眼，否则，就成了阿谀奉承。

2. 赞美要有度，要真诚自然

真诚的赞美有纯洁的动机，它不是为了谋求从对方得到什么才赞美。卡耐基说："如果我们只图从别人那里获得什么，那我们就无法给人一些真诚的赞美，那也就无法真诚地给别人一些快乐。"

3. 赞美应尽可能有新意

"喜新厌旧"是人们普遍具有的心理。陈词滥调的赞美，会让人索然无味；而新颖独特的赞美，则会令人回味无穷。

总之，学会恰当地赞美别人，会改善我们的人际关系，也会给你带去意想不到的惊喜！

左右你一生的心理学

1. 诗人说："一花一世界。"佛家说："一叶一菩提。"赞美是一种拯救，也是心灵最真的清香。

2. 人人都喜欢被赞美，人人也都需要别人的赞美与肯定，然而，赞美别人时如不审时度势，不掌握一定的技巧，即使你是真诚的，也会变好事为坏事。因此，一定要注意赞美的原则。

“留面子效应”——用好这把双刃剑

在向别人提出自己真正要求之前，先向别人提出一个大要求，待别人拒绝之后，再提出自己真正的比较小的要求来，别人答应自己要求的可能性就会增加。这种心理效应被称之为“留面子”。

在美国纽约至法国巴黎的一架航班上，坐满了各国乘客，其中有各地的服装商，也有无数的美女模特及一些珠光宝气的贵妇。他们此行都是为了参加即将开幕的巴黎服装节，一路上，他们各自谈论着自己感兴趣的话题。

就这样，在这次完美的旅途即将结束的时候，飞机已经到达了巴黎上空，估计马上就要着陆了。乘客们开始兴奋起来，有的乘客，干脆开始整理自己的衣服了。于是，整个机舱里非常热闹，有的补妆、有的整理杂志、报纸……每个人都希望自己能以干净利索、漂亮妩媚的形象进入巴黎，这样，也许会让自己的整个身心变得轻松愉悦起来。

就在这时候，飞机上的乘务人员在向大家报告：“由于机场拥挤腾不出地方，飞机暂时无法降落，着陆时间将推迟一小时。因此，给大家带来了不便，请各位原谅。”

乘客们听到这个消息之后，顿时，机舱里马上就响起一片喧嚷抱怨之声。尽管如此，乘客们也不得不作好在空中等上这令人难熬的一小时思想准备。

可是让人意外的是，几分钟之后，乘务人员又向乘客宣布：“本班飞机的晚点时间将缩短到半个小时。”

听到这个消息，乘客全都如释重负地松了口气。觉得等半个小时要比一个小时好多了。

又过了几分钟，乘客们还没有从刚才宣布中回过神来的时候，再次听到机上的广播说：“最多再过三分钟，本机就可以安全着陆。”这一下，乘客们个个喜出望外，拍手称快。虽然飞机仍是晚点了。但是，乘客们却反而感到非常庆幸和满意。

在这个故事中，是“留面子”的心理效应发挥了作用。“留面子”指的是在向别人提出自己真正要求之前，先向别人提出一个大要求，待别人拒绝之后，再提出自己真正的比较小的要求来，人答应自己要求的可能性就会增加。

心理学家认为“留面子效应”的产生，主要是因为人们在拒绝别人的大要求的时候，感到自己没有能够帮助别人，损害了自己富有同情心、乐于助人的形象，辜负了别人对自己的良好愿望，会感到一点内疚。这时，为了恢复在别人心目中的良好形象，也达到自己心理的平衡，便欣然接受了第二个小一点要求。

心理研究者查尔迪尼等人曾做过一项被称为“导致顺从的互让过程”的研究。

他要求20名大学生花两年的时间担任一个少年管理所的义务辅导员。这是一件很费神的工作，大学生们断然拒绝了。随后，他提出了另外一个要求，让这些大学生带领少年们去动物园玩一次，结果50%的人接受下来。而当他直接向另一些大学生提出这个要求时，只有16.7%的人同意。

那些拒绝了第一个要求的大学生认为，这样做损害了自己富有同情心、乐于助人的形象。为恢复他们的利他形象，便欣然接受第二个要求。再者，当实验者提出一个要求遭到拒绝后，接着再提出另一个小一点的要求，这可以看做某种让步。那么，出于一个文明社会的基本礼貌，另一方也应该做出相应的让步。

其实，带领少年们去动物园玩也是一件很费神的工作，这从被直接提出要求的大学生中只有16.7%的人表示同意便可以看出来。但为什么当把这个要求放在另外一个较困难的要求之后时，会有50%的人接受呢？

如果对某个人提出一个很大的而又被拒绝接受的要求，接着再向他提出一个小一点的要求，那么他接受这个要求的可能性就比直接向他提出小要求而被接受的可能性大得多。

许多人正是利用留面子效应去影响他人的，当他们想让别人为自己处理某件事情之前，往往会提出一个别人根本不可能做到的要求，待别人拒绝且怀有一定的歉意时，再提出自己真正想要对方办的事情。由于前面的拒绝，人们往往会为了留住面子而接受随后的要求。

当然，“留面子效应”不是放之四海而皆准的，它是否会发生作用，关键在于双方关系的亲密程度以及你的需求和合理程度。如果既无责任，又无义务，双方素昧平生，却想别人答应一些有损对方利益的事情，这时候“先大后小”也是没有用的。

同时，记住：己所不欲，勿施于人。不要为了一己之私，轻易利用他人的心理。

戴尔·卡耐基著的《人性的弱点》里有这样一句金言：“为别人着想。”为别人着想与留面子效应有大同小异、异曲同工之妙，退一步海阔天空，何乐而不为呢？为人处世大多如此！

左右你一生的心理学

1. “留面子效应”是一把双刃剑，善加利用可以使沟通、交流事半功倍。但应切记：己所不欲，勿施于人。不要为了一己之私，轻易利用他人的心理。

2. 留面子效应是否会发生作用，关键在于别人是否有义务对你提供帮助，如果既无责任，又无义务，双方素昧平生，却想让别人答应做有损自身利益的事情，这时候采用“留面子效应”也是徒劳的。

刻板印象——以偏概全，会导致人际交往失败

刻板印象是指人们对于某一类人或事物产生的比较固定、概括而笼统的看法，是我们在认识他人时经常出现的一种相当普遍的现象。

一天，一位衣着整洁、文质彬彬的中年人来到美国东海岸一家著名的精神病院，要求到门诊就医。

他告诉接诊的精神病医生，说自己很多天以来一直“幻听”：这些声音时隐时现，时大时小，但“就我所能分辨的是，它们好像在说‘真的’、‘假的’和‘咚咚’”。这位医生初步判断他患了精神分裂症，于是，他被批准住院。

住院后，这位中年人再也没有提及那些声音，而且行为非常正常。但医院的医生仍然说他是精神病患者，护士们还在他的卡片上记录了一个频繁发生的反常行为：“病人有写作行为。”

奇怪的是和他同病室的几个病人一开始就不这么看，其中的一位甚至对他说：“我看上去你根本不像一个疯子，你可能是个记者，或者是个大学教授。你来医院体验生活的吧?”

这位中年人真的是一位大学教授，而且是一位心理学教授。这位病人说对了，而精神病医生却犯了致命的错误。

这是美国某大学心理研究所进行的一项心理学实验，这项实验主要目的是研究精神病患之间的相互影响。当时，参加实验的人员除了一位心理学教授之外，还有 7 名年轻的心理学工作者。他们分

别来到东海岸和西海岸的12家医院，全部声称自己幻听，结果无一例外地被当做精神病人给关进了医院。

住进医院之后，无论是言谈还是举止，他们立即表现得像个正常人。就像那位心理学教授一样，这些人在医生的眼里是标准的“病人”，有的甚至被视为最危险的“病人”，因为他不吵不闹，还不停地写作、记笔记；但在病人的眼里，他们都是正常人，是有学问的人。

正是由于这种特殊身份，他们得以分开地观察医院医生对病人的态度和行为。他们观察的情况令人震惊：

精神病院的医生和护士一旦认为某个病人患有精神分裂症，对于该病人日常生活中的一切举动，一律视为反常行为：写作被视为写作行为；与人交谈被视为交谈行为；按时作息被视为嗜睡行为；要求出院被视为妄想行为等等。结果，他们出院时费了很大的周折，从要求出院并一直做出正常表现平均20天，才得以离开医院。

这种匪夷所思的情况其实是我们社会生活和人际交往中常见的一种心理效应，即刻板印象。

刻板印象指的是人们对某一类人或事物产生的比较固定、概括而笼统的看法，是我们在认识他人时经常出现的一种相当普遍的现象。我们经常听人说的“长沙妹子不可交，面如桃花心似刀”，东北姑娘“宁可饿着，也要靓着”，“意大利人比较浪漫”“女人比较善变”等等，实际上都是“刻板印象”。

心理学家指出：刻板印象的形成，主要是由于我们在人际交往过程中，没有时间和精力去和某个群体中的每一成员都进行深入的交往，而只能与其中的一部分成员交往。因此，我们只能“由部分推知全部”，由我们所接触到的部分，去推知这个群体的“全体”。

刻板印象一经形成，就很难改变，因此，在日常生活中，一定要考虑到刻板印象的影响。例如，市场调查公司在招聘入户调查的访员时，一般都应该选择女性，而不应该选择男性，因为在人们心目中，女性一般来说比较善良、较少攻击性、力量也比较单薄，因而入户访问对主人的威胁较小；而男性，尤其是身强力壮的男性如果要求登门访问，则很容易被拒绝，因为他们更容易使人联想到一系列与暴力、攻击有关的事物，使人们增强防卫心理。

"物以类聚，人以群分"，居住在同一个地区、从事同一种职业、属于同一个种族的人总会有一些共同的特征，因此，刻板印象一般说来都还是有一定道理的。

但是，"人心不同，各如其面"，刻板印象毕竟只是一种概括而笼统的看法，并不能代替活生生的个体，因而"以偏概全"的错误总是在所难免。如果不明白这一点，在与人交往时，"唯刻板印象是瞻"，象"削足适履"的郑人，宁可相信作为"尺寸"的刻板印象，也不相信自己的切身经验，就会出现错误，导致人际交往的失败，自然也就无助于我们获得成功。

那么如何避免和巧妙利用刻板效应呢？

1. 要用发展的眼光看待他人

要善于用"眼见之实"去核对"偏听之辞"，有意识地重视和寻求与刻板印象不一致的信息。在人际交往中，人无完人，我们不能一成不变地用老眼光看待他人，"士别三日，刮目相看"，历史经验值得记取。

2. 要全面地看待他人

每个人都有优点与缺点，只看优点或者只看缺点，都是不正确的。我们要从多方面，多层次着手，不要只见一岛不及其余。

3. 深入到群体中去

与群体中的成员广泛接触，并重点加强与群体中有典型化、代表性的成员的沟通，不断地检索验证原来刻板印象中与现实相悖的信息，最终克服刻板印象的负面影响而获得准确的认识。

由刻板效应形成的认识往往是对事物最简单和原始的认识，是不

客观和不全面的，所以在人际交往中应该主动避免产生过强的刻板效应。但是，刻板印象并不是一成不变的，人的文化水平越高，产生刻板效应的可能性越小；对事物越了解，则越容易改变刻板印象。

因此，我们在工作和生活中既要合理地运用刻板效应，同时也不能让刻板印象蒙蔽了我们的眼睛！

左右你一生的心理学

1. 对人对事，要用发展的和全面的眼光来看待，不可用某个面来判断一个人的全部。

2. 刻板印象常常是一种偏见，人们不仅对接触过的人会产生刻板印象，还会根据一些不是十分真实的间接资料对未接触过的人产生刻板印象。要正确的运用刻板效应在人际交往中的积极作用，努力避免其消极的一面。

淡水法则——君子之交淡如水

因君子有高尚的情操，所以他们的交情纯得像水一样。这里的“淡如水”不是说君子之间的感情淡得像水一样，而是指君子之间的交往不含任何功利之心，他们的交往纯属友谊，却长久而亲切。

有个人和同租一间房子的房客成为朋友，后来因为对方一直不肯倒垃圾，他认为这对他很不公平，于是愤然而搬了出去。还有就是有时因为一些问题起了争执，吵了起来，彼此伤害了对方的感情，相互再难以接受，于是逐渐疏远，成了陌路之人。早知如此，还不如当初注意一点，不要走得太过靠近，友情维持得更长久一些。

人与人之间的关系就像刺猬，靠得太近则相互受伤，离得太远则觉得寂寞。适当的距离产生美感，与朋友交往也要牢记这一点。

我们每个人从小到大，都会交不少朋友，其中有些当然只是普通朋友，但有些则是可称为“铁哥们”的好朋友。但是我们也经常发现，一些好朋友到后来还是散了：有的是因为各奔前程、缘尽情了，大家到不同的地方去谋求发展，拥有了一份自己的生活，但是一旦见面还是非常亲热；有的则是不欢而散，大家因为一些问题，感情破裂了，今后即使再见面，也很尴尬。想要再像以前一样亲密无间就相当不容易了，有的甚至根本无再见面的可能。无论如何，友谊就这样逝去了，这都是一种遗憾。

在家靠父母，出门靠朋友。人一辈子都不断在交新的朋友，到

哪里都能够交到朋友是一件好事，但是人不能像熊瞎子掰玉米那样交朋友，而且新的朋友未必比老的朋友好，失去友情更是人生的一种损失。有的时候，维持和老朋友的友谊比交新朋友更加重要，因为相知多年，彼此熟知，合作会更加默契。这样的老朋友做搭档，更容易成就一番事业。但是要维持友谊，一定要注意“保持距离”！这是很多人不了解的。

这似乎有些矛盾，好朋友才应该整天呆在一块才对啊，古人交朋友常说的“不求同年同月生，但求同年同月死”，恨不得死都死在一起，为什么要保持距离呢？

问题就在于很多“铁哥们”就是因为一天到晚在一起，所以才处腻了，处烦了，才疏远了。而保持距离则能尽量避免这种情况发生。

从心理学角度讲：人与人之所以会产生“一见如故”、“相见恨晚”的感觉，之所以会有“铁哥们”、“死党”的产生，是因为彼此的气质互相吸引，一下子就越过鸿沟而成为好朋友，这个现象无论是异性或同性都一样。但无论如何相互吸引，双方还是会有些差异的，因为彼此来自不同的环境，受不同的教育，有不同的利益，因此人生观、价值观再怎么接近，也不可能完全相同。朋友之间首先会经历一段蜜月期，当蜜月一过，便无可避免地要碰触彼此的差异，刚开始还能够尊重对方，理解对方；随着友谊的加深，双方无话不谈，彼此之间的交锋和矛盾开始出现，逐渐变成容忍对方；到最后大家对谁也不客气，就成为要求对方！当要求不能如愿，便开始挑剔、批评、争吵，然后结束友谊。

好朋友的感情和夫妻之间的感情很类似，人说夫妻要“相敬如宾”，又说“小别胜新婚”就是告诫夫妻之间不要太过接近，偶尔也要“小别”一下，保持距离。其实朋友之间也要“相敬如宾”，“保持距离”便是最好的方法。所以，如果有了好朋友，与其太接近而彼此伤害，不如“保持距离”，以避免冲突。

那么我们怎样“保持距离”呢？

简单地说，就是不要太过亲密，不要一天到晚在一起，也就是说，心灵是贴近的，但是不要总是粘在一起。能“保持距离”就会尊重对方，便可以防止相互磕碰而产生伤害。

但是事情过犹不及，有时太过保持距离也会使双方疏远，尤其是现代社会生活节奏快，大家工作都忙，接触的人也多，很容易就忘了对方，因此对好朋友，也要打打电话，了解对方的近况。偶尔找机会碰面吃吃饭，聊一聊，否则就会从“好朋友”变成“朋友”，最后变成“只是认识了”！这样一来，就违背了保持距离的初衷了。

人心是很复杂的，也是多变的。有些事情在朋友之间你是这么想的，你的“好朋友”可不一定这么想。到最后，或许不是你不要你的朋友，而是你的朋友不要你。所以，为了友谊，为了人生有友情相伴，友谊长存，好朋友之间保持距离是最好的选择。

一位小有名气的画家，有位朋友偿还了一年前向他借的一笔钱，朋友相见，彼此谈得很投机。但这位朋友走后，画家却捧着钱感叹地说；“失而复得的钱啊，失而复得的朋友。”

他的学生听后大惑不解，问画家这句话的意思。

画家说：“我把钱借出去，从来不指望朋友还。因为我想，如果他没有钱他不能还，一定不好意思再来，那么，我吃亏也只是一次：如果他有钱而想赖账，一定不敢再来，那么，我等于花点钱，认清一个坏朋友。凡是到我这里借钱的朋友，只要数目不太大，我总会答应的，因为，这是通财之谊。至于借出之后，我从不去讨要，因为那样做肯定会伤了和气；这也是只能借不能讨的‘交友定律’。因此，每当我把钱借出去，总有既借出了钱，又借出了朋友的感觉。而每当不待我开口，他们就如约将钱还来，我又有失而复得了钱，且失而复得了朋友的快乐。这不是一种很平和圆满的境界吗?”

有句老俗话说“朋友不通财，通财两不来”，这就是说朋友之间不适宜通财物的道理；还有句话说“君子之交淡如水，小人之交情如蜜”，意思是真正的友谊应该如平淡的流水一般清纯而持久，而过

于亲密的甜言蜜语往往是怀藏着利欲的口蜜腹剑。

而朋友之间——通财之谊的做法，是一定要讲究信誉的，因为，一个人做朋友的价值就是被如此衡量的。

在纷繁的大千世界，人是形形色色的，选择朋友不是一件容易事，因此，广结朋友虽然有益，但更要慎重。

既要广交朋友，又要谨慎选择。如何做到这一点呢？

正如鲁迅先生曾经说过的：“我还有不少几十年的老朋友，要点就在彼此略小节而取其大。”略小节取其大就是不计较不是，而要从大处着眼。

看人先看大节，不是盯住对方的缺点错误不放，而是用发展的、变化的观点看人。如果不是略其小，取其大，就不能与人为善，就不能全面地客观地评价一个人，就可能一叶障目，不识泰山北斗，就可能把朋友推开，就可能得不到真正的友谊。

“朋友之间贵在相知”，不要局限在“不识庐山真面目”的狭小范围里。我们今天提倡的交友之道，就是朋友之间要摒弃庸俗的旧习，不要把友谊浸在利己主义的杯水中。让友谊的春风扫荡那些阴霾污浊之气，吹进每个朋友的心扉。

左右你一生的心理学

1. 真正的朋友，相互尊重，却不相互吹捧；往来频繁，但不过分亲昵；往来不多，也心心相印。也就是说：交友应注重真挚的感情，注重心灵的默契和呼应，志同道合。而不注重表面上的亲近，热闹。

2. 君子之交淡若水，小人之交甘若醴。志同道合、情投意合的人要成为朋友，他们之间的利益关系很清淡，物质化的好处可以省略；萍水相逢、互不了解的人要成为朋友，他们之间的利益关系很重要，使对方欢欣满意的“表示”是必不可少的。

社交是一种智慧

自从人类社会形成以来，社会便以各自不同的方式存在着。正如马克思所说："社交是人类历史发展的必然伴侣，也是人们日常生活和日常接触的必然伴侣。"

心理学家斯坦利·沙赫特曾做过一项实验，将5名自愿者分别隔离在5间屋子里，在提供食宿的情况下，使其与外界隔绝。结果坚持时间最短的是20分钟，坚持时间最长的是8天8夜。他们都感到孤独，很难受，心理很紧张。这项实验表明，亲和倾向源于人的本能，是人类与生俱来的。人类喜好合群，组织家庭，建立各种社会组织，便是极好的证明。孤独使他们恐惧，离群使他们害怕，长久的隔离，会使他们的心理状态变异，成为不正常的人。

作为一个人，无论你的性格多么内向，多么喜欢独处，你都不可能将自己完全封闭起来，与周围的一切断绝任何来往。你总是在不知不觉地与人们打着交道，而人们的思想、习俗也在潜移默化地影响着你。总之，能够完全脱离社会、脱离群体的人是不存在的，也是无法存在的。社会中的绝大多数人，往往愿意或喜欢与他人交往，以朋友多而自豪。这种愿意或喜欢与他人交往的本能，就是亲和力，它是人类普遍具有的渴望与他人亲近、和谐相处的心理状态，是人类最基本的需求，也是最主要的需求。儿童依恋父母，老人眷念儿女，兄弟姐妹相帮相助，人们就是在这种相亲相偎的关系中，培养才智，增长力量，战胜困难，取得成绩，最终走完一代又一代

的人生旅程。这种亲和力，既是促使情感归依的起因，又是激发人际交往的动力，它对平衡人类心理，克服势单力薄之不足，起着很好的调节作用。

心理学家赫布的“理想水平说”认为，人类的亲和倾向是出于功利性的目的。人们通过亲和，可以达到个人的目的，对自身也是一种报偿。人们的亲和虽源于本能，但却是有目的的，人们通过联合，同自然界、社会作斗争，为生存创造条件。人与人之间的社交，在付出的同时，也在索取，实际上是进行着时间、金钱、劳动等方面的交换。这是社会交换的需要。正是在亲和力的作用下，人类社会才不断地进步与发展，人与人之间的关系才日益亲密与合作。

就个体而言，亲和力加速了他的社会化进程，使他从诞生之日起就浸泡在关怀、爱护的亲情之中，一点一滴地受到熏染，得到强化与培养。亲和力有利于个体的身心健康，减少心理障碍产生的几率。人们社交的范围越广，精神生活就越丰富，亲和力就越强，心理发展就越平衡。亲和力是培养良好个性、求取知识、获得事业发展必不可少的重要条件，是建立友谊、发展友谊的坚强动力。只要亲和动机纯正，就会赢得许多朋友，就会在人生的道路上一帆风顺。可以说，人类社会的进步与发展，与人类之间的团结友爱、互相帮助密不可分。亲和力使人类产生了巨大的凝聚力，在现实生活中发挥着不可估量的作用。

有句话说得好：“想图一年的安乐，就去种植农田；想图十年的安逸，就去种植森林；想图百年的安稳，就去播种人脉。”这里所说的人脉就是人际关系网络，就是一个人所接触的并与之建立起的、深厚的、牢固的、特殊的关系，是人类必不可少的社会生存形态。

一个人怎么度过这一生，跟身边的人有绝对的关系。有了良好的人际关系资源，你就有了一个雄厚的、可利用的外援力量。当你遇到困难时，当你身陷逆境时，当你忧郁苦闷时，当你身遭不幸时，曾经与你共事的同志、与你同窗学习的同学、与你有相同兴趣和爱好的朋友、与你有过合作和交易的伙伴，都可能出现在你的面前，施以援手，助你度过人生这段艰难之旅。正所谓："一个篱笆三个桩，一个好汉三个帮。"任何时候做任何事情，人际关系都无处不在，你学习上的每一次进步，你生意上的每一次成功，你事业上的每一次拓展，都离不开朋友的支持和帮助。你的困难、你的痛苦朋友帮你分担，你的欢乐朋友与你分享，这就是人际交往的魅力所在。

人际交往如此重要，每个人都应该重视。尤其是刚刚步入社会的年轻人，面对这个社会的复杂、多变，更应该学习交际的原则、技巧和方法，为自己营造一个和谐的、圆融的、有益的人际关系网络，也为自己立足于这个社会，对以后的人生、事业打下良好的基础。

心理学家认为：每个人做人做事，多少都会受到周围人或环境的影响。交际是我们的一种重要的社会活动，更是对我们的生活，人生有着不可忽视的影响，接触的人多了，才能更好地把握好社交的分寸：

1. 自尊，更要尊重别人

在日常生活中，也许你常常因为得不到别人的尊重而感到委屈、苦恼，甚至怨恨。自尊心人皆有之。在社会交往中，你处处尊重别人，同样别人也会处处尊重你。自尊的人在交往中很有自信心，在与他人见面和交谈时能够做到不卑不亢，落落大方。

在人生方圆中，自尊是立世之"方"，而尊人则是处世之"圆"。我们在强调自尊的同时，更应重视尊人。

在与人交往时，人们往往是"你敬我一尺，我敬你一丈"。在人际交往的过程中，只有形成尊重与被尊重的默契与和谐，才可能使交际顺利进行和持续发展。

总之，在为人处世方面，既要考虑到别人的利益，也要维护自己的尊严，一个人在社会上受尊重的程度如何，与他的自身修养通常成正比，在这里，自尊是第一要素，要想获得别人的尊重，首先必须自尊。

2. 信赖，但别轻信

美国哲学家、诗人爱默生说："你信任人，人家才对你忠实。

以伟大的风度待人，别人才表现出伟大的风度。”人与人之间相处得融洽，全靠互相信任。朋友之间交往，时常戴起假面具，互不掏真心话，甚至互相怀疑，互相设防，那就没有什么真诚的社会交往可言了，那样的所谓社交，不过是逢场作戏罢了。

信任的感染力是无穷的，我们应该以诚待人，人与人之间互相信赖。

信赖，但绝不能轻信。轻信，主要是指盲从，即：对人对事不加观察和分析，没有自己的主见，人云亦云，随波逐流。也就是说，在社交中，既要互相信赖，又不要轻信他人。这并不是自相矛盾的，而是两回事。你明知某个人向来品行不端，你还是把一件非常重要的事情交给他办，这就叫轻信。你若给人留下轻信的印象，遇事不加考虑，人云亦云，那与你交往的人就也不会信赖你，就会认为你不可靠。轻信，会使善良的人痛心，使骗子得逞；信赖，会使善良人得到安慰，使骗子受到威胁。

3. 严己，还要宽人

一般而言，我们总是喜欢对别人要求得较严，对自己则要求得较宽松。

严以律己，就是要严格要求自己，其主要包括注意修炼自己的品格，锻炼自己的忍耐力，注意不能因自己的个性而伤害了别人。而一旦不小心伤了人，要主动诚恳认错，向对方赔礼道歉。若与对方发生口角时要主动进行自我批评，在自己身上找缺点，找差距，少批评别人，不吹毛求疵，事事把方便让给别人，等等。

人往往能够将别人的缺点看得一清二楚，但这并不意味着你可以因此严厉地指责别人。在与人相处时，要懂得随时体谅他人，在温和且不伤害人的前提下，适宜地帮助别人。以严厉的态度对待别人，容易招致他人的怨恨，反而无法达到目的。若要避免遭受此类困扰，关键在于宽容他人。做一个肯理解、容纳他人的优点和缺点的人，才会受到他人的欢迎。而对人吹毛求疵，又批评又说教没完没了的人，不会有亲密的朋友，人家对他只有敬而远之。只有宽以待人，让别人满足寄托、归属的需要，才能使人们自愿地亲和，融入集体之中。

4. 老练，但别世故

在人与人的交往应酬中，老练成熟是必不可少的，是社交中的上乘修养。老练成熟的人往往会成为社交场合的核心人物。

老练成熟，依靠的是知识的长年积累，经验的不断丰富。也就是说，年轻人要特别注意尽快地使自己老练成熟起来，抓紧时间，谦虚向学，不断从年长者的成熟交往中吸取经验。

但是，老练成熟并不是圆滑世故。老练成熟，是社交中的“上乘”修养；而圆滑世故，则是社交中易遭人防范的品质。圆滑世故的基本特征也可归纳为三条：一、玩世不恭，逢场作戏；二、对人“耍心眼”，弄权术，用手段，搞阴谋；三、骑墙中庸，四面讨好，八面玲珑，出卖原则。在实际生活中，可以用上述特征来区别一个人是老练成熟还是圆滑世故。

因此，一般认为，老练成熟的人是可靠的，可以信赖的；而圆滑世故的人是不可靠的，是最危险的人物之一。

古希腊哲学家亚里士多德曾说：“一个生活在社会之外，同人不发生关系的人，不是动物就是神。”因此，生活在这世界上的每一个人，人际关系从我们一出生就伴随着，直到我们离开这个世界。

左右你一生的心理学

1. 在交往过程中，只有诚以待人，胸无城府，才能产生感情的共鸣，才能收获真正的友谊。没有人会喜欢虚情假意，多少夸夸其谈的人都会败下阵来。

2. 人际交往与我们密不可离，是我们生活的一部分，贯穿生命的始终。良好的人际交往能力是青少年社会化的起点，是将来在社会立足的生存需要，也是为社会作贡献的本领。

第二章 只为成功找理由，不为失败找借口——成功心理学

成功本身并不难，难的是成功之前面对失败的精神品质。人生是一场搏斗，敢于搏斗的人，才可能是命运的主人。在山穷水尽的绝境里，再搏一下，也许就能看到柳暗花明；在冰天雪地的严寒中，再搏一下，一定会迎来温暖的春风！

PMA 黄金定律——人之所以能，是相信能

PMA是美国成功学领域的专有名词Positive Mental Attitude的英文缩写，即为“积极心态”。人与人之间只有很小的差异，但这种很小的差异却往往造成了巨大的差异。很小的差异就是所具备的心态是积极的还是消极的，巨大的差异就是成功与失败！

两个欧洲人到非洲去推销皮鞋。由于炎热，非洲人向来都是打赤脚。第一个推销员看到非洲人都打赤脚，立刻失望起来：“这些人都打赤脚，怎么会要我的鞋呢。”于是放弃努力，失败沮丧而回；另一个推销员看到非洲人都打赤脚，惊喜万分：“这些人都没有皮鞋穿，这皮鞋市场大得很呢。”于是想方设法，引导非洲人购买皮鞋，最后发大财而回。

这就是一念之差导致的天壤之别。同样是非洲市场，同样面对打赤脚的非洲人，由于一念之差，一个人灰心失望，不战而败；而另一个人满怀信心，大获全胜。

心理学家认为：成功人士的首要标志，在于他的心态。一个人如果心态积极，乐观地面对人生，乐观地接受挑战和应付麻烦事，那他就成功了一半。

我们必须面对这样一个奇怪的事实：在这个世界上，成功卓越者少，失败平庸者多。成功卓越者活得充实、自在、潇洒，失败平

庸者过得空虚、艰难、猥琐。

为什么会这样？

仔细观察、比较一下成功者与失败者的心态，尤其是关键时刻的心态，我们将发现“心态”会导致人生惊人的不同。

拿破仑·希尔曾讲过这样一个故事，对我们每个人都极有启发。

塞尔玛陪伴丈夫驻扎在一个沙漠的陆军基地里。丈夫奉命到沙漠里去演习，她一个人留在陆军的小铁皮房子里，天气热得受不了——在仙人掌的阴影下也有华氏125度。她没有人可谈天——身边只有墨西哥人和印第安人，而他们不会说英语。她非常难过，于是就写信给父母，说要丢开一切回家去。她父亲的回信只有两行，这两行信却永远留在她心中，完全改变了她的生活。信是这样写的：

两个人从牢中的铁窗望出去。

一个看到泥土，一个却看到了星星。

塞尔玛一再读这封信，觉得非常惭愧。她决定要在沙漠中找到星星。

塞尔玛开始和当地人交朋友，他们的反应使她非常惊奇，她对他们的纺织、陶器表示兴趣，他们就把最喜欢但舍不得卖给观光客人的纺织品和陶器送给了她。塞尔玛研究那些引人入迷的仙人掌和各种沙漠植物、物态，又学习了有关土拨鼠的知识。她观看沙漠的日落，还寻找海螺壳，这些海螺壳是几万年前，这沙漠还是海洋时留下来的，……原来难以忍受的环境变成了令人兴奋、流连忘返的奇景。

是什么使这位女士内心发生了这么大的转变呢？

沙漠没有改变，印第安人也没有改变，但是这位女士的念头改变了，心态改变了。一念之差，使她把原先认为恶劣的情况变为一生中最有意义的冒险。她为发现新世界而兴奋不已，并为此写了一本书，以《快乐的城堡》为书名出版了。她从自己造的牢房里看出去，终于看到了星星。

心理学家解释说：生活中，失败的平庸者主要是心态有问题，遇到困难，他们总是挑选容易的倒退之路。“我不行了，我还是退缩吧”，结果陷入失败的深渊。成功者遇到困难，仍然保持积极的心态，用“我要！我能！”“一定有办法”等积极的意念鼓励自己，于是便能想尽方法，不断前进，直至成功。爱迪生在几千次失败的试验面前，也决不退缩，最终成功地发明了照亮世界的电灯。

因此，成功学的始祖拿破仑•希尔说，一个人能否成功，关键在于他的心态。成功人士与失败人士的差别在于成功人士有积极的心态，即 PMA（Positive Mental Attitude）；而失败人士则习惯于用消极的心态去面对人生。消极的心态，即 NMA（Negative Mental Attitude）（在美国成功学领域 PMA 与 NMA 已成为替代积极心态与消极心态的专有名词）。

成功人士运用 PMA 黄金定律支配自己的人生，他们始终用积极的思考、乐观的精神和辉煌的经验支配和控制自己的人生；失败人士是受过去的种种失败与疑虑所引导和支配的，他们空虚、猥琐、悲观失望、消极颓废，最终走向了失败。

运用 PMA 支配自己人生的人，拥有积极奋发、进取、乐观的心态，他们能乐观向上地正确处理人生遇到的各种困难、矛盾和问题。运用 PMA 支配自己人生的人，心态悲观、消极、颓废，不敢也不去积极解决人生所面对的各种问题、矛盾和困难。

有些人总喜欢说，他们现在的境况是别人造成的，环境决定了他们的人生位置，这些人常说他们的想法无法改变。但是，我们的境况不是周围环境造成的。说到底，如何看待人生，由我们自己决定。纳粹德国某集中营的一位幸存者维克托•弗兰克尔说过：“在任何特定的环境中，人们还有一种最后的自由，就是选择自己的态度。”

马尔比•D•马布科克说：“最常见同时也是代价最高昂的一个

错误，是认为成功有赖于某种天才、某种魔力、某些我们不具备的东西。”可是成功的要素其实掌握在我们自己的手中，成功是运用PMA的结果。一个人能飞多高，并非由人的其他因素，而是由他自己的心态所制约。

拿破仑·希尔告诉我们，我们的心态在很大程度上决定了我们人生的成败：

1. 我们怎样对待生活，生活就怎样对待我们；

2. 我们怎样对待别人，别人就怎样对待我们；

3. 我们在一项任务刚开始时的心态就决定了最后将有多大的成功，这比任何其他因素都重要；

4. 人们在任何重要组织中地位越高，就越能收到最佳的心态。

积极的心态是成功的基本要素，消极的心态是人类致命的弱点。消极的心态会蒙蔽你的想象力，降低你的合作意愿，使你失去自制能力，容易发怒，缺乏耐性。它只会为你树立敌人，摧毁你的成就和朋友。

你必须培养积极的心态，没有积极的心态你就无法成就大事。世界上最重要的人是你，只有你唯一能完全掌握你自己，控制你自己。你的成功、健康、幸福与财富都由你自己选择。

左右你一生的心理学

1. 幸福的人不一定是富人，一个穷人也可以是很快乐幸福的。积极心态的人不一定富有，但一定是幸福、快乐和乐观的！

2. 成功人士的首要标志，在于他拥有积极的心态。一个人如果心态积极，乐观地面对人生，乐观地接受挑战和应付麻烦事，那他就成功了一半。

奋起效应——假设失败就是成功

这是与破摔效应意义相反的一种积极效应：当一次大的挫折后，受挫人不仅不气馁，反而激发起改变现况、奋力向上的意志，从而迅速成功的心理效应，即奋起效应。

美国玛丽·凯化妆品公司的董事长叫玛丽·凯，在创业之初，她历经失败，她承受了痛苦，走了不少弯路。然而，她从来不灰心，不泄气，最后终于成为一名大器晚成的化妆品行业的“皇后”。

20世纪60年代初期，玛丽·凯已经退休回家。可是过分寂寞的退休生活使她突然决定冒一冒险。经过一番思考，她把一辈子积蓄下来的5000美元作为全部资本，决定创办了玛丽·凯化妆品公司。

为了支持母亲实现“狂热”的理想，两个儿子也“跳往助之”，一个辞去一家月薪480美元的人寿保险公司代理商，另一个也辞去了休斯敦月薪750美元的职务，加入到母亲创办的公司中来，宁愿只拿250美元的月薪。玛丽·凯知道，这是背水一战，是在进行一次人生中的大冒险，弄不好，不仅自己一辈子辛辛苦苦的积蓄将血本无归，而且还可能葬送两个儿子的美好前程。

在创建公司后的第一次展销会上，她隆重推出了一系列功效奇特的护肤品，按照原来的想法，这次活动会引起轰动，一举成功。可是，“人算不如天算”，整个展销会下来，她的公司只卖出去15美元的护肤品。

意想不到的残酷失败使她控制不住失声痛哭……

回到家后，玛丽·凯对着镜子反问自己："玛丽·凯，你究竟错在哪里?"

她经过认真的分析，终于悟出了一点：在展销会上，她的公司从来没有主动请别人来订货，也没有向外发订单，而是希望女人们自己上门来买东西……

难怪在展销会上落到如此的后果。

商场就是战场，从来不相信眼泪，哭是不会哭出成功来的。

玛丽擦干眼泪，从第一次失败中站了起来，在抓生产管理的同时，加强了销售队伍的建设……

经过二十年的苦心经营，玛丽·凯化妆品公司由初创时的雇员9人发展到现在的5000多人；由一个家庭公司发展成为一个国际性的公司，拥有一支20万人的推销队伍，年销售额超过3亿美元——玛丽·凯终于实现了自己的梦想。

一位退休的女性，何以创造出如此的奇迹，不就是有一种"失败了也要干"的精神吗？

人生中许多事情的得失成败不可预料，也承担不起，我们只要不放弃努力就不算失败。我们享受成功，所以渴望到达终点，但那无非是另一个起点。

对于失败，有的人可能把它当做前进路上的绊脚石，有的人可以把它当做奋起的垫脚石。从心理学角度讲：失败对人是一种打击，也是一种磨炼。当你经历挫折后，应该冷静地分析产生失败的原因，把失败看成是对自己的一次考验、一个磨砺的机会，这样也许就不会受第二次同样的失败困扰了，因为你已懂得如何去战胜它。因为有过多次的失败，才会得到多次的经验；经过几次教训后，才能够成熟起来。如果不肯承认失败，就永远不会进步。

心理学家分析说：很多人遭受太多的打击和挫折，于是奋发向上的热情、欲望遭到自我压制封杀，丧失了信心和勇气，渐渐养成了懦弱、犹疑、自卑、不思进取、不敢拼搏的精神面貌。

知道4分钟跑完1英里的故事吗？自古希腊以来，人们一直试图达到4分钟跑完1英里的目标。人们为了达到这个目标，曾让狮子追赶奔跑者，但是也没实现4分钟跑完1英里的目标。于是，许许多多的医生、教练员和运动员断言：要人在4分钟内跑完1英里的路程，那是绝不可能的。因为，我们的骨骼结构不对头，肺活量不够，风的阻力又太大，理由实在很多很多。

然而，有一个人首先开创了4分钟跑完1英里的纪录，证明了许许多多的医生、教练员和运动员都断言错了。这个人就是罗杰•班尼斯特。更令人惊叹的是，一马当先，引来了万马奔腾。在此之后的一年内，又有300名运动员在4分钟内跑完了1英里的路程。

根据以上这种情况，科学家做过一个有趣的实验：

他们把跳蚤放在桌上，一拍桌子，跳蚤迅即跳起，跳起高度都在其身高的100倍以上，堪称世界上跳得最高的动物！然后在跳蚤头上罩一个玻璃罩，再让它跳；这一次跳蚤碰到了玻璃罩。连续多次后，跳蚤改变了起跳高度以适应环境，每次跳跃总保持在罩顶以下高度。接下来逐渐改变玻璃罩的高度，跳蚤都在碰壁后主动改变跳的高度。最后，玻璃罩接近桌面，这时跳蚤已无法再跳了。科学家于是把玻璃罩打开，再拍桌子，跳蚤仍然不会跳，变成“爬蚤”了。

跳蚤变成“爬蚤”，并非它已丧失了跳跃的能力，而是由于一次次受挫学乖了，习惯了，麻木了。最可悲之处就在于，实际上的玻璃罩已经不存在，它却连“再试一次”的勇气都没有。玻璃罩已经罩在了潜意识里，罩在了心灵上。行动的欲望和潜能被自己扼杀！

心理学家告诉我们：即使是最困难的事，只要自己有适当的准备，有心寻求解决之道，就一定可以找到解决问题的办法。

成功者的经验告诉我们，不要因失败而变成一位懦夫，面对挫折，要奋勇向前。当你尽了最大的努力还没有成功时，不要放弃，只要继续努力或开始另一个计划就行了。当然，面对失败，也要有

一定的灵活性，不能一条道上走到黑。

人生与足球赛一样，充满机遇，充满挑战。临门一脚如果不进，不要悲哀，不要放弃，要尽力去寻找时机再次进攻。

人生亦是如此。如果一次失败了，不要轻言放弃，成功就在下一步，只要你执着地奋斗就能获得。失败后继续坚持，继续努力，你就会成功。

永远不要说“没有希望了”。终场前什么都有可能发生，只管奋力去拼搏吧！自己吹响终场哨是犯规和愚蠢的。人生的终场哨就让死神去吹吧！

我们应该给生活一个假设，假设失败就是成功，假设跌倒就是站起，假设沮丧就是欢愉，假设疼痛就是健康，假设不幸就是幸运……

左右你一生的心理学

1. 世界充满了成功的机遇，也充满了失败的可能。所以要不断提高应付挫折与干扰的能力，调整自己，增强社会适应力，坚信失败是成功之母。若每次失败之后都能有所领悟，把每一次失败当做成功的前奏，那么就能化消极为积极，变自卑为自信！

2. 人生在世会遇到很多事情，幸福、不幸、快乐、痛苦、成功、挫折。有那么一两刻，你可能会感到绝望，感到恐惧，万念俱灰。但是，越是这个时候，越需要在心底对自己说：坚持一下，再坚持一下。过了这一刻，一切都会好起来的！

“甜柠檬”心理——接纳自己，逐渐增强自信

“甜柠檬”心理就是认为自己的柠檬就是甜的，“甜柠檬”是指自己所有而摆脱不掉的东西就是好的，要学会接纳自己。每个人都有自己的优点，都有自己的优势，每个人也都有自己的特点，千万不要轻易说自己这不好，那不如人，不妨试试“甜柠檬”心理学会接纳自己，逐渐增强自信。

某人在屋檐下躲雨，看见观音正撑着伞走过。这人说：“观音菩萨，普度一下众生吧，带我一段如何?”观音说：“我在雨里，你在檐下，而檐下无雨，你不需要我度。”这人立刻跳出檐下，站在雨中说：“现在我也在雨中了，该度我了吧?”观音说：“你在雨中，我也在雨中，我不被淋，因为有伞；你被雨淋，因为无伞。所以不是我度自己，而是伞度我。你要想度，不必找我，请自找伞去!”说完便走了。第二天，这人遇到了难事，便去寺庙里求观音。走进庙里，才发现观音的像前也有一个人在拜，那个人长得和观音一模一样，丝毫不差。

这人问：“你是观音吗?”那人答道：“我正是观音。”

这人又问：“那你为何还拜自己?”

观音笑道：“我也遇到了难事，但我知道，求人不如求己。”

也许，神是伟大的，但神会给我们什么呢?

我们祈求力量，神便给我们困难去克服，使我们变得强壮……

我们祈求智慧，神便给出问题让我们去解决……

我们祈求成功，神便给我们大脑和强健的肌肉……

我们祈求勇气，神便设置障碍让我们去克服……

我们祈求爱，神便指引我们去帮助需要关爱的人……

我们祈求荣耀，神便给我们创造荣耀的机会……

从神那里，我们没有得到任何我们祈求的东西，但却得到了所有必须具备的东西。然后，我们需要做的是：毫无畏惧地生活，直面所有的障碍和困境，并充满信心地去克服！

所以，人才是自己的命运之神！

永远地相信自己，这不是说说那么简单的。如果你真的能做到了，那么你离成功已经不远了。

自信是人们事业成功的阶梯和不断前进的动力。正如法国启蒙思想家、文学家让•雅克•卢梭所说的那样："自信力对于事业简直是一个奇迹。有了它，你的才干就可以取之不尽，用之不竭；一个没有自信的人，无论他有多大的才能，也不会抓住一个机会。"只有满怀自信的人，才能在任何地方都怀有自信，沉浸在生活当中，并实现自己的意志。

有一些人会相信，一个人一生的事，是在呱呱坠地的时候就已经由上天决定好了，跟个人的努力完全无关。在这些人眼里：富翁是天生的，他一生下来便是个富翁；领袖人物是天生的，他们降生时一定带点儿什么征兆；中等人是天生的，他们只落得一生温饱；强盗歹徒是天生的，他们是魔鬼的工具；一生受苦的人也是天生的，他们是世人的奴隶。这种宿命论使这些人不去做事，像一条懒虫似的生活着，等待着好运或是厄运降临在他们的身上。

每个人都有巨大的潜能，只是有的人潜能已经苏醒了，有的人潜能却还在沉睡。任何成功者都不会是天生的，成功的根本原因是开发人的无穷无尽的潜能。

确实，开启成功之门的钥匙，必须由你自己亲自来锻造。锻造的过程，就是释放你的潜能、唤醒你的潜能的过程。正如爱迪生曾经说过的：“如果我们做出所有我们能做的事情，我们毫无疑问地会使自己大吃一惊。”

我们常常因为罪恶感，以及过去和现在所犯的种种过错而自惭形秽。我们渐渐缺乏尊敬和喜爱自己的能力。为了学习喜欢自己，我们必须面对自己的缺点、容忍自己的缺点。这并不是不思进取、懒惰等等，这只表示我们必须认识到——没有人，包括我们自己，能够百分之百的优秀。

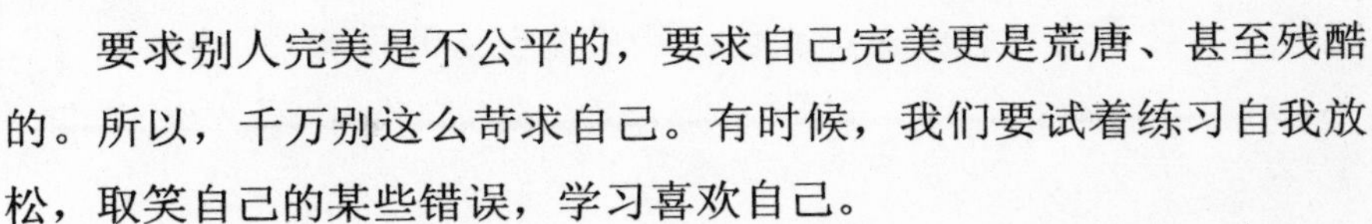

要求别人完美是不公平的，要求自己完美更是荒唐、甚至残酷的。所以，千万别这么苛求自己。有时候，我们要试着练习自我放松，取笑自己的某些错误，学习喜欢自己。

心理学家发现：不喜欢自己的人，常表现为过度的自我挑剔。适度的自我批评是有益的、健康的，有助于个人的发展；但超过了这个限度，就会影响我们的积极行为。

如果一个人过于自我挑剔，当他从事一件事时，他会觉得自己很笨拙、很胆怯，想到自己的种种缺点，便没有勇气继续做下去。这样的话，他最大的敌人就是自己了。

《圣经》中有这样的描述：当耶稣遇到受折磨的人时，他不去查问为什么这些人会如此，也不会给予很多的同情，而是说：“你的罪被赦免了，回家去吧，而且不要再犯罪了。”当你忘记过去的错，爱自己，认为自己是巨人的时候，你才会成为真正的巨人。

从心理学角度讲：“甜柠檬”心理，能让人在达不到预期目标时，提高自己现状的价值，好让自己安于实情。只是这时内心里自卑与自傲并存，为的就是保护既脆弱又高傲的自尊心。当心理不平衡时，运用一下这些保护自己的方法，也不失为自我调适之道。只是，若能调整期望的落差，便能接受柠檬虽酸，却也别有滋味的事实，也就能拥有恰如其分的自尊与自信。

左右你一生的心理学

1. 只有自信与自尊，才能够让我们感觉到自己的能力，其作用是其他任何东西都无法替代的。而那些软弱无力、犹豫不决、凡事总指望别人的人，正如莎士比亚所说："他们体会不到也永远不能体会到自立者身上所焕发出的那种荣光。"

2. 面对生活，我们要有一颗积极学习和探索的心，去追求生活中美好的东西。在追求的过程中，要始终认为自己是最棒的，只有具有这种心态，我们才能成为生活的强者。

瓦拉赫效应——每个人都埋藏着成功的“宝藏”，看你如何挖掘

在人才心理学中，人们把那些大智若愚者的特殊才能被正确发掘后所发生的巨大变化现象，称之为“瓦拉赫效应”。

20世纪的科学巨匠爱因斯坦，在他死后，科学家对他的大脑进行了研究。结果表明，他的大脑无论是体积、重量、构造或细胞组织，与同龄的其他人一样，没有区别。这说明，爱因斯坦事业的成功，并不在于他的大脑与众不同，而是在于他开发了自己的潜能。

这也就是我们这节要讲的“瓦拉赫效应”——每个人都埋藏着成功的“宝藏”，看你如何去挖掘。

瓦拉赫是一位诺贝尔化学奖获得者，曾经被许多教师判定为不可造就之才，尔后被化学老师发掘，给他指明方向，而被成功发展，直至成为化学界的巨人。因此，人们把这一现象，称之为瓦拉赫效应。

瓦拉赫具体成才的经历是这样的。瓦拉赫在开始读中学时，父母为他选择的是一条文学之路，不料一个学期下来，老师对他做出了如下评语：“瓦拉赫很用功，但过分拘泥，这样的人即使有着完美的品德，也绝不可能在文学上发挥出来。”此时，父母只好尊重儿子的意见，让他改学油画。可是，瓦拉赫既不善于构图，又不会润色，对艺术的理解力也不强，成为班上倒数第一。此时，学校的评语对他更是令人难以接受：“你是绘画艺术方面的不可造就之才。”

面对瓦拉赫的笨拙表现，当时多数教师除了感叹别无他法。而此时的一位化学教师却与众不同，认为瓦拉赫在文学、绘画艺术方面虽然表现不佳，但他那一丝不苟的品质，是具备做好化学实验的必备条件，建议他试学化学。父亲与他都接受了化学教师的建议，从此学起了化学。这下，瓦拉赫的智慧火花一下被点着了，而且一燃就不可收拾，他在化学方面的聪明才智被彻底地发掘出来了，一下成为在化学方面公认的“前程远大的高材生”，在同学中遥遥领先，直至最后摘取诺贝尔化学奖，为人们所称颂。

为什么会发生上述这种瓦拉赫效应呢？是什么神奇的力量使瓦拉赫发生如此神奇的变化呢？心理学家分析其原因不外乎如下几方面的影响因素：

1. 不同的人存在着不同的潜能

心理学家加德纳认为，人的智力是多元的，人除了言语/语言智力和逻辑/数理智力两种基本的智力外，还有其他七种智力，它们是视觉/空间关系智力、音乐/节奏智力、身体运动智力、人际交往智力、自我反省智力、自然观察者智力和个人内在智力。这九种多元智力在每个人身上都或多或少地存在着，它代表了每个人不同的潜能。这些潜能只有在适当的情境中才能充分地发掘出来。上述的瓦拉赫就有着与众不同的多元智力，在用传统的智力理论来判断，他就是一个智商低弱的人，而用加德纳的多元智力理论来分析，他并不是一个低能者，只不过是他的九种智力组合的方式与众不同罢了。化学教师看到了这一差异，为他创造了有利于他在化学方面发展的潜能环境，从而使他的九种智力组合而成的潜能得到了充分地发展。

2. 闪光点能及时发现并不断发光

一个人存在着不同的潜能，而且这种潜能还会不时地表现出来。这时就看它有没有人及时地捕捉到，并不断地加以开掘。否则，这种闪光点就会如同天上的流星一闪而过。因此，及时发现闪光点是十分重要的。发现后能否创造条件让其发展最大潜能也是十分关键的。在这两点上，瓦拉赫都得到了满足，因此，他如鱼得水，其特殊潜能得到了极速的发展。如果没有化学老师发现他的闪光点，如果没有他父亲的大力支持，那么，瓦拉赫这颗化学巨星就可能成为一颗流星，不复存在。

3. 没有恨铁不成钢的家庭坏环境

瓦拉赫之所以成功还与他有一个良好的家庭环境有关。虽然学校对他的文学、绘画等艺术方面的评定极差，但始终没有影响他父母对他的期望，他们总是那样一如既往地爱他，信任他，相信他能取得成功，并帮助他分析学习失败的原因，鼓起勇气，努力学习。这种宽容的家庭环境是他走向成功的重要条件。

松下幸之助说过："人生成功的诀窍在于经营自己的个性长处，经营长处能使自己的人生增值，否则，必将使自己的人生贬值。"

成功学专家 A.罗宾也说过："每个人身上都蕴藏着一份特殊的才能。那份才能犹如一位熟睡的巨人，等待着我们去唤醒他……上天不会亏待任何一个人，他给我们每个人以无穷的机会去充分发挥所长……我们每个人身上都藏着可以'立即'支取的能力，借这个能力我们完全可以改变自己的人生，只要下决心改变，那么，长久以来的美梦便可以实现。"

任何一个平凡的人，都存在巨大的潜能，只要他的潜能得到发挥，就可干出一番事业。因为研究发现，那些被世人称为天才者，为人类做出突出贡献者，只不过是开发了他们的潜能而已。

其实，人不仅具有巨大的心脑潜能，还有巨大的潜在体能。

一个人能搬动一辆汽车，你相信么？但这确实是真的。在一家农场，有一辆轻型卡车，农夫的儿子，年仅 14 岁，对开车极感兴趣，有机会就到车上学一会，没过多久，他就初步掌握了驾车的技能。

有一天儿子将车开出了农场大院。突然间，农夫看到车子翻到水沟里去了，大为惊慌，急忙跑到出事地点。他看到沟里有水，而他儿子被压在车子下面，躺在那里，只有头的一部分露出水面。

这位农夫并不高大，也不是很强壮，但他毫不犹豫地跳进水沟，双手伸到车下，把车子抬高，让另一位来援助的农工把儿子从车下救了出来。事后，农夫就觉得奇怪，怎么一个人就把汽车抬起来了呢？出于好奇，他就再试了一次，结果是根本就抬不动那辆车子。

此事说明，农夫在危机情况下，产生一种超常的力量。这种力量从何而来呢？

医务人员解释为，身体机能对紧急状况产生反应时，肾上腺就大量分泌出激素，传到整个身体，产生出额外的能量。大量肾上腺激素分泌的前提条件，是人的体内能够产生这种多腺体。如果自身没有，任何危机都不能使其分泌出来。由此可见，人确实是存在极大的潜在体能。

另外，农夫在危急情况下产生一种超常的力量，并不仅是肉体反应，它还涉及心智精神的力量。当他看到自己的儿子压在车下时，他的心智反应是去救儿子，一心只想把压着儿子的卡车抬起来，正是这种力量，使他的潜能得到了发挥。

每个人都有巨大的潜能，只是有的人潜能已经苏醒了，有的人潜能却还在沉睡。任何成功者都不会是天生的，成功的根本原因是开发人的无穷无尽的潜能。只要你抱着积极的心态去开发你的潜能，你就会有用不完的能量，你的能力就会越用越强，你离成功也会越来越近。相反，如果你抱着消极心态，不去开发自己的潜能，任它沉睡，那你就只能叹息命运的“不公”了。

每个人都带着成为天才人物的潜力来到人世，你也带着幸福、健康、喜悦的种子来到人间，每个人都是如此。

左右你一生的心理学

1. 著名的心理学家奥托指出，一个人所发挥出来的能力，只占他全部能力的4%。也就是说，人类还有96%的能力尚未发挥出来。

2. 人类的大脑内部有千亿个神经细胞，这已是科学上不争的事实，然而，人脑的力量虽令人敬畏，却也难以捉摸。唯有先懂得如何去开发脑中的无限潜能，才能真正运用这份力量。我们必须先接受一个观念，那就是真心地相信自己与生俱来的潜力还没完全展现出来。

贝尔效应——想着成功，成功的景象就会在内心形成

贝尔效应是由美国布道家、学者贝尔提出：想着成功，成功的景象就会在内心形成；有了成功的信心，成功就有了一半把握。

很多人都喜欢看NBA的夏洛特黄蜂队打球，尤其是1号博格斯上场打球。

博格斯身高只有1.6米，在东方人里也算矮子，更不用说即使身高两米都嫌矮的NBA了。据说博格斯不仅是现在NBA里最矮的球员，也是NBA有史以来破纪录的矮子。但这个“矮子”可不简单，他是NBA表现最杰出、失误最少的后卫之一，不仅控球一流，远投精准，甚至在高个队员中带球上篮也毫无所惧。

每次看博格斯像一只小黄蜂一样满场飞奔，都不得不令人赞叹。他不仅安慰了天下身材矮小而酷爱篮球者的心灵，也鼓舞了平凡人内在的意志。

博格斯是不是天生的好手呢？当然不是，他的成功是信念与毅力的结果。

博格斯从小就长得特别矮小，但他非常热爱篮球，几乎天天都和同伴在篮球场上“斗牛”。当时他就梦想有一天可以去打NBA，因为NBA的球员不仅待遇奇高，而且也享有风光的社会评价，是所有爱打篮球的美国少年最向往的梦。

每次博格斯告诉他的同伴：“我长大后要去打NBA。”所有听

到他话的人都忍不住哈哈大笑，甚至有人笑倒在地上，因为他们“认定”，一个1.6米的矮子是绝不可能进入NBA的。

他们的嘲笑并没有阻断博格斯的志向，他用比一般高个子多几倍的时间练球，终于成为全能的篮球运动员，也成为最佳的控球后卫。他充分利用自己矮小的“优势”，行动灵活迅速，像一颗子弹一样，运球的重心最低不会失误；个子小不引人注意，抄球常常得手。

生命中，没有什么比完成别人认为你做不到的事更过瘾的了。去看看教你放弃的这些人，他们是否有伟大的成就？是否勇于突破障碍，活出自己的梦想？

在生活中，我们往往用自己的主观见解来判定事物的价值，但事物哪有绝对的价值呢？在NBA里，我们都觉得只有两米高的人才能去打球，但1.6米的人又怎么不可以打球呢？博格斯不怕人笑，坚持了自己成功的信念，所以创造了自己的奇迹。天生我才必有用，相信自己，坚守自己的信念，终有一天成功会属于你的。

因为，我们的命运是由我们的内心所决定的，生活的主动权掌握在我们自己手中。如果说人生是一个舞台，那么你就是一个舞者，生命是否精彩，是否能成为你想做的那一个人，取决于你是否听从内心的呼唤，取决于你的积极表现。

贝尔效应就是要告诉我们：成功其实并没有想象的那么难，他有时需要的仅仅是你的勇气，这正是一般人所缺乏的！

人的行为是受思想观念制约的，有什么样的思想观念就会产生什么样的行为，有什么样的行为就会产生什么样的结果。记住，你要在没有人相信的时候，对自己深信不疑。一旦你退缩，你就永远踏不出成功的脚步！你要相信凡事都有可能。

肯尼•罗杰斯说：“我们以征服者的心态对待人生，我们会留给人们这样的印象，即我们相信将来会有所成就，而且这种信心是坚强有力的，是充满必胜信念的。”

英国有一位名不见经传的设计师克里斯托·莱伊恩，除了年轻，他一无所有，但他很幸运，参加了温泽市政府大厅的设计。他运用工程力学知识，依据自己多年的实践，很巧妙地设计了只用一根柱子支撑大厅天花板的方案。一年后市政府权威人士进行验收时，却说只用一根柱子支撑天花板太危险了，要求他再多加几根柱子。

年轻的设计师却十分自信，只要用一根坚固的柱子便足以保证大厅的安全，并详细地计算说明，列举相关实例，最后，他坚持自己完美的设计而拒绝了工程验收者的建议。可想而知，他的固执惹恼了市政官员，他险些被送上法庭。

在种种的压力下，他陷入进退维谷的地步：坚持自己的主张，就意味着公然与政府官员作对；放弃吧，又有悖于自己为人的准则。矛盾了很长时间，他终于想出一条两全其美的计策，来证明自己设计的合理性。

那就是，他在大厅里增加了四根柱子，不过，这些柱子并没有与天花板接触，只是摆设，摆设给那些愚昧无知却又刚愎自用的人看的。

时光飞逝，岁月如梭，一晃三百年过去了。

三百年的时间里，市政府官员换了一批又一批，而支撑在他们头上天花板的柱子仍是那一根，直到两年前，市政府准备修缮大厅的天花板时，才发现了这个秘密。

消息在一夜之间不胫而走，世界各国的建筑家和游客慕名而来，观赏这根奇异的柱子，并把这个市政大厅称作“嘲笑无知的建筑”，当地政府对此也不加掩饰，在新世纪到来之际，特意将大厅作为一个旅游景点对外开放。许多人在那一根柱子面前流连忘返，遐想联翩。

人们在仅存的一点儿资料中找到了设计师克里斯托·莱伊恩当时说过的一句话：“我很自信，自信至少一百年后，当你们面对这根柱子时，只能哑口无言，甚至瞠目结舌——我要说明的是，你们看到的不是什么奇迹，而是我对自信心的一点坚持。”

当时有人嘲笑克里斯托·莱伊恩不知天高地厚，就是因为他相信自己，所以一直坚守着自己的梦想。三百年的历史证明了这一切。克里斯托·莱伊恩的伟大梦想在三百年后的今天实现了，他创造了建筑史上的奇迹。

他的目光完全放在“成功”两个字上，绝不跟着人家随声附和。只要他做出决定了，就不再畏首畏尾。一切计划、一切做法，无不由他自己来决定；一切困苦、一切艰难，无不由他自己来承担；一切阻挠、一切障碍，无不由他自己来排除。他从不自怨自艾、不向人诉苦，任何责任义务也从不推辞，永远勇敢承担，像这样的人，岂有不成功之理。

人人都渴望成功，但成功取决于你的态度。当你知道应该以什么样的心态来对待自己，你就会发现：成功原来如此简单！

左右你一生的心理学

1. 心理学家认为：一个能够成就大事的人，做任何工作都满怀希望和自信心。

2. 著名黑人领袖马丁·路德·金说过：“世界上所做的每一件事都是抱着希望而做成的。”只要想着成功，你的内心就会形成为成功而奋斗的无穷动力。

成功是一种力量

成功是一个缓慢的积累过程，没有直线，没有捷径。成功就是用一个个脚印写出的那串省略号。

年轻的建筑师向他的老师求教，怎样才能把高楼大厦建得更高大，更雄伟，以展示自己的设计才能。

老师低头不语，只是用手指指脚下的土地。在年轻的建筑师的几次请求之下，老师才说出两个字：向下。

年轻人不解其意。一日，他到林木繁茂的公园，见到一场大风过后许多低矮的小树有的被折断，有的被连根拔起，而参天大树却依然挺立，毫无损伤。这时，刚好碰到许多人在挖坑植树，有人大声关照："把坑挖深些，根子才牢呀。"于是，年轻人立刻领悟了"要想向上，先要向下，打牢根基"的道理。

当他事业上取得了成功，老同学聚会为他把酒庆贺时，都热切地要他说说成功之路风光如何。这些人不乏企业家、工厂领导、社会工作者以及几位机关公务人员。建筑师想起了老师，也指指脚下的土地。朋友们以为他在卖关子。于是，他也说出："向下"二字并讲了许多所见所感。

大家听了，先是默默不语，最后都鼓掌叫好。

"根深树牢"人皆知晓。凡事难道不都该眼睛向下、着力向下、关怀向下、爱心向下，而后才会获得大楼向上、事业向上、人心向上、精神向上吗？社会的根基稳固，我们的生活不就蒸蒸日上了吗？

向下，实际是在向上。

向上的力量是每一种生物体都具有的本能，无论是植物还是动物。埋在地里的种子存在这样的力量，正是这种力量激发它破土而出，推动它向上生长，并向世界展示自己的美丽与芬芳。所有的昆虫也具有这种力量，每个个体都在存储自己的能量，努力使自己变得更加强大，更加完美，所以物种才在不断的进化。

这种向上的力量当然也存在于我们人类的身体内，它推动我们完善自我，追求完美的人生。换句话说，就是我们人类都有不断进取，以使自己生活得更好的信念。

一旦我们有幸受这种伟大推动力的引导和驱使，我们就会成长、开花、结果。但如果我们无视这种力量的存在，或者只是偶尔接受这种力量的引导，我们就只能使自己变得微不足道，不会取得任何成效。

这种内在的推动力从不允许我们停息，它总是激励我们为了更加美好的明天而努力。一旦我们想原地踏步时，我们的耳边就会响起那个声音，听到了向更高目标努力的召唤。也就是说，总是有一种神秘的力量在推动我们追求更高的理想。

琼•菲特说：“信心和理想是我们追求幸福和进步的一种强大推动力。”

进取的信念是一种伟大的自我激励力量，它会使我们的人生更加崇高。只要我们心中具备哪怕只是一种最微弱的进取心，它也会像天堂里的一颗种子，经过我们的耐心培育和扶植，茁壮成长，直至开花结果。

下面这个故事，也许我们读过无数次，也听过无数次，但每次看到时，仍然有一种无形的力量在心间流动！

在美国，有一位穷困潦倒的年轻人，即使身上全部的钱加起来

也不够买一件像样的西服。他的父亲是一个赌徒，母亲是一个酒鬼，他从小在家庭暴力中长大，学业一无所成，成了街头的混混，直到他二十岁的时候，一件偶然的事情刺激了他，使他下定决心走一条与父母迥然不同的路，活出个人样来。他想做演员，拍电影，当明星。“一定要成功”的驱动力促使他认为，这是他今生今世唯一可以出头的机会，最后的成功可能。在成功之前，决不放弃！

当时，好莱坞共有500家电影公司，他逐一数过，并且不止一遍。后来，他根据自己认真划定的路线与排列好的名单顺序，带着自己写好的量身定做的剧本前去拜访。但第一遍下来，所有这500家电影公司没有一家愿意聘用他。

面对百分之百的拒绝，这位年轻人没有灰心，他相信每一次拒绝都是一次学习，一次进步。从最后一家被拒绝的电影公司出来之后，他又从第一家开始，继续他的第二轮拜访与自我推荐。

在第二轮的拜访中，500家电影公司依然拒绝了他。

第三轮的拜访结果仍与第二轮相同。这位年轻人咬牙开始他的第四轮拜访，当拜访完第349家后，第350家电影公司的老板破天荒地答应愿意让他留下剧本先看一看。

几天后，年轻人获得通知，请他前去详细商谈，就在这次商谈中，这家公司决定投资开拍这部电影，并请这位年轻人担任自己所写剧本中的男主角。为了那一刻，他已经做了足够的准备，终于可以一试身手，完全有信心做好一切。机会来之不易，他自然拼尽全力，全身心地投入其中。

这部电影名叫《洛奇》。

这位年轻人的名字就叫席维斯·史泰龙。现在翻开电影史，这部叫《洛奇》的电影与这个日后红遍全世界的巨星皆榜上有名。

史泰龙的健身教练哥伦布医生这样评价他：“史泰龙每做一件事都是百分之百地投入。他的意志、恒心与持久力都是令人惊叹的，他是一个行动家，他从来不呆坐着让事情发生——他主动地令事情发生。”

如果史泰龙当初只是“想”成功，而没有付诸行动，只是做做白日梦消遣一下，他就决不会有今天。因为那样的话，他就不会付出，不会拼命。大多数机会不是偶然的，而是自己努力追求的结果。

成功是个漫长的，循序渐进的过程。在此过程中，经历不同的事物、感受不同的生活层面，是成功人生不可或缺的一种体验。

左右你一生的心理学

1. 成功的秘诀，就在于确认出什么对你是最重要的，然后拿出各样行动，不达目的誓不罢休。

2. 洛克菲勒说：“即使拿走我现在的一切，只留下我的信念，我依然能在十年之内又夺回它们。”

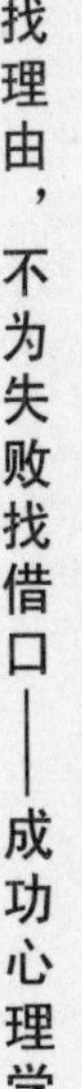

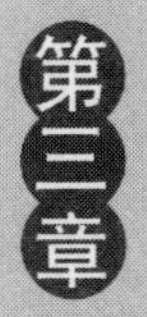

爱情心理面面观，将美满婚姻进行到底——婚恋心理学

男人和女人就像白天和夜晚，谁也离不开谁。我们每个人都在积极地寻找人生的另一半。有些人找到了，终生不渝；有些人自认为找到了，结婚后却分道扬镳；还有一些人仍然在寻找……

爱情，婚姻，几多痛苦，几多欢乐，几多坎坷，几多曲折……

择偶心理——你不是最好的，但我只爱你

择偶心理，是指男女双方在选择自己恋爱对象时的心理现象和心理活动规律。一般来讲，人们建立恋爱以及婚姻关系的原因，是为了满足某种需要，而择偶的标准因人而异，主要决定于本人的恋爱观、婚姻观和家庭观。

有一位聪明漂亮的女孩在大学毕业后，拒绝了很多追求她的优秀男孩，最后却选择了一个毫不起眼而且个子矮小的同事。

她周围的很多人都觉得难以理解，就连她的闺中女友也表示无法理解。但是她自己却很坦然，在众人感到困惑的情况下，披上婚纱和先生欣然走进了“婚姻的围城”。

在很多年后，她当年的同学都在自己的围城中感到很累、很失望，大呼当初幻想的破灭。在聚会时大家才发现：

她并没有像他们原来所想的那样，生活在一个庸碌苦恼的圈子里，颓丧憔悴；而是依然光彩照人，甚至比以前还多一份成熟的雍容和自在。她和先生两个人手牵手地向众人走来，让在场的每个人都怦然心动！

这个女孩对大家说，她的男人不是最优秀的，有着很多的缺点，但这些在她还没有接受他的时候就已经知道；但是她愿意今生今世，把自己的感情给这个在她遇到挫折的时候默默地帮助她、在她失意的时候热情地鼓励她，并且从不索取任何回报的普通男人。

现在你应该知道了，如果有一份执着而持久的感情，还有一份豪华美丽却瞬间即逝的“感情”，你更愿意去选择哪一种呢？

世界上出色的男孩和美丽的女孩很多，但是真正属于你的感情只能有一份，千万不要因为别人的眼光就改变了自己，不要活在别人的眼光里失去了自己！感情不能贪心，也不是梦想。

有一首歌叫做《牵手》，是这样唱的：“因为爱着你的爱，因为苦着你的苦，所以悲伤着你的悲伤，幸福着你的幸福……”在人生的道路上，我们大多会需要找到自己的另外一半，一生之中，你的所爱或许会有很多，或许只有一个，但每一次都应该是认真的，全心的投入。

自从上帝从亚当的身体里抽出一根肋骨，造出夏娃来的时候，这世界上就出现了爱情的故事。如果有一天，就在大街之上，突然看见一张脸，虽然这是一张陌生的面孔，但就像《红楼梦》中，贾宝玉初次与林黛玉相逢时一样，好像是上辈子就约定好了，今生又来续缘。你的心中明明知道就是他（她），但是你的性格是否会使你大步走上前，对他(她)说出简简单单的“你好”呢？

如果有一天，当你和一个异性朋友打闹的时候，如果突然有了那种感觉，那种一辈子只一回的感觉时，你会认真地对他(她)说出你的真实感受吗？

每个人的心中都有一个理想情人，不管他(她)承认不承认，虽说有时人们自己也不很清楚到底喜欢的是何种类型的人，但总有一个大概的轮廓，男性一般会比较注重对方的容貌，这也是人之常情，谁愿意抱回家一个面目狰狞的MM呢？

长相很重要，身材也必须过得去，这是一般男人的第一考虑要素。当然，作为女人，只有这两点可不行，她还必须温柔，不说像王语嫣那样，但起码要体现出女性的特征。

现在社会由于女性就业较多，所以越来越多的男性，并不是很注重对方的传统女性工夫，如女红、厨艺，但“下得厨房，出得厅堂”的女性永远是受欢迎的。设身处地地想想，一个厨师就算厨艺再怎么高超，最终还是希望家中的太太能炒上几个小菜，毕竟家庭是一个男人的避风港。

从心理学角度讲：男女两性由于生理和心理上的种种差异，再加上在社会的种种影响之下，对于择偶这件事的心理状态很不相同，除了两性之间必然存在的差别之外，就连同性之间也会有不同。

每个人的择偶心理各不相同，并且不是单一的心理类型，它往往是复合的，由多种心理状态交织而成，只是以某种心理倾向为主罢了。而这种复杂的择偶心理，取决于每个人的人生观、恋爱观、价值观等。这里只能将它们分开来论述。

1. 事业型

其实，不仅仅是男人，女人也同样愿意重视这一点，每个人都希望自己的另一半是个栋梁之材，或者将来有那么一天终成大器，在工作、事业上出人头地，成为精英型人物。但并不是每个人都能成为上帝的宠儿，登上成功的高峰，所以抱有此种心理的男男女女往往会希望越大，失望越大。如果把对方有无事业心和拼搏精神，作为择偶天平上一个重要砝码，把爱情的幸福寄托于事业的奋斗之中。这种爱情由于事业的永恒性而得到永恒，但也不是一般人所能接受的。

2. 柏拉图型

典型的追求精神满足的择偶心理。社会进步了，人的文化素质提高了，具有这种择偶心理的人也越来越多了。同事业型的不同之处在于，他们着重点为对方的思想感情、道德品质、性格爱好等；追求的是彼此心灵上的沟通和感情融洽。只要能在精神上得到愉快和满足，哪怕对方的经济条件、身体状况等方面欠佳，都无所谓。这种建立在精神上的爱情是高尚的，许多传为美谈的爱情故事，都源于这种爱情心理的追求。

3. 金钱至上型

尽管社会现在已经发展到了一定的经济水平，但这一类择偶心理依旧比较普遍。有些人，把对方的经济状况放在首位，他们的婚姻是为了得到一个能满足他们吃、穿、住、玩的安乐窝，或者借以生存的依靠。这种建立在物质、金钱基础上的婚姻，是不牢靠的，因为经济条件是可以改变的，它常常因对方丧失了优厚的物质条件，而失去凝聚两人心灵的吸引力，从而不得不分道扬镳。

4. 政治联姻型

这种择偶心理在封建社会是相当普遍的，他们通过婚姻打通自己的仕途之路，或者巩固官场上的裙带关系，即所谓的政治联姻。现在虽然这种择偶心理并不普遍，但是，借此另有所图的人还大有人在，他们并不注重两人的情感和心理相容，更谈不上什么知音，而把隐藏在婚姻背后的不可告人的动机，放在爱情的首位。这种爱情同样是不可靠的。

5. 外表型

抱有这种心理很大一部分是青年，当然所有人都希望自己的另一半更漂亮点，更英俊些，这是人之常情，但如果一味地追求这种外表美，常常会走上歧途。靠对方漂亮的外表产生的爱情，是短暂的。随着岁月流逝，爱情也会随着外貌的衰老而消失。正如歌德所说："外貌美丽只能取悦一时，内心美方能经久不衰。"

6. 完美型

有些人选择对象时，事先制订一系列标准，条条框框很多，凡不符合其中一二点的，哪怕其他方面都中意，都不在考虑范围。具有这种择偶心理的人，多为年轻的初恋者，但这种心理状态常常会使他们成为大龄青年。

7. 游戏型

抱有这种心理的人，只是少数。他们以恋爱为名，用"不在乎天长地久，只在乎曾经拥有"为名，玩弄他人感情，朝三暮四，寻花问柳，他们的人生观、恋爱观是腐朽的，结果，浑噩一生也无法享受真正的爱情。

正所谓，“林子大了，什么鸟都有”。有什么样的人就会有什么样的心理。男女的择偶心理是多种多样的，每个人都可以有不同他人的择偶心理。正是：以利交者，利尽则散；以色交者，色衰则疏；以心交者，方能永恒。

有这样一句话：“你不是最好的，但我只爱你。”仔细回味，这表现出的是怎样一种乐观豁达而又理智执着的爱情！有人说，从你一降生，就有一份天定的缘分为你而生，然而大千世界，人海茫茫，生命苦短，如何才能找到属于你的那个完美的伴侣呢？

德国伟大诗人歌德曾说：“哪个青年男子不善钟情？哪个妙龄少女不善怀春？这是人性中的至真至纯！”

哲人说：“爱情就是当你知道了他并不是你所崇拜的人，而且明白他还存在着种种缺点，却仍然选择了他，并不因为他的缺点而抛弃他的全部，否定他的全部。”

心理学家指出：现在人们常见的择偶心理误区主要有以下几种：

1. 太过追求外在美

择偶时太过注重对方的外在因素是心理误区之一。有的甚至制定身高必须多少，身材必须是怎样的、容貌必须如何等等硬性标准，不达标准不罢休。忽视了人的内在素质会给将来的婚姻埋下隐患。性格不和、兴趣迥异、好吃懒做等等缺陷或是美丽的外貌顿失色彩，也会使婚姻最终走上末路。更严重的是，这可能影响你的命运、改变你的前途。比如，俄国文学大师普希金，娶了个美丽的女人，却最终因为她的美貌与贪乐享受的性格而荒废了写作，更因为她而与人决斗，落了个英年早逝的下场。真是一个典型的因为太注重美貌而造成的悲剧。

2. 太注重社会地位

太注重对方的政治地位、经济地位、学历等因素而忽视了内在素质，也是择偶的误区。要知道，人的地位是不断变化的，因为思维而维系在一起的婚姻，当它丧失的时候，该如何是好？忽视品行、

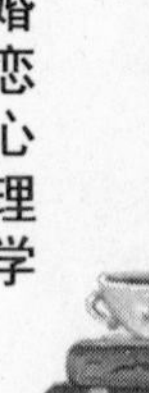

个性等心灵因素是不可取的。

3. 过分在乎别人的看法

择偶时缺乏主见，太在乎别人的看法也是不可取的毕竟是你自己的终身大事，一定条件下争取他人意见是有必要的，但最终决定的是你自己，不要被他人的意见左右。不要因为他人而误了自己的幸福！

4. 过于相信一见钟情

一见钟情而定终身的美丽浪漫爱情故事，在文学作品中常常看到，现实生活中也有很多例子。一见钟情只是被对方的某一优点所强烈吸引，而没有仔细考虑其他因素，就草率结合。一见钟情的婚姻，往往会因为婚后生活中才暴露出来的个人缺陷而导致矛盾重重，而过早的终结。

5. 宁缺毋滥

有很多人在择偶方面总是预定指标，按图索骥。于是在一年又一年的蹉跎中，心目中的白马王子依旧没有出现，当朋友的孩子已经会喊“阿姨”“叔叔”的时候，自己还是孤孤单单一个人。殊不知，所有的标准都是你在遇到某个人之前定的，而且你设计的那个完美恋人也不一定存在，所以可适当把标准放宽一些，你会收获一份意想不到的唯美爱情。

6. 自卑心理

有的人自卑心理严重，反映在择偶上，会比较随意的选择一个条件不如自己的人在一起，而且往往不会主动去追求对方。婚后夫妻生活里，这种自卑心理会有所缓和，不满足心理就会凸现出来，婚姻也不会幸福。

每个人都会有自己最适合的伴侣，也许今天还没有出现在你的眼前。但是，只要你相信：“众里寻他千百度，蓦然回首，那人却在，灯火阑珊处。”你就会以正确的态度，正确的眼光去寻找真正属于你的另一半了。所以，快速走出择偶的误区，以积极的心态去选择另一半，才是你最需要做！

左右你一生的心理学

1. 情与爱，是每一个人不可或缺的精神食粮，是人生命的支柱。正确选择你的配偶，将关系到你幸福与否。

2. 择偶时不要跟朋友攀比：自己爱人的外在条件不如朋友的爱人，并不代表内在素质比他们差；目前不如他们，并不代表以后不如他们。

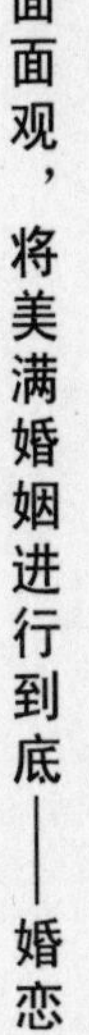

审美错觉——情人眼里出西施

审美错觉就是对对方深入接触与了解后，产生不符合实际情况的错误知觉。这种错觉，诱导出的是异化审美意象，恰恰正是这种弄假成“真”，歪打正着，创造出一种新颖独特的审美意趣，从中获得意外的快感和满足。

小锐是个比较内向的男孩，一次和几个老乡聚餐，老乡带来了几个朋友。小锐的斜对面是一个女孩，他瞟了那个女孩一眼，而那个女孩正笑盈盈地望着他。不经意的一瞥，让小锐惊呆了：女孩当时背对着窗户，窗外的阳光照射到她乌黑的披肩长发上，闪着金色的光芒。小锐激动得几乎不能自已，那顿饭吃得魂不守舍。后来，小锐了解到女孩在发廊从事“特殊服务”，可是小锐并不在乎，向女孩求了婚。虽然女孩没有明确表示同意，但是从此对他格外地体贴起来。

可这时来自亲友的反对意见开始排山倒海地压过来，老父亲甚至说如果他一意孤行就要断绝他们的父子关系，免得丢尽他们全家和祖上的脸。朋友们也反复劝他不可当真。但对小锐来说，更大的麻烦是本已相爱了的女孩忽然疏远了他，再也不像以前那样笑盈盈了。

为了解除烦恼，小锐求助了心理医生。

医生发现，小锐对那个女孩，完全是由于她乌黑长发上的金色光芒。经过进一步了解，医生发现小锐的初恋——他的高中女同学——也有一头乌黑长发，在太阳的照射下发出的那种金色光芒。而对于自己的初恋，小锐认为她“长得漂亮，学习又很好。可我什么都不行，我配不上她”。

从心理学角度讲：在恋爱中，人们会将某种理想化的特征设定为追求的目标，如果某人拥有这种特征，就片面地认为这个人是完美的，而将其他的缺点忽略或者正常化。

故事中的小锐，之所以喜欢上一个发廊女孩，正是心理上的“错觉”所导致的——他真正喜欢、怀念的还是高中时那位女同学，因为喜欢上她，而喜欢上她黑黑的、能够发出金子般光芒的长发，因为喜欢上那样一头黑发，又喜欢上长有那样一头黑发的发廊女。

错觉是对客观事物歪曲的知觉，受许多心理内外因素的影响。其特点是必须有客观事物的存在，在外界事物的刺激下产生，对事物的感知是错误的。

错觉可以发生在视觉方面，也可以发生在其他知觉方面。如当你掂量 1 公斤棉花和 1 公斤铁块时，你会感到铁块重，这是“形重错觉”；当你坐在正在开着的火车上，看车窗外的树木时，会以为树木在移动，这是运动错觉等等。

我们这里讲的是审美错觉：审美错觉是对审美对象深入体验之后，审美主体所产生的真实的美的感觉。这种审美感觉在客观上看好像是失真的，但在主观上却是真实的心理体验。

俗话说“情人眼里出西施”，其意思是说，恋人之间产生了好感，就会觉得对方像西施一样美丽无比，这就是一种审美错觉效应。因为每个人的相貌都是天生的，它不会发生变化，但是作为恋人眼中的审美形态，它会随人的情感变化而变化。正如法国伟大的艺术家罗丹所感悟，在品味人体雕塑时，他时时会从错觉中呼唤出种种不同的奇特的异化意象，这些意象有时“像一朵花”，有时“像柔软的常春藤”，有时“像劲健的摇摆的小树”，有时人体向后弯曲，好像弹簧。又像小爱神。

热恋中的男女对异性美的审视，既针对其外在体貌特征美，也针对其内在心灵美。心灵美可以弥补外表美的不足，正如托尔斯泰

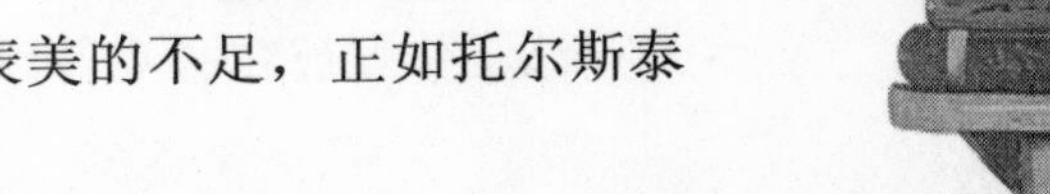

所说的："人不是因为美丽才可爱，而是因为可爱才美丽。"

热恋中的男女对异性美的审视，既针对外表美，也针对心灵美。而且心灵美可以弥补外表的不足。审美错觉在一定意义上也是很有意义的，它让人挖掘出恋爱对象身上更内在的美以弥补某些不足，那么就可以推动爱情向前发展，而不至于使相貌不足的人孤独终身。

但是，如果爱情没有了正确的价值观、人生观的引导，这样的审美就容易埋下隐患，导致日后婚姻和家庭悲剧的发生。如果审美错觉有悖于正确的价值观、人生观，一旦爱的激情日渐平息，光环效应随着消失，那时悔之晚矣。

那么我们如何来正视来避免恋爱中的审美错觉呢？心理学家告诉你：

1. 用理智战胜感情

我们通常都说"恋爱中的人智商为零"，这句话是有一定道理的。因为在恋爱中，人的感情常常占据指导地位，从而导致感觉和认识上的偏差。所以，一定要在恋爱的时候对自己对对方做一下全面而深刻的分析，不要让感情的因素冲昏头脑，被"审美错觉"误入歧途。

2. 多听取别人的意见

俗话说得好："当局者迷，旁观者清。"处在恋爱中的人们往往容易被爱的错觉所迷惑，把恋人的某一点当做他的全部，甚至觉得恋人时完美无瑕的，是世界上最好的男子。此时，你应该认真听取家人和朋友们的建议，从而再结合自己的认识来重新审视对方，要"择其善者而从之"。

3. 培养对爱情的审察力

一般来说，爱情最能反映出一个人最深层次的需要，而只有当恋爱中的男女彼此从内心中阵阵吸引对方时，这种感觉才能够天长地久，地老天荒。所以要树立正确的择偶标准和恋爱态度，培养对爱情的审察力。

法国作家巴尔扎克曾经对少女的最初恋爱反应作了精辟的描述：

“在虔诚的气氛中长大的少女，天真、纯洁，一朝踏入了迷人的爱情世界，便觉得一切都是爱情了。她们徜徉于天国的光明中，而这光明是她们的心灵放射的，光辉所及，又照耀到她们的爱人。她们把心中如火如荼的爱情点燃爱人，把自己崇高的理想当做他们的。”这就是恋爱中的少女，很容易被恋爱的感觉迷惑，“见其一点，不及其余”。所以，热恋中的男女一定要正确看待审美错觉。出现错觉很正常，重要的是要通过正确的价值观和人生观来指导和修正这种审美心理。

尤其是处于初恋中的少男少女，由于心理发育还不够成熟，常常不能冷静、客观地审视对方，见其优点而不见其缺点，甚至把缺点也看成了优点。

例如有位女子爱上了一个颇为英俊潇洒的男子，英俊潇洒盖过了其他一切。当他有些粗鲁时，她却认为是豪爽；他挥霍浪费，她却认为是慷慨大方；他有些方面不老实，她却认为这是聪明机智；甚至他又和别的女人勾勾搭搭，她还认为这种英俊男子哪个不爱……直到她最后吃了大亏，才知道以前“认为”的一切都是错觉。

从错觉中清醒，就是这么个结果，真则真矣，好感却消亡了。因此，热恋中的男女们，要正确看待审美错觉，理性地看待和处理自己的爱情。

左右你一生的心理学

1. 要有正确的主见。有了正确的恋爱态度和恰当的择偶标准，理智水平就会大大提高。

2. 认真听取和分析旁人的意见，集思广益，也会帮助自己获得正确的主见，只是对别人的意见不应盲从，而应“择其善者而从之”。

失恋心理——我的爱情鸟飞走了

失恋，顾名思义，就是失去恋人或恋情。这通常发生在那些曾经获得过某种程度、某种性质的“爱”，并为此做出过真心承诺或有较大的物质和精神投入的男女。他们在意想不到的情况下突然或不情愿地与恋人分手，从而体验到一种内心的失落感、伤心感甚至痛不欲生之感。

小萧是某重点大学的四年级学生。在辅导学校学习外语的时候，小萧认识了同校外语系的一个师姐，比他高一年级，当时已面临毕业。

小萧对师姐印象不错，就主动接近她。在交往的这段日子里，小萧的祖母去世了，他悲痛欲绝，找到师姐，向她倾诉从小与祖母共同生活的情景，以及对从祖母那时得到的亲情温暖的深深眷恋。师姐听后非常感动，也同意与他交朋友。小萧立刻把全部感情投入其中，不能一日不见。

不过师姐答应与小萧交朋友后，觉得自己有欠考虑，特别是她的父母非常反对他们的交往。所以师姐多次向小萧表示希望结束恋爱关系。可小萧不同意，还写血书，表示要断指、自杀。

师姐毕业后在本地工作，表示与小萧只能做一般的朋友，希望他不再打扰她，并退回了他给她的所有的信件。小萧一时冲动，到师姐的单位，动手打了她。

师姐和单位的领导找到学校，小萧当场流下眼泪表示不再与她来往。可他的内心仍然觉得自己是真心爱她，不想失去她，控制不住自己的感情。特别是到了节假日，经常打电话，写信，甚至到师姐的家门口或上班的路上等她。小萧知道这样只能使她离自己更远，而且也违背自己做人的原则。小萧感到内心痛苦至极，不知怎么办才好。

心理专家告诉你：面对失恋，首先要正视现实，到了必须分手的时候，不要纠缠不放，纠缠也许会令对方一时难以逃脱，但却更坚定了其离开的信念。被恋人拒绝确实有点丢面子，但死缠硬磨再被人拒绝则怕是连脸都保不住了。男女初涉爱河就深信双方的爱是“命中注定”。这种信念称“心理暗示”，使一对恋人矢志无悔，终生不渝。然而，长期“执迷不悟”于失恋是非常有害甚至危险的。

“现实的安排，已无法更改，你提出分开，想要结束爱；你对我交代，这谁都不怪，要怪只能怪，我们不该爱；我心中明白，你也很无奈，你想留下来，但也得离开，要怪只能怪，你和我存在，难解的矛盾，造成了灾害。我们不该相见相逢相爱，我也不该痴心痴狂的爱，最后结局伤心痛心难耐，让人心酸流泪痛苦悲哀。并不是我对你不够关怀，也不是你不美不够可爱，只怪我们之间存在阻碍，无法解开放开抛开躲开，只好说分开。”

这是一首经典的失恋歌曲《我们不该相爱》。

爱情可遇不可求。有缘则聚，无缘则散。

心理学家认为：青少年富于激情和幻想，心理还不成熟，对爱情缺乏长远的考虑和准备，最容易在感情的深海之中迷失。而且青少年的情感虽然纯真却稚嫩，很易受挫折，而一旦遭受失恋的打击，就很可能极度痛苦而不能自拔。也可能因为失恋而产生报复心理，给自己和对方都刻上了深深的心理伤痕。

成年男女有着较为健全成熟的理性能力和意志能力，也具有比较稳定的情感表达方式，所以失恋之后，一般仍能镇定自若，将创伤深埋在心底，会比较冷静地面对现实、调适心理，继续自己的人生之路。对于曾经深爱的人，他们大多也能报以宽容和理解，不会成为敌人。

从心理学上看，恋爱，尤其是初恋，往往是朝向对方的心理能量的最大集聚，而这种集聚起来的心理能量突然失去了宣泄的对象，就可能使人产生在茫茫宇宙间迷失了方向的感觉。难以排遣的这种心理能量，在内心寻找着“喷射口”。当它以其疯狂的方式再度喷向昔日的对象时，就会导致可悲的后果。暴力、投毒、毁容直至害命行为，都可能是在这种失控的情况下发生的。而有人则把这种心理能量喷射到自我，“自毁”，如自暴自弃，破罐破摔，堕落无耻，嫖娼卖淫，酗酒吸毒，直至自杀行为。也有人寻求一种消极的逃避方式，如离家出走或出家当和尚、尼姑之类；也有人因失恋之苦的挫折，后来对任何异性都生疑心或不感兴趣，陷入了所谓“恋爱恐惧症”，这就是一种心理变态了。当然，大多数“初恋”不成功的男女，在经过一段情绪波动后，能够振奋起来，投入到正常的学习与生活的兴趣之中。这就是所谓的“精神升华”。

为了更好地面对生活，失恋者要学会自我调节，尽快地摆脱失恋的痛苦。方法有二：

一是倾诉。失恋者精神遭受打击，被悔恨、遗憾、留恋、惆怅、失望、孤独、自卑等不良情绪困扰，应该找一个可以交心的对象，尽诉自己胸中理不清的爱与恨、怨与愁，以释放心理压力，并听他们的评说与劝慰；或用书面文字，如日记、书签把自己的苦闷记录下来，留给自己看，寄给朋友看，这也可能释放自己的心理负荷，求得心理解脱。

二是运动。失恋之后不要一个人闷在家里，要积极参加各种聚会、出游、看表演、打球等有意思又有很多人参与的集体活动。

失恋后留在故地，只会让你陷于痛苦无法自拔。不妨跟随旅行团或与一群朋友到异地去游玩。异地的人文风情会让你耳目一新、视野开阔，新的感受会冲淡你内心的烦恼。

少年时的歌德，也曾有过一次刻骨铭心的失恋，面对这样的打击，他甚至想到过死，最终他战胜了自我，升华了失恋的情感，写下了一本自传体的小说《少年维特的烦恼》，刻画了自己的心迹，同时也提醒了所有年轻的失恋者：你所错过的只是春天的一朵小花，你仍拥有整个春天。

正确地对待失恋，乐观地看待人生，你会发现失恋何尝不是给自己又一次选择爱人的机会？

其实，失恋只不过是人生中的一个经历而已。它绝对是丰富人生阅历的精彩篇章，有人身在其中，不知何去何从，那就任凭时间流逝，一定能迎来另一片安宁。很多时候人们会被这样的伤害伤透心，但其实往往是这样，身在其中难以自拔，跳出来或远距离地看它才能品出人生的滋味。

或许下一个节目就是：有情人终成眷属！

左右你一生的心理学

1. 失恋的心理波动可能是长期的，如果不能很好地解决失恋带来的心理冲击，就可能对今后的生活带来不利的影响。因此要及时走出失恋的阴霾。

2. 失恋后要仔细检讨自己的不足之处，想想自己有哪些缺点。要适度地改变自己，使自己成长。成长之后的你，以后在拥有爱情时就不会再犯同样的不利于培养感情的错误了。不过，找自己的不足之处时要把握分寸，不要陷入自卑的泥潭。

不满心理——绕开婚姻中的暗礁

婚姻生活中，丈夫通常刚毅、精力充沛、有意志力、情绪强烈、易冲动，有时候还很暴躁。妻子往往表现得温柔、细腻、内向、含蓄。这就需要夫妻双方平时多注意观察，及时沟通，不然容易产生不满心理。

萧强和丽丽经过浪漫的恋爱，终于携手走上了婚姻的红地毯。蜜月时，他们卿卿我我、如胶似漆，可是当他们从难分难舍的情怀里真正回到现实生活中来时，忽然发现婚姻生活远没有想象的那么简单，热恋时百看不厌的爱人似乎已面目全非，他们此时才惊讶地发现自己好像不知道和谁结了婚。

萧强抱怨恋爱时那个柔情万千、善解人意的丽丽，原来是个神经质的女人，遇事拘谨，固执己见，整天唠叨起来没完。不但如此，她还牢牢控制着家中的经济大权，密切注意着他的行踪，说话时语气稍重一点就又吵又闹，再没有以前依偎时的小鸟依人，谈笑时的娇滴悄语。

丽丽也是满肚牢骚，以前那个风趣幽默、英俊潇洒的萧强，原来竟是个彻头彻尾的糊涂虫和邋遢鬼，衣服、报纸信手乱扔，还很少主动清洗收拾。而且他也不再是恋爱时那个忠诚侍卫，手捧玫瑰花笑容可掬地迎接她，手提大袋小袋零食围在她的身边，现在整天在外面东颠西跑不着家，常常是翻尽所有电话簿，打遍所有亲友家的电话，才能找到他的下落。他平常家务活也很少干，每次都是她把饭做好端上桌，而他吃饱喝足后，便大腹便便地躺在沙发上，还一个劲地直喊累，真不知道他结婚前将煤气罐一口气扛上七楼，脸不变色心不跳的力气哪里去了。

于是矛盾渐渐产生，丽丽指责萧强不再爱她，而萧强则认为丽丽是想管住自己，两人开始不断地挑剔对方，指责对方的缺点，互相埋怨。这就像一个从山上滚下来的雪球，越滚越大，以至于最后发展为极具破坏性的力量，两人之间的战争不断升级，甚至有两次争吵中提出了“离婚”。丽丽和萧强都对这种情况感到无奈，开始怀念起婚前甜蜜蜜的恋爱时光。

心理学家认为：婚后夫妻间的心理变化，是人类婚姻过程中的一种正常的心理现象，它并不意味着男女之间的爱情随着婚姻关系的发展而逐步走向死亡，而只是爱着的双方心理发生了某些变化、表达爱的方式也随着发生某些变化而已。成立家庭之后，衣食住行、生儿育女等生活琐事与之俱来，在按部就班的工作、生活中，在妻子眼里，再也看不见那个百依百顺、总献殷勤的男孩子了。而丈夫也见不到那个体贴入微、温柔多情的妹妹了。恋人间的浪漫的爱情故事，被实际生活所代替了，久而久之使夫妻间产生冷落之感。

恋爱过程中的情侣，喜欢把倾心相爱的感情直接表达出来，为赢得恋人的好感，往往对恋人的要求极为关注，并给予最大限度的满足。因此，恋爱的双方常处在一种认真不安和紧张的心理状态之中。随着婚姻关系的确定，这种紧张的心理状态自动消除，他们不需要掩饰自己的感情，而产生一种安闲自得、满不在乎的心理状态。

有些新婚夫妇，怕被对方“同化”或试图去“同化”对方，无视对方的个性和爱好，因而产生心理上的纠葛与冲突。

对丈夫而言，由于组建家庭的目标实现后，能获得一种暂时的轻松感。但是随着婚姻关系的确定，丈夫也会认为妻子已经归自己所有，因而与妻子的心理距离消失，言语、行为不加控制，那种在

恋爱阶段的神秘感和距离感已不复存在了。随着婚姻关系的发展，丈夫为了创造新的生活需要，也会因为对妻子的了解加深而产生对妻子的高期望感和某些失望感。由于家庭的责任，丈夫逐渐将对妻子的某些爱转移到日常生活或工作当中，容易忽视妻子的某些情感的需求。

因为有了家，新婚后的妻子对丈夫明显产生了依赖感，并充满对家庭幸福生活的憧憬之情。与丈夫相比，妻子更能体会到家庭的温暖，并眷恋着丈夫，有一日不见，如隔三秋之感。妻子的角色得到了认同、强化，往往更加注重对家庭的责任，并主动承担繁重的家务劳动。与丈夫相比，妻子的责任感主要指向把家务料理好。由于妻子更热衷于家庭生活，婚后妻子在社会生活中有自我封闭的心理倾向，她们有意识地缩小社交范围，减少并疏远与异性朋友的交往。一般而言，妻子事业心有所减弱，对工作、事业的关注有逐步移到家庭的趋势。随着婚姻关系的深入，繁重的家务劳动使大部分妻子产生失落感，并产生怀旧心理，怀念无忧无虑的姑娘时代。部分妻子怕丈夫感情发生变化而忧心忡忡。

心理专家调查了一些夫妻不和的心理原因后，发现丈夫对妻子的不满主要有以下一些方面：

①妻子喋喋不休的唠叨。无论大事小事，无论在什么时间地点，总是说个不停。

②缺乏共同的生活情趣。志趣不投，无法共同享受生活的乐趣，甚至互相抵触。

③自私、不知体谅，这是丈夫最不能容忍的。

④抱怨、干扰自己的爱好。几乎每个男人都有自己的嗜好，这是男人生活中必不可少的心理平衡因素。他们绝对不允许别人干扰他们的爱好。

⑤衣着不整，这意味着有失丈夫的体面，使丈夫丢脸。

⑥脾气急躁。任何男人都希望妻子温和可爱，性情急躁是导致

婚姻关系破裂的一个重要因素。

⑦干涉他们对子女的管教。许多家庭属于“严父慈母”型，但如果一个过严、一个过慈，自然就会产生矛盾。

⑧自夸、逞能。这一问题在男性中是普遍存在的，而他们一旦发现自己的妻子也具有这种素质的话，他们会非常厌烦。

⑨感情脆弱。成熟的女性感情是稳定的，男人一般都希望自己的妻子比较成熟，感情脆弱的“小姑娘”式的妻子令丈夫无法长期接受。

丈夫对妻子的不满还有：心胸狭窄，嫉妒心情，不理家务。无论出于什么原因，不理家务都是不利的；好争辩，爱挑毛病，令人无所适从。强调夺理，文过饰非等也是丈夫对妻子不满的方面。

同样，专家调查了一些夫妻不和的心理原因后，发现妻子对丈夫的不满主要有以下一些方面：

①丈夫的自私和不知体谅。女性同样也需要得到男人的温情，自私是爱情的头号敌人。

②事业上没有突出的成绩。女人总是希望自己的丈夫能够出人头地，至少应有所作为。

③喜欢抱怨，不理解她的情趣。丈夫如果与妻子情趣不投，最好是不要太多地抱怨。

④不愿公开诚实地商谈事情。

⑤对子女缺乏兴趣，家庭观念淡薄。

⑥对子女过于严厉，不顺心时拿孩子当出气筒。

⑦不顾家庭，把自己的朋友看得重于一切，要家庭为自己和自己那一伙人服务。

⑧粗鲁、不文雅，没有风度。

⑨缺乏上进心，得过且过，缺少男性的成功欲，平庸呆板。

脾气暴躁，没有耐心；凌驾于家庭之上，不能平等待人，动辄发火，令人无法忍受；爱批评人，缺少男人的慷慨大度，碎嘴唠叨，

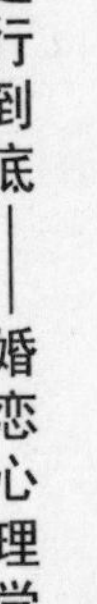

喜欢在小事上吹毛求疵。这样的男人一般都得不到妻子的满意评价。

心理专家告诫：婚姻生活中的男女，如果无视这些变化，也能从此给美满的婚姻埋下不幸的种子，让爱情停滞不前，甚至淡化、破裂。所以，为了婚姻的和谐与幸福，在结婚前后，夫妻双方应该有意识地调整自己的心理状态，增加沟通，逐步适应结婚后的新生活。

左右你一生的心理学

1. 不管你跟谁结婚，结婚以后，你总发现你娶的不是原来的，好像是换了另外一个人。事实上，人还是原来的，只是婚后你看到了其更为真实自然的状态，这也是婚姻向现实回归的一种表现。

2. 结婚后，夫妻虽然朝夕相处，但并未见得能够“知己知彼”。夫妻之间心理差异不可忽视，了解这种差异有助于夫妻生活的和谐、美满。

猜疑心理——爱情是件易碎品，让“亚健康”远离婚姻

猜疑心理，表现在交往过程中，自我牵连倾向太重。何谓自我牵连太重，就是总觉得其他什么事情都会与自己有关，对他人的言行过分敏感、多疑。

大志是个开朗的男人，结婚之初，他觉得妻子发小脾气的“醋劲”很好玩。于是，常常开玩笑地对妻子说“最近有个特时尚的女孩，对我很有意思，可是，我却犹豫不决，觉得抛下你很可怜”。

这时，他的妻子沙沙总是故作娇滴地说“小样的，你敢，小心我拧下你的脑袋，当球踢”，说完还会用小手在大志身上一阵乱打，两人总是在小夫妻的嬉笑打骂声中和好。

可是时间一长，大志就再也没有开这种玩笑的心情了，他觉得妻子对自己越来越不放心。不久前夫妻二人爆发了一场“真正的战争”，从此，大志就生活在了水深火热之中。

原来，家中电话里只要有女性的声音找大志，就会不可避免地爆发一场战争。每次妻子沙沙都非要丈夫交代出打电话女人的来龙去脉，直到交代得她认为合格才算完事。

这样一来大志的日子实在不好过，又不能天天同妻子吵，他只好向他所有的女同学、女朋友、女同事乃至女性的亲属，发出“安民告示”：绝不能给我打电话。而且，他下班以后还必须按时回家，老老实实待在家里，什么活动也不能参加。

可即便如此，危机仍在酝酿。

有一天，大志所在的业务部新招了一名女大学生，领导分配她跟大志学习业务。而妻子沙沙得知丈夫整日和一个年轻貌美的女孩在一起后，她的猜忌之心就又冒了出来。她跑到了女大学生面前，撕破脸皮大吵了一架，骂人家勾引有妇之夫，弄得女大学生很难堪。

这件事令大志大为恼火，同事们都纷纷笑他是从醋缸里爬出来的，身上总带着一股酸气。于是，一场不可避免的家庭大战终于爆发。

心理学专家认为：女性的感情会比较冲动，稍有猜疑就会付诸行动，不仅使丈夫陷入家庭的小圈子里，而且也妨碍了丈夫的正常工作和社交。同时，由于凭空编造莫须有的“第三者”，往往会伤害他人，造成严重的后果。

妻子爱“吃醋”确实给丈夫带来一些麻烦，但应从积极方面考虑，毕竟还是真心爱丈夫，怕失去丈夫，这一点应该肯定。从这个角度去看待妻子，火气就会消失，丈夫就能冷静下来，认真地帮助妻子克服这一缺点。婚姻的完善本身就是一个终身的事情，其间，需要夫妻双方付出辛苦和努力。

夫妻间的感情必须建立在相互信任、相互尊重、相互了解的基础上，而猜疑恰恰违背了这些原则，它是夫妻真挚情感的杀手。婚姻中倘若有了猜疑，悲剧便会产生。

从心理学角度讲，猜疑心理是常见的心理之一，也是人性的弱点之一，疑心重的人思虑过度，凡事都往坏处想，说者无心，听者有意，捕风捉影，无中生有。正如培根所说：“猜疑之心犹如蝙蝠，它总是在黄昏中起飞。这种心情是迷陷人的，又是乱人心智的，它能使你陷入迷惘，混淆敌友，从而破坏人的事业。”猜疑心理表现在交往过程中，自我牵连倾向太重，何谓自我牵连太重，就是总觉得其他什么事情都会与自己有关，对他人的言行过分敏感、多疑。

我们知道，爱情是具有很强烈的排他性。如果你的爱人反对你同其他异性接触和交往，正是反映他或她对你的爱的程度。相反，如果毫无嫉妒心，那么也许你们之间的关系还只是喜欢水平的友谊，而不是爱情。

虽说排他性有一定积极作用，但在生活中更为常见的还是消极作用，因为，这排他性一失控就会成为猜疑与嫉妒，二者不仅会使人失去理智，也会似瘟神一般让更多的人敬而远之。最终两个人会被折磨得精疲力竭，爱情与婚姻必然会受到影响与打击，两人能否维持原来的婚姻还是个未知数，至于能否携手走完人生的旅途，则只能听天由命了。

猜疑的人通常过于敏感。敏感并不一定是缺点，对事物敏感的人往往很有灵气，有创造力，但如果过于敏感，特别是与人交往时过于敏感，就需要想办法加以控制了。具体可采用以下几种方法：

1. 用理智力量克制冲动情绪的发生

当发现自己开始怀疑别人时，应当立即寻找产生怀疑的原因，在没有形成思维之前，引进正反两个方面的信息。现实生活中许多猜疑，戳穿了是很可笑的，但在戳穿之前，由于猜疑者的头脑被封闭性思路所主宰，却会觉得他的猜疑顺理成章。此时，冷静思考显然是十分必要的。

2. 培养自信心

每个人都应当看到自己的长处，培养起自信心，相信自己会与周围处理好人际关系，会给别人留下良好的印象。这样，当我们充满信心地进行工作和生活时，就不用担心自己的行为，也不会随便怀疑别人是否会挑剔、为难自己了。

3. 学会自我安慰

一个人在生活中，遭到别人的非议和流言，与他人产生误会，没有什么值得大惊小怪的。在一些生活细节上不必斤斤计较，可以糊涂些，这样就可以避免自己烦恼。如果觉得别人怀疑自己，应当安慰自己不必为别人的闲言碎语所纠缠，不要在意别人的议论，这样不仅解脱了自己，而且还取得了一次小小的精神胜利，产生的怀疑自然就烟消云散了。

4. 及时沟通，解除疑惑

世界上不被误会的人是没有的，关键是我们要有消除误会的能力与办法，如果误会得不到尽快地解除，就会发展为猜疑；猜疑不能及时解除，就可能导致不幸。所以如果可能的话，最好同你“怀疑”的对象开诚布公地谈一谈，以便弄清真相，解除误会。猜疑者生疑之后，冷静地思索是很重要的，但冷静思索后如果疑惑依然存在，那就该通过适当方式，同被疑者进行推心置腹的交心。若是误会，可以及时消除；若是看法不同，通过谈心，了解对方的想法，也很有好处；若真的证实了猜疑并非无端，那么，心平气和地讨论，也有可能使事情解决在冲突之前。

夫妻之间产生误会、猜疑，往往由于缺乏感情上的交流所致。如果双方能够注意保持热烈的感情，经常谈心，任何猜疑、误会都会得到消解。

爱情是件易碎的艺术品，尽量别留下一丝裂痕，否则，再高超的焊补技术，都不能使之完好如初。

左右你一生的心理学

1. 女性的猜忌表现：一开始常会刺激对方神魂颠倒，强化爱的专注。因此，女性在恋爱中的撒娇、赌气、猜忌、泪水既是爱的伎俩，也是女性情爱中一道美丽的风景线。但也要知道，醋意要有限度，如果太离谱，就会导致婚姻的破裂。

2. 作为男性，如果猜忌的心理过分严重，不仅不能防微杜渐，反而会令自己丧失掉原有的吸引力。当男性想尽办法企图防止对方变心的时候，所表现出的多疑、无理取闹、狭隘、自私等行为会把男性的优点和长处掩埋掉，反而使男人失去迷人的光彩。

婚外恋——“红杏出墙”的诱惑

所谓婚外恋，是指婚姻关系中的一方同与配偶以外的异性发生情爱与性关系的行为。在现实的社会生活中，这种现象并不少见，而且还有日益增长的势头。

阿勇是个爱面子的男人，在同事和朋友面前，他永远会扮成婚姻幸福的样子，但其实他对自己的婚姻从来没有满意过。

阿勇的妻子西西温柔、勤快、苗条，有着一份体面的工作，而且极爱丈夫，她唯一欠缺的便是对丈夫的了解。“我喜欢看碟片，一个人看碟片很寂寞，看完后总想谈谈感觉，但一看到她就赖得讲话了。”阿勇对此很郁闷。

三年看似美满的婚姻过后，诱惑出现了：阿勇的单位新来了一位女同事，虽不算漂亮，但是阿勇动摇了。“你知道吗？我看过的所有电影，她都看过！我们常在 MSN 上聊电影，一聊就是一两个小时。”阿勇说。

虽然阿勇并没有明目张胆地与情人来往，但西西就像很多具有灵敏本能的妻子，及时地发现了丈夫的异常，这对于一向视婚姻、家庭为生命全部的她来说，可谓晴天霹雳，她感到很伤心，但她并没有马上戳破丈夫，而是忍着痛苦，更加用心地照顾丈夫和家庭，希望能感动丈夫保住婚姻。

几个月后，西西的一切努力失败了，丈夫没有回心转意，他经常不回家，即使回来，对她也愈加冷淡。西西慢慢地由悲伤转化为

愤怒，她想，你有情人，我也可有！于是，她开始参加很多社交活动，她是个有姿色的女人，很快就有不少追求者。

西西经常到一个俱乐部练习交谊舞，她的舞蹈教练对她很殷勤，经常给她买饮料和为她擦汗。在西西看来，教练是那种又高大又帅气又懂风情的男人，但在做派上却有一点点做作。如果不是丈夫的恶劣行径，她可能永远都不会与这种男人相爱。

有一天晚上，西西练完舞，走出俱乐部的大门，却发现外面不知何时下起了大雨，糟糕的是自己没有带伞。这时教练撑着伞出现了，他主动要求送西西。在路上，他只顾西西不被淋湿，自己却浑身湿透。就在那一刹那，西西居然爱上了他，就在那一天他们有了那种关系。

从那天以后，每当西西发现丈夫与情人有约会时，她就无论如何都要与她的情人见了一面，这令她有报复的快感，能够稍稍缓和她的嫉妒。但她跟情人在一起时总有罪恶感，一点也不觉得享受。

西西就这样在暗地里过了一年，身心觉得很累。她认真考虑后，发现自己内心仍旧深爱着丈夫，于是准备主动与情人分手。可就在这时，她的外遇被丈夫她现了！丈夫马上提出离婚，西西也拿出平时搜集到他的外遇证据说："你还不是一样有情人！我们扯平了！现在谁也不要再责怪谁，重新开始生活！"可丈夫却明确地说："没法重新生活，我无法忍受你的外遇，想起你跟别的男人在一起就对你完全失去感觉。你放心，就算与你离婚，我也不会跟我的情人结婚。即使我单身一辈子，也一定要和你离！

西西坚持不离，他们闹了很久，双方的亲友都知道了他们的事。令西西想不通的是，人们能原谅丈夫的外遇，却指责她的不忠，就连她的亲友也是这样。更令西西悲愤的是，教练在事情暴露后，也把一切责任推给了她，说是她勾引了他。他还给西西的丈夫写了条子，保证绝不再跟西西联络。这个男人真的就从此没理西西，西西为曾和他的那段外遇而感到恶心。

后来，在丈夫的坚持与多方的压力之下，西西只得无奈地与丈夫离婚了。离婚后的西西悔恨不已，她说："假如时光能够倒流，我一定会选择别的方式来面对丈夫的外遇。也许我会主动与丈夫挑明他的外遇，然后静下心来与他谈。能谈好就谈好，如谈不好，自己不能接受时，就堂堂正正分手，用不着偷偷摸摸去报复。在偷偷摸摸中，女人很容易遇到像我的舞蹈教练那种令人失望的男人。"

婚外情使越来越多的家庭分崩离析，据对中国一些城市的离婚案调查，女方因丈夫有第三者而离婚的占64.8%，男方因妻子有外遇而离婚的也达到了48.6%。

因婚外情而导致家庭破裂，不仅让双方深受煎熬，而且更重要的是让下一代饱受心灵的创伤。婚外情，不仅有悖于中国传统道德，更有悖于中国现行法律。它是怎样产生的，究竟是什么原因导致了婚外情呢？

根据心理学家的调查研究：有不少人是基于一种补偿心理。有的因为夫妻关系向来不和，或者夫妻二人分居，寂寞难耐，或者因为双方中的一方有生理缺陷，生理上得不到满足，因而便主动在外寻找第三者或乐意接受第三者予以补偿，从而形成婚外恋。

也有人因为有一种欠情心理，走了婚外恋之路。有些有情人最终未能成眷属，双方各自成家，或一方成家后另一方不愿成家依然在心里想着对方，当一方生活困难或夫妻感情不和时，另一方觉得还欠着对方的情而主动投入旧情人怀抱，旧情复萌，从而产生婚外恋。

阿勇和小玲是高中同学，在高二那年，两人互相爱慕，产生了恋情。高三毕业时，成绩相当好的阿勇选择了同小玲报考同一所普通高校。然而事不凑巧，当阿勇顺利进入这所高校后才发现，那位心爱女孩小玲却参加了补习。第二年小玲考上了某重点大学。由于身处两地，他们的关系淡了，小玲毕业后不久也结了婚。然而事隔多年小玲一直忘不了当初为了自己放弃美好前程的阿勇。某一天，他们在某个城市不期而遇，阿勇仍旧单身一人，小玲甚觉愧疚，为了“偿还”当年的情债，她主动与阿勇发生了关系，并且一直保留这种关系至今。

小玲正是处于欠情心理，发生了婚外情。其实，天下有情人未必都能成眷属，既然双方已各自成家或对方已成家，就应面对现实，珍惜现实夫妻感情，当对方生活有困难或夫妻感情不和时，用婚外恋来报答对方的情，与其说是帮助对方，倒不如说是害对方，于事无补。

从心理学的角度来讲，情人的出现，固然有各种原因，但最主要、最要害的原因是夫妻的关系在某些方面失去了应有的平衡，有了缺憾。

以下是引发婚外恋的六大原因：

1. 志趣不一，欲觅知音

志向、兴趣、爱好是夫妻感情的重要因素。如果两人志趣不一，以致经常相互争吵，久而久之，就会各自在社交场合中与情投意合的异性朋友友情发展为恋情。

2. 感情不和，寻求补偿

感情是维系夫妻关系的基础。如果夫妻之间感情不好，就会带来巨大的烦恼和精神压力，双方就有可能通过别的途径去寻求补偿。

夫妻间的争吵固然难免，但如果争吵太多，即所谓的大吵三六九，小吵天天有的话，就会使配偶的感情遭到过多的伤害而产生隔阂和更大的心理矛盾冲突，如当一方饱受伤害之苦而达到忍无可忍的时候，这就会促使其对夫妻生活的厌倦，丧失一起生活的信心。

3. 生活寂寞，寻求慰藉

夫妻生活过于单调寂寞，很容易产生孤独烦闷感。一些不甘寂寞的人便会去寻找能够重新弹起激情交响乐的第三根琴弦。心理学家发现，孤独感常是促成婚外恋的主要原因，一个人要是没有人与他分享生活中的大大小小的事件时，孤独感便会油然而生，如果夫妻间缺乏亲切友好的感情交流，一方或双方便会感到孤独，以致产生婚外恋。

4. 喜新厌旧，寻找刺激

猎奇求新心理具有普遍性，同时由于恋人之间婚前婚后生活发生了质的变化，浪漫会变得暗淡，新奇感和神秘感也会随之消失。如果再不注意更新爱情的内容和方法，长此以往，其中一方就会寻找新的刺激。

5. 性生活不和谐，另寻新欢

性生活是婚姻的重要内容，也是维系夫妻关系的纽带和润滑剂。夫妻双方如果性生活不和谐，很容易导致感情上的不融洽，而出现另觅新欢。

6. 知恩图报，以身相许

知恩图报本是做人的一种良好品德，但是如果把握不好，往往会情意绵绵突破友谊的界限，引发婚外恋。

心理学专家认为：夫妻感情的发展是无止境的，理想的夫妻应是随着岁月的增长，夫妻之情不断深化，夫妻感情越巩固，第三者就无地可插足，夫妻感情不和是第三者插足的良好时机，有些夫妻结婚后，忽视感情的培养，长此下去，感情易淡弱，为第三者插足提供了条件。

夫妻间要相互信任，无话不说，这样不仅可能消除夫妻之间的误解，而且也可以商量解决一些问题。例如在生活实践中，第三者对丈夫表示爱恋之情或者公开表达时，夫妻可共同商量对策，妥善地处理与解决问题。

夫妻的心灵美是相互吸引的基础，但不能忽视外表美在爱情中的作用。有些女性在婚后逐渐不注意适当的修饰，在无意识的心理生活中冲淡了爱的吸引力。婚后夫妇双方都要保持清洁整齐，注意

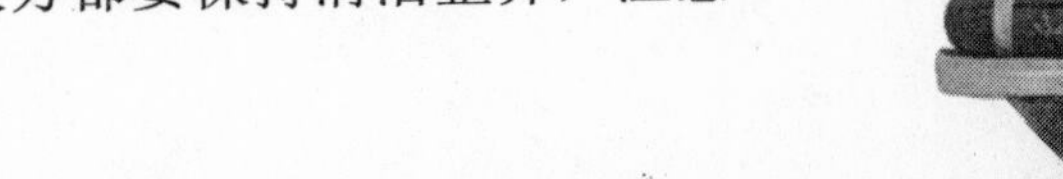

适当的修饰，保持异性的魅力，保持自己原有的吸引力。

发现配偶有了婚外恋以后，怎样帮助配偶摆脱第三者是要讲究心理对策的。

首先最要紧的是要冷静、理智地分析情况。愤怒的情绪自然的产生是可以理解的，但是一定要努力控制自己的情绪，通过调查分析，弄清事情的真相，采取正确的态度和对策。如果任其怒火燃烧的话，不仅不能使爱人回心转意，反而易使夫妻的矛盾激化。

其次要向爱人说明婚外恋对他自己，对家庭，对子女的危害性等等。讲明道理，使爱人对自己的错误有个正确的认识，悬崖勒马，改正错误。发现配偶有婚外恋，严肃批评是完全应该的，但同时在生活上要更加关心对方，感情上更加体贴。否则只能加大与对方的心理距离。

一对新婚夫妇在公共汽车上被挤散了，不知过了多久，人缝里慢慢地伸来一只细长、柔软的小手，似是经意又似不经意地拉着丈夫的手。眩晕的丈夫无法形容那只手的美妙，也慢慢地舒展开了手掌，全心全意地接受了那只小手。车到站了，丈夫实在无法说服自己放开那只小手，便掏出名片毫不犹豫地塞给了那只小手。

下车时，突然有一辆卡车发疯般地向丈夫冲来，身后的妻子毫不犹豫地推开了丈夫，自己却倒在了血泊当中。当丈夫抱起气息全无的妻子时，发现妻子手里紧攥的竟是自己下车时留给那只可爱小手的名片。

因为寂寞，我们的爱情有时会游离原本温馨的港湾。因为好奇，我们的行程会在某个十字路口不经意地拐弯。然而，就在你意欲转身的刹那，你也会听到身后有爱情在低沉地哭泣。别让你的爱情为你哭泣。

如果说，阳光下的恋爱是三月的春天，让身处其中的人如沐春风，那么角落里的婚外恋就是火柴划过的一瞬微焰，剩下的就是一点炭黑。面对婚外恋，面对爱人，面对家庭，你曾经做过什么？以后应该怎么做？

左右你一生的心理学

1. 不要以为婚外恋是一场游戏，在欢娱之后可以轻易退出；它是一条不归路，它更是一个莫测的陷阱，一场扫荡幸福和爱情的台风，一种让人终身悔恨的病毒！

2. 俗话说："十年修得同船渡，百年修得共枕眠"，茫茫人海，芸芸众生之中，唯独能和他手牵手走过红地毯，这缘分来之不易，怎能说散就散，说离就离，说断就断？婚姻是神圣的，美好的生活是两人共同创造的，出了问题为什么不能理性地面对？离婚并不是唯一的选择，给婚姻留条后路吧，镜子没破，千万别摔！

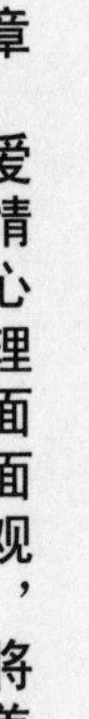

糊涂定律——婚前睁大双眼，婚后闭一只眼

婚姻中没有绝对的金科定律。不过，有些方法，可能让你的婚姻变得不那么昏暗，不那么灰色。那就是——糊涂定律。要学会婚前要把眼睛睁得大大的，婚后，可就要睁一只眼，闭一只眼了。

记得看到过这样一个故事：男人是个让所有人都嫉妒的美男，偏偏他的新婚妻子，既没有姿色，也不小鸟依人，但是非常精明。

周末，每每有同事叫她丈夫一起玩麻将，还没等她丈夫开口，她就会在一边通情达理地叫着丈夫的名字说："去吧去吧，反正待在家里也没什么事情。"于是，同事笑着说："你老婆真好。"

她丈夫欢天喜地地去了，可是，事后回到家里，她立即火冒三丈，斥责丈夫：我叫你去是给你面子，想不到你还真去了！两个人为此发生多次冲突。后来，她丈夫背着她喜欢上了另外一个女孩子，他坚决要离婚。理由很简单，她太精明，他的所思所想都逃不过她的眼睛！他觉得一点私人空间都没有，她简直就是他的监控器。

总结一点：婚姻中的女人不要过于精明，否则，男人会无所适从。糊涂一点更惹人爱。

任何事情都有它的模糊地带，婚姻也不例外，太较真了，只能使婚姻产生细小的裂缝，婚姻不是一朝一夕的事儿，天长日久，缝隙越来越大，以至于无法修补，后悔晚矣。

人们在恋爱中更多的是追求浪漫，这是人的一种天性，追求浪

漫就一定要隐藏自己的一些缺点。人总是情境中的人。有些人是刻意隐藏自己，有些人虽然不是刻意隐藏自己，但是没有机会表现出自己的弱点，特别是内在的弱点。比如，有的人表面上表现得很老实，这不代表他就真的在某种情境下不去花心。

既然几乎人人都会有婚前婚后的心理调整期，那么该如何做呢？

婚前要睁大眼睛看对方。

不仅要听其言，更要看其行，还要考察对方的朋友、父母怎么看待他。如果要“调查”对方的话，一定要不经意间进行“调查”。女人在婚前要适当克制自己的浪漫冲动，因为婚后的生活更加漫长，为了图一时的快乐，还不如更加踏实些。如果不够浪漫，要允许对方慢慢来，而不要强求。人们在紧张的环境中总是要克制自己的缺点暴露，相反，在轻松而自然的环境下最容易流露出其本真的一面。如果你特别担心对方婚后是否花心，那么可以适当地制造一些场面，看对方的反应。这种试探，绝对不是故意地制造所谓的冲突，而是通过一些自然场合，做个有心人，少说，多观察。一个负责任的人，是不会太相信所谓的缘分的，因为两个人要在一起生活一辈子，做些适当的考察，还是有必要的。不要做“拍脑门”的工程，那注定没有什么好的结果。

婚前睁大眼睛，这是避免婚后问题不断的必要前提。那么，婚后为何要闭一只眼呢？

首先，人们的认识是有偏差的。如果说，恋爱中更多地看到对方的优点，那么婚后自然会更多地看到对方的缺点。

没有多少人能够在婚前就真正了解对方，更深一步的了解必须在婚后继续进行。一个不抱着完美倾向的人，是愿意等待一个人逐渐展露出其本真的一面的。其实，那些成天抱怨婚姻的人，往往是那些对自己都不接纳的人。所谓接纳就是既接受优点，也接受缺点。结了婚的人，也是这样的——既要接受对方婚前展现的优点，也要接受对方婚后所显现的缺点。

婚后闭一只眼，并不是一味地被动地接受对方。对于对方的缺

点，首先要看是不是原则性问题，如果是，那就要毫不客气地给对方指出来，不要手软，不要姑息。但是对于那些非原则性的缺点，比如不会送花，不再浪漫，挣钱少了等，则需要宽容。因为真爱本身就意味着一定要共同经历一些艰难。每个家庭都有其艰难之处，而每个家庭的情况不一样，就在于当问题出现的时候，双方怎么看待，怎么解决，而不是一味地指责对方。

耳聪目明的你在结婚以后，一定要懂得“装傻”，大方向一定要计较清楚，例如一个人的品德与价值观。小地方就不妨任由他去，例如：“为什么迟到那么久？”“昨天口袋里的钱花到哪里去了？”

当家庭有了孩子之后，就更加要注意闭上一只眼了。因为当孩子出现的时候，原本两人之间的关爱就要让出一部分给孩子，越小的孩子需要的关爱越多。如果这时候妻子认为，我在为丈夫的孩子操劳，就不再关心丈夫了，那么这时候丈夫就会产生失落感。这时候妻子应该主动与丈夫沟通，而不要让丈夫只成为“挣钱机器”，这样的家庭是很容易出现问题的。

心理学家告诫：那些暂时出了问题的家庭，两个人都应给对方一些时间冷静思考，比如分居，比如警告。在这种情况下，相信大多数人还是有自省能力的，他们会重回这个温暖的家庭的。一哭二闹三上吊，一个成熟的人是不会采取这些方式的。

无为而为，在婚姻生活中更加值得提倡。

左右你一生的心理学

1. 就算你天生慧眼，恐怕也不一定能把爱看个清楚。说不定，当你努力想看清楚的时候，会伤了眼睛，更伤了和气。

2. 不要企图改造对方，不要企图将对方变成另一个你。这样做很愚蠢，会伤害对方的自尊心，引起对方的反感和反抗心理。

结婚是一种责任

我们都渴望拥有幸福的婚姻，它是人生最宝贵的财富，幸福的婚姻意味着夫妻关系充满活力而常新，能够经受挫折和风雨，意味着夫妻之间感情和谐而稳固，能够永葆真爱，激情依旧。

从恋爱到结婚，从浪漫的爱到现实的爱，这是情感列车的一次大转弯，两者有着本质的区别。恋爱更多的是一种自我情感体验，而婚姻是一种生活方式，是一种社会关系，是一种以爱情为基础的权利、义务、责任的关系。

婚姻实际上等于对爱情发布永远相爱的誓言。就如弗洛伊德所言："不管婚姻是由他人撮合，还是个人的选择，一旦决定结婚，这种意愿行为就应该保证爱的持久。"

步入婚姻生活，双方都不能以自我为中心，否则会对婚姻彻底绝望。婚姻中最忌讳自我中心主义，许多无谓的争吵都是由此引起。可现代人往往是这样的，一旦婚姻不如己意，就想离了再来。婚姻生活中应该具备和培养一定的心理韧性，学会忍耐种种缺憾和承受种种挫折。但容忍并不是无原则地放纵对方，而是双方都合理地谦让，减少婚姻矛盾。

结婚意味着责任、义务和忠实，不能太情绪化。热恋中的恋人吵架后可能好几天互不搭理，但夫妻两个吵得再凶，即使动手打起来，对方病了不能不管，家务该干还是要干，饭该做还是要做，老

人孩子不能弃之不顾，客人来了还是要客客气气地一起接待。这就是责任和义务。正如日本心理学家国分康孝说的："恋爱连孩子都会，结婚则非成年人不可。对于太幼稚的人来说，结婚是负担。结婚要讲伦理，负责任，要有很强的实际生活能力。"

爱情以感情为基，婚姻则以责任为柱，责任之于人，是一生中最感沉重、最有价值的珍品，倘若丢弃了这个责任，则爱难以久，情难以真，怨难以解，家难以存。抛开爱情谈婚姻，婚姻则如山溪水，可向南亦可向西复向东。

有一对夫妻，结婚几年一直还没有生育。在农村，传统观念根深蒂固，加上男的又是独子。于是，公公、婆婆对儿媳的脸色就越来越不好看。老人们迷信，以为是生辰八字不合，便花钱请算命先生破解，在试过算命先生说的各式各样的土办法之后，儿媳还是没有怀孕的迹象。

不得已之下这对夫妻决定去医院检查。过了两天丈夫去医院领取检查结果后回到家，他神情沮丧地对父母说："不是媳妇的错，是我身上的毛病。"他告诉妻后，妻一边捶着他一边呜呜直哭。这些年来，她一直生活在公公婆婆的脸色里，抬不起头。现在终于有了结论，再也不用受他们的窝囊气了。

父母知道是儿子的问题后，他们让儿子去医院治治，儿子却说："医生说我这病是先天性的，无法医治。"听到这句话，老两口一下子好像苍老了许多。

丈夫打算到民政局领养一个孩子，他和妻子商量，妻子却不置可否。没过些日子，妻子就提出离婚，理由是男人没有生育能力。丈夫却坚决不同意离婚。他一次次劝妻子，说以前是父母的错，自己从来没有责怪她，一直在安慰她，鼓励她。妻子听不进丈夫的话，说她对这个家已经死心。

妻子回到了娘家，并向法院提出了离婚诉讼。丈夫在接到法院传票的那天，打电话给妻，约她见上一面，妻答应了。

妻如约而至。丈夫什么也没说，递给妻一个信封。妻打开一看，是一份诊断报告：“先天性卵巢功能障碍”，再一看上面写着的是自己的姓名，妻惊呆了，随即泪如雨下。

真正的爱是理解、宽容、无私的，能够为对方牺牲自己的一切，这才是责任的真正体现。

善待婚姻，就是善待我们自己。如果你在年轻的时候，想要成就一番事业，别忘了美好的婚姻是你坚强的后盾；倘若有一天你快要老了，蓦然回首，婚姻是一部宝典，承载你荣辱与共的一生。你会说，因为我爱，我终生无悔，心想事成。

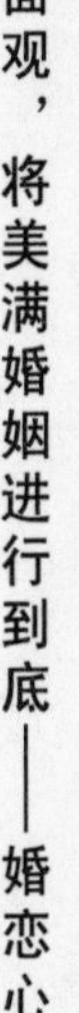

左右你一生的心理学

1. 培根说：“了解爱情的人，往往会因为爱情的升华而坚定他们向上的意志和进取精神。”这个世界并不缺少爱，只是缺少了一双爱的翅膀，就是珍惜。

2. 恋爱的人可以摆脱一切虚荣与世故，不顾一切现实条件的束缚，达到某种程度上的超脱境界，洒脱奔放。可婚姻必须面对和接受社会现实：每天都要与“柴米油盐酱醋茶”打交道，要经常探望双方的父母，要关心孩子的成长与前途。所以婚姻生活是离不开务实精神的。

去除“恐惧”，乐在工作的心理密码——职场心理学

在职场中，时时都有着大量同样命运的“青蛙”们，在熟悉的工作中日复一日，慢慢强化了钝感神经，对“压力”已经麻木，动力也似乎总是不够。如果你也是这样，可要清醒了，否则很可能像温水中的青蛙一样等着“安乐死”。这个时候了解职场中的各种问题，洞悉问题深层次的心理因素就显得尤为重要。

上班恐惧症——别做工作的奴隶

一些职场人士，他们心理紧张，害怕工作，这从心理学角度而言，是患了“上班恐惧症”。“上班恐惧症”表现为：上班前一天不想上班，焦虑不安；到岗第一天表现萎靡不振，不爱说话。

“天哪，明天又要上班了。”周日晚上，公司职员晶晶发出一声哀叹。

星期一，是新一周工作的开始日，然而，对于许多白领来说，却变成让他们心生畏惧、状况频出的“受难日”。许多上班族在周日的晚上会非常沮丧，有的甚至失眠。据调查显示，周一上班恐惧症存在于80%的规律性上班族中，这些白领工作量大、节奏快，要求高，竞争性强，上班8小时以内基本属于注意力高度集中的状态，强烈的心理、身体疲劳感在上班时却常常容易被工作的专注度给忽略。因此，有限的周末休息时间内，则容易出现周末抑郁情结，进而排斥星期一再回到压力中去。

可不可以不工作？

当然不行。面对上班恐惧症，除了打败它，别无选择！

“有件事情令我很抓狂，几乎每个星期日晚上我都会习惯性失眠。”年轻靓丽的幽幽，却有着同龄人少有的严重黑眼圈。

幽幽去年本科毕业，经过层层选拔进入了一家外企，平日里工

作非常忙碌，加班更是家常便饭，几乎很少有晚上7点前离开公司的。初入职场的幽幽工作十分卖力，庆幸的是，由于工作性质，不管平时晚上如何加班，基本都能保证周末的双休。所以，周五成为幽幽最期待的日子。

“可能是因为平时太辛苦了，所以休息日就会特别放纵自己。”不管周五晚上加班到几点，幽幽都会约上朋友去泡吧或者蹦的，玩到凌晨三四点才回家。周六的白天，基本都在补充睡眠中度过。等中午或者下午睡觉醒来，便又是召集朋友出去玩。“总之，刚开始工作那段时间，周末的作息时间完全‘晨昏颠倒’。”跟大多数年轻人一样，幽幽丝毫不肯浪费周末的每分每秒。

接连这样度过几个周末后，幽幽开始有所收敛，她有些不好意思地解释道：“这样的玩法，往往搞得自己周末比平时还累，周一经常起不了床。有好几次，闹钟响了无数次才把我闹醒，赶到公司依然打卡迟到，被扣了奖金。所以，后来周日就不敢太放纵自己了。”幽幽开始有意识地把娱乐都安排到周六，周日更多待在家里，规定自己周日晚上11时前必须上床睡觉。

然而，坚持了一段时间后，幽幽沮丧地发现，这样的安排毫无用处，不管周日她几点上床，都会失眠。“躺在床上，烙饼一样翻来覆去，死活睡不着，最后好不容易睡着了，又会梦见打卡迟到或者被老板骂，忽然会被吓醒……周一早上醒来，头昏脑涨，跟没睡觉似的。”周日的惯性失眠让幽幽非常窝火，又无可奈何。

“每个周一早晨起来，看着镜子里自己那两个乌黑的眼圈和憔悴的神色，我真的不想这样去上班见人。在这样的心情中开始自己的一周，真是郁闷死了！”幽幽撇撇嘴，叹息道。

心理专家称：幽幽患上了严重的“上班恐惧症”。专家建议幽幽可以在周末的最后一天，从“休闲”状态中走出来，静心思考上班后应该做的事情。上班后多做开心的事，找朋友聊聊天，尽量不去想烦心的事。多留意一下自己的精神状况，多让自己开心，中午去空气清新的地方走走换换环境。尽量保持积极的工作态度，让工作变成乐趣，减少压力。

如今，不光是幽幽对“星期一”有着严重的恐惧，上班族一旦放了长假，也会出现上班恐惧症。

例如春节长假让上班族的社会活动范围发生很大变化，人们外出旅游、回老家探亲、走亲访友、聚会应酬等等，与平日里紧张的工作拉开很大反差。尤其是春节长假回来上班，要面对新一年的工作，头绪更多、压力更大。

心理学上讲，人们在长假前一直处于高度紧张的工作压力下，长期下来作为一种应急机制，心理和身体会相应建立起高度紧张的思维和运作模式，使人能适应高度紧张的生活和工作方式，如果突然停下来无事可干，原来那种适应高度紧张的心理模式，面对宽松无事的环境的确会出现不适应的现象，产生失落感。同样，节后松弛的心理状态也存在再度适应紧张工作环境的问题，也就是一般所说的节后综合征。

心理专家称：预防“上班恐惧症”，重要的是保持一颗平常心。

休息是一种调节剂，不能过短，也不能过长，假期的时间应该算合适的，之所以有些人在心理和生理上有不舒服的感觉，这是环境适应问题。要适时地转换“角色”，即在长假的最后一天，从“假期轻松”的状态中走出来，静心梳理上班后该做的事；假日最后一晚保持充足的睡眠。只要调控适当，就可避免发生上班恐惧症。

1. 以休息为主

如果长假能以休息为主，适当增加比平时多一些的家务，适当增加比平时多一些的娱乐，适当地亲友互访或家人团聚，等等。这样，旧的动力定型就不至于被过大的破坏，节日过后重新建立或恢复时就比较容易，就不会出现“上班恐惧症”，根本在于尽可能过得轻松愉快，不要与平时出现过大的反差。

2. 适当学会放松

舒适地坐在沙发或椅子上，不要有意用劲，什么也不想，把休息的意念送到全身各部位，并想象相关的肌肉做出相应的反应。

先放松脚尖，接下来逐渐向上放松脚腕、小腿、膝盖、大腿；松弛到肩部后，再转向两手指尖，从指尖而手指、手腕、小臂、肘、大臂、肩部；最后，按脖子、脸面、头部顺序放松。

全身松弛下来后，转入调整呼吸。把注意力集中于肚脐一带，与此同时，缓缓地将肚脐向背部贴近，随之呼气。充分呼气完了后，缓慢而自然地向体内进气，然后再边将肚脐向背部靠近、边吐气。

这样的呼吸，要尽可能做得缓慢些，宁静些，在不停地呼气的同时，心中可以这样想："真舒服！"在此过程中，身心将均感舒爽，得到心旷神怡的感受，即使是在焦虑不安时，亦会收到驱散焦躁，镇定精神，获得心情舒畅之效。

3. 提前进入角色

专家还指出，人的神经系统有个"始动调节"的特点，星期一上班时效率低，人们一下子难以适应快节奏的工作方式有关。

因此，在上班的前一天，应有意识地做一些与工作相关的事，如看看书、思考工作的内容等，都有助于尽早地进入工作状态。

4. 多想开心事

患"上班恐惧症"的多是年轻人，其诱因很多，如分离性焦虑，人际交往困难，在工作上有过委屈、挫折、羞辱经历等。要预防这些症状，可在长假结束后从休闲的状态中走出来，静心思考上班后应该做的事情，保持充足的睡眠。除此之外，平日多做令自己开心的事，多找朋友聊聊天，或去空气清新的地方换换环境，也可在医生指导下服用一些药物。

总的来说，对于患"上班恐惧症"的朋友们来说，怎样走出，还是在于个人自我心态的调节。

左右你一生的心理学

1. “上班恐惧症”不是病态，只是短暂的心理生理反应，要学会调整心态，将注意力从放松转移到工作上。

2. 注意调节生活规律、饮食规律。

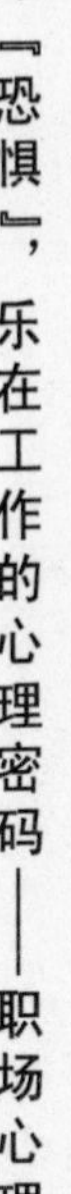

习得性无助——工作中的“无助感”

习得性无助是指通过学习形成的一种对现实的无望和无可奈何的行为，以及心理状态。

菲菲是北京某名牌大学的大学生，是家中的独生子。人长得不够机灵，但从小学习却很努力，每次考试都能排在前几名，学习成绩很好，这让父母很高兴，他也因此成了家中的骄傲，父母把他捧在手心里，除了让他学习之外，其余的事情全给包揽了，什么活都不让他做。他大学毕业之后却一直找不到工作，一次，通过朋友的介绍，好不容易才到一家小公司做起编辑工作。工作第一天，领导给他一份资料，让他写一个短评。半天之后，他完成了稿子，可是脑袋却一直在东张西望着陌生的同事。公司的老员工看着他怯生生的样子，于是热心地问他：“你是不是需要帮助?”他说：“领导今天让我写了些东西，我写好了，可是不知道写得好不好，想请你帮我把关一下好吗?”

同事觉得他想第一次给领导留个好印象的做法是可以理解的。于是，就帮他修改了他写的短评。后来，领导看到他的短评之后还因此表扬了他。对此，他也高兴了一番。但从此之后，菲菲的所有稿子动不动就找人给他把关，自己完全不相信自己了。

导致菲菲完全不相信自己的原因就是“习得性无助”。

习得性无助也可以认为是：“人或动物在不断的受到挫折后而感到自己对一切都无能为力、丧失信心的一种心理状态，简称无助感。”

习得性无助是美国心理学家塞利格曼1967 年在研究动物时提出的，他用狗作了一项经典实验，起初把狗关在笼子里，只要蜂音器一响，就给以难受的电击，狗关在笼子里逃避不了电击，多次实验后，蜂音器一响，在给电击前，先把笼门打开，此时狗不但不逃而是不等电击出现就先倒在地上开始呻吟和颤抖，本来可以主动地逃避却绝望地等待痛苦的来临，这就是习得性无助。

大象是世界上最强壮的动物之一，当一头年轻的野生大象被抓到时，猎手们会用绳子套住它的腿，把它用链子捆到附近的榕树上。自然，大象会一次又一次地试图挣脱，但不管它怎样的努力，它还是不能成功。几天挣扎并且伤了自己之后，它意识到它的努力是徒劳的，最后它放弃了。从此刻起，这头大象再也没有挣脱过，即使是别人只用了一条小绳和木桩。

随后的很多实验也证明了这种习得性无助在人身上也会发生。

1975 年塞里格曼用人当受试者，结果使人也产生了习得性无助。实验是在大学生身上进行的，他把学生分为三组：让第一组学生听一种噪音，这组学生无论如何也不能使噪音停止。第二组学生也听这种噪音，不过他们通过努力可以使噪音停止。第三组是对照，不给受试者听噪音。当受试者在各自的条件下进行一段实验之后，即令受试者进行另外一种实验:实验装置是一只“手指穿梭箱”，当受试者把手指放在穿梭箱的一侧时，就会听到一种强烈的噪音，放在另一侧时，就听不到这种噪音。实验结果表明，在原来的实验中，能通过努力使噪音停止的受试者，以及未听噪音的对照组受试者，他们在“穿梭箱”的实验中，学会了把手指移到箱子的另一边，使噪音停止，而第一组受试者，也就是说在原来的实验中无论怎样努力，不能使噪音停止的受试者，他们的手指仍然停留在原处，任刺耳的噪音响下去，却不把手指移到箱子的另一边。为了证明“习得性无助”对以后的学习有消极影响，塞里格曼又做了另外一项实验:他要求学生把下列的字母排列成字，比如 ISOEN，DERRO，可以排

成 NOISE 和 ORDER。学生要想完成这一任务，必须掌握 34251 这种排列的规律。实验结果表明，原来实验中产生了无助感的受试者，很难完成这一任务。

心理学上将上述这些现象称之为“习得性无助”。

在一家企业中，如果员工有了这种“习得性无助”，那么，企业的创新就变成了一句空话。因为这种习得性无助会使员工对自己完全丧失信心、自暴自弃，甚至“破罐子破摔”。

而工作中的这种习得性无助是怎样产生的呢？

一方面是因为员工遭遇了过多的失败和挫折；另一方面是由于严重缺乏自信，员工对自己的工作能力和活动能力持怀疑态度，不管做什么事，想得更多的是可能遭遇到的失败，不付出任何努力就会轻而易举地放弃。

那么，怎样才能消除员工的习得性无助感？

心理学家认为：首先管理者就要帮助员工建立自信，培养员工的成就感。因为自信是前进的动力，是通往成功的桥梁。人有了自信，才能够调动全部的身心潜能，并会将这些潜能发挥到极致，直到取得成功。

同时，预防“习得性无助感”要从“源头”抓起，多为员工创造成功的机会。

管理者对员工一定不要期望过高。因为期望越高，失望越大，失败也越多。同时，不要盲目在员工之间进行攀比。因为各人有各人的具体情况，要因人而异，盲目攀比只会打击员工的信心。此外，对员工要多欣赏鼓励。多欣赏员工的长处，多鼓励员工的进步，多为员工提供表现自我、获得成功的机会。要多让员工体会成功的快乐，使他们不断增强自我认同感、自我效能感和自我成功感。

所以，员工“习得性无助感”的预防和矫正，离不开管理者和员工自身的努力，只有携手共进，互相配合，才能取得良好的效果。

左右你一生的心理学

1. 当一个人产生了习惯性无助感以后，它既可以使操作活动减退，又可以使智力活动减弱，对他的整个生活都会罩上一层灰暗的阴影。

2. 作为职员，要尽可能地避免这种“习得性无助”，不然会大大地影响你的工作效率及自信心。

职场休克——化解厌职情绪，越过职场“休克期”

无论是初入职场的年轻人，还是工作过多年的经验丰富者，都可能突然对目前所从事的职业失去兴趣，对自己的职业生涯感到迷茫，这是一种正常现象，被心理学家称之为“职场休克”。

灵感一向丰富的你，有没有过江郎才尽、抓破头皮也无济于事的经历？做事一向积极主动的你，有没有过突然间倦怠松懈甚至想抛掉工作的冲动？目标一直很明确的你，有没有过对自己所有的雄心壮志和奋斗都感到厌倦和无意义的时候？领导的表扬变成了提醒和批评，同事的赞赏变成了疑问和不满，而你也不知道，自己究竟怎么了？

一位任教十年的年轻女教师曾经这样讲述她的现状：

“每天面对同样的学生，每天做着同样的事情，日复一日，年复一年，按部就班，周而复始。重复、单调，而起初的成就感和使命感早就消耗殆尽。

但是现在的学生呢，每一个都那么敏感，那么‘有个性’；家长的挑剔更是数不胜数；而且我们的社会养成了对老师的高要求——人格上是完人，学问上是全能，物质上是穷人。其实老师也是凡夫俗子，也是平常人；还有来自同事之间的竞争压力，来自教育改革的冲击，使自己感觉做什么都没劲，干什么都没有意义。现在对班上的事情只求完成任务，不出事就行了，有时候感觉自己会误人子弟。而且我一向温润的脾气也慢慢变得有些暴躁，很气、很烦的时候，就会在课堂上借题发挥来发泄，抓住迟到的学生批评一顿，只是自己心里仍然会很难过。在家里，我也懒得说话，懒得跟家人交流，家人说我冷漠至极。我现在最大的期盼就是退休，赶紧远远离开这种没有尽头的工作。”

女教师患上了严重的“职场休克”，目前的工作对她来说，完全是个负担，而不是一种责任的体现。

工作中的你，是不是也经常会遇到类似的情况，难有创意的案头策划、停滞不前的销售额、做不完的财务报表……而且总也感觉自己的工作单调枯燥，倦怠和厌恶一日比一日严重。

据调查，工作倦怠症目前已经属于“多发病”，有一定工作经历的人，大多数都曾有过相似的职场“倦怠症”症状，这种症状大多表现为：

1. 焦虑症

症状：千头万绪梳理不清，无所适从，夜不能寐。

把脉：造成焦虑症最大的原因是压力。每个人的能力都是有限的，如果给自己的压力太大、要求过高，就会产生负面效应。压力有的时候来自外界，可能领导安排的任务过重，也可能是内因，自己给自己安排很多的事情，每一件事情又都想做到最好，结果超出了自己的承受限度，工作成为一切生活的中心，把自己弄成了神经衰弱。

药方：减压的方法很多，如果是能力问题可以去充充电；如果是心理问题，不妨找心理咨询师谈谈心，他们会给你最恰当的建议。

2. 懈怠症

症状：工作热情一落千丈，奋斗信念摇摇欲坠。

把脉一：长期缺乏动力。每个人都有一套激励自己的办法，以

此来增加个人成就感，作为继续努力的推动力。有些人是通过工作中的业绩表现，有些人是通过所获得的薪金报酬，有些人可能是需要领导的表扬赞许。如果类似的动力长期缺失，后果便是工作热情不再，甚至动摇到奋斗的信念。

药方：自己肯定自己，找到新的激励点。能够使自己产生成就感的因素很多，不妨换一个角度思考。如果实在找不到，可以考虑换一个能给你带来成就感的工作。

把脉二：旧的奋斗目标已经达到，比如人在年轻时所树立的薪水标准、房及车概念。现在一切变成了现实，反而失去了目标和斗志。这时候，需要明确工作不仅仅是谋生手段，它应该帮助我们不断达到新的人生高度，目标需要不断提升，这样才能获得持续高昂的斗志。

药方：重新确立新的更高的奋斗目标。

3. 失“意”症

症状：抓破脑袋无济于事，江郎才尽无创意。

把脉一：造成灵感丧失的原因很多，最有可能是因为“输出”超支。创意和灵感是个人思维精粹的输出，但输出的多了，你用来“输入”的时间可能就会变少了。长时间地出多入少，自然大脑会闹饥荒，思维变得狭窄了。

药方：上个培训班，办个借书证，给自己树立信心，给自己的脑袋安排“大餐”。

把脉二：造成灵感缺失，还有可能是因为违反创新规律，总是沿用一种熟悉的思维方式或思维定式，习惯性地跟着前人或者旁人的脚步走，从而会造成自身创造力的下降。

药方：有意识地接触新鲜事物，打破思维惯性。

把脉三：有时候你可能就是太累、太紧张、给自己弦上得太紧了，也许是工作上的原因，也可能是生活上的原因。这时候，索性走出办公室，做自己最喜欢做的事，让心情轻松下来。等过一段时间再回来，你或许会惊奇地发现：灵感又源源不断了。

药方：旅游度假、休息调养，给自己放个大假。

对于职场中的人们来说，职场倦怠症多来源于年复一年，日复一日重复性的工作，失去了对工作的激情及兴趣。感觉疲惫至极，于是导致抑郁和焦虑的心理，从而产生了对工作及生活的倦怠感。

职场中人，几乎都会遇到这种情况，只不过有的人调整得好，能缩短“休克”时间段；有的人没有察觉，或没有采取有效的“抢救”措施，长期缺血、乏氧，使自己陷入职场尴尬。

心理学家告诉你：职场倦怠不可怕，一定要克服。

所以身处职场中的你，一定要学会善待自己，要在职场出人头地的同时，不要因“职场休克”而影响自己人生的规划。

左右你一生的心理学

1. 适时地设定工作目标，为实现目标而努力，让激情常在！

2. 在工作的同时，要享受工作带给你的满足感、荣誉感及乐趣，让工作成为生活的动力。

齐加尼克效应——现代职场的“通病”

在工作中，很多人会因为工作压力的存在，而让自己的心理表现出紧张的状态，而且这种紧张的状态到了下班之后，还会依然持续，其实，就是随着下班时间的到来，而自己的身心并不能因此而放松，这就是“齐加尼克效应”。

一天早晨，有一位智者看到死神向一座城市走去，于是上前问道：“你要去做什么？”死神回答说：“我要到前方那个城市里去带走100个人。”那个智者说：“这太可怕了！”死神说：“但这就是我的工作，我必须这么做。”这个智者告别死神，并抢在它前面跑到那座城市里，提醒所遇到的每一个人：请大家小心，死神即将来带走100个人。

第二天早上，他在城外又遇到了死神，带着不满的口气问道：“昨天你告诉我你要从这儿带走100个人，可是为什么有1000个人死了？”死神看了看智者，平静地回答说：“我从来不超量工作，而且也确实准备按昨天告诉你的那样做了，只带走100个人。可是恐惧和焦虑带走了其他那些人。”恐惧和焦虑可以起到和死神一样的作用，这就是齐加尼克效应。

实际上，在我们的生活中，这样的效应每天都在发生，只不过我们已经习以为常。

“齐加尼克效应”，来源于法国著名心理学家齐加尼克的一个试验：他曾将一批试验者分成两组，即A组和B组，然后让他们同时去完成同样的工作。在A组进行工作的时候，齐加尼克对他们的工作进行了必要的干预，而B组是让其顺利完成工作。在试验结束之后，A组没能顺利完成工作，B组则顺利地完成了工作。在这个试验中，不管是施加压力后的A组成员，还是没有施加压力的B组成员，他们都在工作期间，都表现出了一种紧张的心理。只是B组的成员的紧张心理，随着完成工作任务的完成，那种紧张感就随之消失了。而A组的成员，因为没能按照要求完成工作，所以紧张感持续存在，而且紧张的程度越来越剧烈。对于A组成员出现的情况，就称之为“齐加尼克效应”。

在现代这个信息飞速发展的社会，可以说企业和单位都对员工的工作效率有很高的要求，对员工的工作安排越来越大。在这样的“高效率”的环境中，普遍的劳动者都有一种很大的心理压力，他们就是在下班时间，心理依然有一种紧张感和交迫感。在职场中随时可见的是，很多“白领”阶层的人物，他们往往是手中一项工作还没有完成，领导就下达了另一件工作。为了更好地完成工作，然后得到领导的认可，所以，很多人就是到了下班时间，脑子却依然在运转着该怎样更好地完成工作，人们的大脑并没有因下班时间的到来而真正得到有效的休息。应该说，他们的心理时时都在紧张着，就连睡觉也很少睡得踏实。例如，从事媒体工作的那些编辑和美编人员，他们往往在节目和报纸出来前的几个小时里，都还在思考着节目的标题和报纸的版式问题；从事策划的人员，特别是那些从事设计的人员，他们晚上躺在自家床上，都还在思考这个广告该怎么做，那个封面该用什么样的风格；医研工作者、科技工作者、作家……许许多多的人都并不能真正做到“公私分明”，工作尚未解决的问题和尚未完成的任务，会像影子一样伴随他们左右，让他们时时都有压力的感觉，从而不能让自己得到有效的休息。

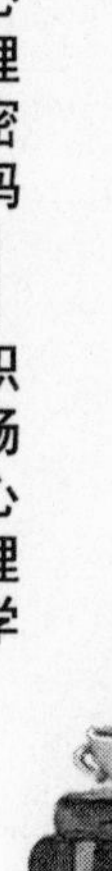

英国有调查指出，当地有15%~25%职员在工作生涯中，出现精神健康问题。英国人每年因精神健康问题而请病假达8000万人，浪

费大量人力资源。香港的威尔斯亲王医院早年一项调查显示，在逾千名受访职员中，过去一个月共请病假近260天，他们大多感到疲倦、紧张及担忧，其他则表示睡不好，下决定时感到困难等，而且症状往往已出现了半年以上。如今，广州、深圳、上海、北京等大城市也出现了类似的高压职场，工作量大，担心公司倒闭、裁员、减薪，人事复杂，工时过长，工作方向常常转变，职位角色含糊等，都使职员们受压。严重者可导致职员出现精神问题。

北京易普斯公司从2001年开始，历时五年对14 000多名各行业的职场人员进行了深入广泛的调查。

在“来自于工作的压力状况是多大”调查中，感觉极大有3%，很大有13%，最高比例是比较大，占42%。合并起来，感觉到职场压力比较大、很大乃至极大的占58%。也就是说，一半以上的人感觉到职场压力比较大，这个数字远远高于美国40%的工作压力。

那么，这些职场压力主要来自于哪些方面呢？调查总结了四方面原因：首先是职业发展；第二是工作负荷，工作负荷就是加班时间、劳动强度等；第三是人际关系，就是在工作单位中人际关系怎么样，是否如鱼得水，或感觉到其乐融融；第四是工作和家庭的平衡。

压力大了给人的身心带来什么样的损害呢？

有心理咨询师表示：压力造成的危害已非常令人担忧。

有些压力是良性的，它让我们振作。但更多的来自于我们感到自己无力控制的事物的压力，则往往导致齐加尼克效应，使我们更疲劳。这种长期用脑过度，精神负担过重，引起能量减低而产生的疲劳是不能从休息中得到完全补偿，久而久之，酿成了知识分子最常见的多发病之一的神经衰弱症。神经衰弱症是由于大脑的兴奋和抑制功能失调，导致精神活动能力减弱，以容易兴奋和迅速疲劳为特征，其主要表现形式为易疲劳、头痛、头昏、失眠、多梦、记忆力衰退、精神不振等。

如果对快节奏的工作处理不当或不能适应，则易产生紧迫感、压力感和焦虑感，久之可诱发心身疾病。因此，学会缓解心理上的紧张状态应是现代人自我保健的一项重要内容。

美国怀俄明州威尔逊市的杰克逊•霍尔压力医学学会行为医学主任布鲁斯•门罗认为：克服齐加尼克效应的诀窍就在于找到一种办法，让人们感到自己拥有某种程度的控制力，尽管目前实际上是不可能加以控制的。有时候，这意味着需要人为制造控制，比如走到盥洗室里冲厕所。这种行为，或者其他看起来毫无意义的类似行为，能够打破持续不断的齐加尼克效应的循环，使得当前应激物所产生的影响分流到其他事务中。此类手段有助于将压力导向可资利用的水平，在这个水平上，人们获得控制感，将不良压力转为良性压力。情绪效应恐惧、焦虑、抑郁、嫉妒、敌意、冲动等负性情绪，会导致身心疾病的发生。

古代阿拉伯学者阿维森纳，曾把一胎所生的两只羊羔置于不同的外界环境中生活：一只小羊羔随羊群在水草地快乐地生活；而在另一只羊羔旁拴了一只狼，它总是看到自己面前那只野兽的威胁，在极度惊恐的状态下，根本吃不下东西，不久就因恐慌而死去。

那我们要怎样克服齐加尼克效应？

布鲁斯•门罗还认为，要克服齐加尼克效应的办法，就在于让人们感到自己拥有了某种程度的控制力，这样有助于缓解压力，从而让人们获得控制感，将不良压力转为良性压力。应该怎样去追求才能效率更高，才能不再痛苦，而变成一种人生的享受。

1. 心态调整

法国作家雨果曾说过：“思想可以使天堂变成地狱，也可以使地狱变成天堂。”

我们要认识到危机即是转机，遇到困难，产生压力，一方面可能是自己的能力不足，因此整个问题处理过程，就成为增强自己能力、发展成长重要的机会；另外也可能是环境或他人的因素，则可以理性沟通解决，如果无法解决，也可宽恕一切，尽量以正向乐观

的态度去面对每一件事。如同有人研究所谓乐观系数，也就是说一个人常保持正向乐观的心，处理问题时，他就会比一般人多出 20% 的机会得到满意的结果。因此正向乐观的态度不仅会平息由压力而带来的紊乱情绪，也较能使问题导向正面的结果。

2. 忙乱中自我调节

事实上，不少上班族都常要面对沉重的工作，以致出现情绪困扰，心理学专家认为是不会自我调节的缘故。有些人经常觉得自己很忙乱，但通过自我调节，就可以达到乱中有序。举例来说，当很多事物要处理时，可以拿一张纸，把需要处理的事情一一列出，思考各种事物的优先次序，如有什么要立即处理？哪些可以交给别人做？又有哪些可稍后面对？心中只要有一个行程表，混乱的感觉便能减少。

3. 多到户外运动

减压的同时，必须留意个人健康体质，因为如果精神不足时，不只工作效率欠佳，甚至面对事情的抗压能力也下降。良好饮食、睡眠及运动习惯，是健康的基本条件。除此之外，也可透过一些活动帮助减压，首选是接近大自然，呼吸新鲜的空气。

4. 泡个热水浴

在热水浴中浸泡 20 分钟，不仅你的肌肉的到了放松，减掉了压力，洗澡水的热量同时也会通过扩张你的血管来降低你的血压。

5. 充足的睡眠

据科学家分析，人的最佳睡眠如果在 6 小时左右，就足够脑细胞活跃了。当然这 6 个小时应是在晚上 10 点到早晨 6 点之间，深睡眠的黄金段是夜里 12 点到凌晨 3 点。看看这个标准，简直离谱得很，通常这个点儿上班族们不是在加班就是忙着应酬客户，早上还得赶公车，上紧了发条透支精力。算算看，你每天睡几个小时？6 个，5 个，或者 4 个半？忙碌着的人永远都停不下来，那也许已是一贯的节奏，而且已经掉进“永动机”的陷阱了，难施回魂术解脱。因此，建议挑选合适的时间，比如晚上 11 点到深夜 3 点之间，睡眠质量最好，同时要记得选择优质的枕芯和贴身被罩，以保证身体的彻底放松。

6. 听音乐

有没有音乐细胞都不重要，只要是一个有感情的人，都会被音乐感染。人对音乐是有记忆的，曾经开心或者悲伤时听的调子，在以后任何的机会听，都会不由自主地把你带到原来的记忆中。选择那些平时喜欢的，能反复听N遍，越听越有味道的专辑，会很有感觉，这样的音乐容易让你投入。透过轻松的音乐、默想、阅读和自省，尝试把心中忧虑放下。

任何一个人，不管是学习、工作，还是生活中都会有压力，怎样缓解压力，怎样把这些烦恼的压力转为良性的，怎样让这些压力带给我们的不是苦恼而是振作。我想这应该是每个人都应该积极去想，去面对的。其实不管什么方法，真正能缓解和释放你内心压力的还是你自己！

所以处于高压职场中的人群要及早发现自己的情绪问题，自我解救，寻找适合自己的减压方法。

左右你一生的心理学

1. 在工作中，企业和单位给员工提供适当的压力，是可以化成员工前进的动力的，但企业和单位若是给员工施加过多的、过大的压力，则很多时候会让员工觉得吃力。当这些来自上面的压力，让员工觉得无力控制时，则就会导致“齐加尼克效应”，让员工更为疲劳和辛苦，从而影响工作效率。

2. “齐加尼克效应”主要提醒人们的是，学会缓解心理上的紧张状态，这样才能让我们更好地生活和学习。

青蛙效应——甩掉“安逸”，才能甩掉“危机”

青蛙效应源于19世纪末，美国康奈尔大学曾进行过试验，也称为著名的“温水煮青蛙试验”。

有一个小和尚担任撞钟一职，半年下来，觉得无聊之极，“做一天和尚撞一天钟”而已。有一天，住持宣布调他到后院劈柴挑水，原因是他不能胜任撞钟一职。小和尚很不服气地问：“我撞的钟难道不准时、不响亮？”老住持耐心地告诉他：“你撞的钟虽然很准时、也很响亮，但钟声空泛、疲软，没有感召力。钟声是要唤醒沉迷的众生，因此，撞出的钟声不仅要洪亮，而且要圆润、浑厚、深沉、悠远。”

人们常用“做一天和尚撞一天钟”来批评那些工作中得过且过、无所事事的人。对工作敷衍应付、不负责任理应受批评。

之所以做一天和尚撞一天钟，还有一个原因是缺乏职业危机感。其实现代职场中，很多人像小和尚这样，做一天和尚撞一天钟。都是在熟悉的工作中，浑浑噩噩，然后慢慢地强化了自己的钝感神经，他们没有动力，也没有激情去工作，而且也没有居安思危的想法，所以工作和前途逐渐走下坡路。长此以往，就很有可能像下面温水中的青蛙一样——等着“安乐死”。

19世纪末，美国康奈尔大学曾进行过一次著名的“青蛙试验”：

他们将一只青蛙放在煮沸的大锅里，青蛙触电般地立即窜了出去。后来，人们又把它放在一个装满凉水的大锅里，任其自由游动。然后用小火慢慢加热，青蛙虽然可以感觉到外界温度的变化，却因惰性而没有立即往外跳，直到后来热度难忍失去逃生能力而被煮熟。科学家经过分析认为，这只青蛙第一次之所以能“逃离险境”，是因为它受到了沸水的剧烈刺激，于是便使出全部的力量跳了出来，第二次由于没有明显感觉到刺激，因此，这只青蛙便失去了警惕，没有了危机意识，它觉得这一温度正适合，然而当它感觉到危机时，已经没有能力从水里逃出来了。

“青蛙效应”告诉我们，企业竞争环境的改变大多是渐热式的，如果管理者与员工对环境之变化没有疼痛的感觉，最后就会像这只青蛙一样，被煮熟、淘汰了仍不知道。

一个人就像一个公司，如果他陶醉现在已有的“卓越”中，那么他就只会走下坡路。

在华为正当盛世，销售额达到220亿元，跃居中国IT业之首，全体员工士气高昂时，2000年底，任正非却突然抛出了“华为的冬天”一说，给行走在坦途上的全体华为员工敲响了警钟：

“公司所有员工是否考虑，如果有一天，公司销售额下滑、利润下滑甚至破产，我们怎么办？我们公司的太平时间长了，这也许就是我们的灾难。‘泰坦尼克号’也是在一片欢呼中出的海的。”

“十年来我天天思考的就是失败，对成功视而不见，也没有什么荣誉感、自豪感，而是危机感。也许是这样才存活了十年。我们大家要一起来想，怎样才能活下去，也许才能存活得久一些。”

“失败的一天是一定会到来，大家要准备迎接，这是我从不动摇的看法，这是历史规律。”

“而且我相信，这一天一定会到来，面对这样的未来，我们怎样来处理，我们是不是思考过？我们好多员工盲目自豪，盲目乐观，

如果想过的人太少，也许就快来临了。居安思危，不是危言耸听。”

挫折、困苦成就了任正非，也深刻地影响了他的处世原则。他宁愿让自己以及华为员工们生活在无边的忧虑和惊恐中，也不想让自己与员工放松警惕哪怕一刻钟。

华为正当盛世，任正非就已经考虑到居安思危，从这当中不难看出，华为为什么会在短时间内，成就起如此卓越的事业。

面对激烈的竞争，面对残酷的淘汰机制，任何一个企业管理者和员工都应该有危机感和忧患意识。

那些，我们到底要怎么避免职场中的“安乐死”呢？

心理学家告诉你：

首先，保持危机意识，给自己设定一个远大的目标。

每天，当太阳升起来的时候，非洲大草原上的动物们就开始奔跑了。

狮子告诉自己的孩子：“孩子，你必须跑得再快一点，再快一点，你要是跑不过最慢的羚羊，你就会活活地饿死。”

在大草原的另外一端，羚羊妈妈也正在教育自己的孩子：“孩子，你必须跑得再快一点，再快一点，如果你不能比跑得最快的狮子还要快，那你就。肯定会被它们吃掉。”

羚羊和狮子为了生存不得不在草原上狂奔，除了奔跑它们别无选择，危机感使它们无暇他顾，一心奔跑，比对手更快也是唯一的选择。由此可知，适当的“危机感”能使“自己”保持富有成效的工作状态，更专注于自己的工作，保持积极的态度。

每个人都应该时刻充满危机感和不满足感，因为今天的成功并不意味着明天的成功。你只有不断地保持自己的危机意识，设定远大的目标，才不会在生活中各方各面的竞争中被打败；你只有时刻保持有面临着危机的心态，你才能在真正危机到来时，临危不乱。

其次，不断地学习，充分发挥自己的潜力。

这也是职业生涯中最为根本的一点，它应该贯穿在我们的职业生涯始终。科学家的研究发现，一般人在一生中发挥的能力只不过是他全部潜能的8%，还有92%都在沉睡。因此，人的一生是一个不断成长的过程，需要不断更新自己的能力，才能把自己的潜力发挥到最大，所以，永远不要沉溺于现状，别放弃在职业领域的探索，你就会在新的领域里取得更大的成就。

未雨绸缪、居安思危，有危机意识是我们应该从中领悟的。在生活和职业上都是如此，逆水行舟，不进则退。回顾一下过去，当我们遇上猛烈的挫折和困难时，常常激发了自己的潜能；可一旦趋向平静，便耽于安逸、享乐、奢靡、挥霍的生活，而不断遭遇失败。

青蛙效应强调的便是“生于忧患，死于安乐”的道理。人天生就是有惰性的，总愿意安然现状，不到迫不得已多半不愿意去改变已有的生活。殊不知，这种没有忧患意识的安逸感不仅让你忽略了周遭环境的变化，更多的是让你失去了很多机会。

商场上可能有积极进取的常胜者，却不可能有故步自封、恃才傲物的常胜者。同样，管理者要善于创造危机，使员工时刻保持高度的警惕性。做到员工与企业同时拥有“危机意识”，员工才能不断进步，企业才能不断做大。

左右你一生的心理学

1. 一个人不要满足于眼前的既得利益，不要沉湎于过去的胜利和美好愿望之中，而忘掉危机的逐渐形成和看不到失败一步步地逼近，最后像青蛙一般在安逸中死去。

2. 孟子说：“生于忧患，死于安乐。”这句话对于每一个工作中的人都非常受用。

职场多动症——当“跳槽”成为一种习惯

在工作生活中有许多职场新人，他们由于各种原因而频繁跳槽，不仅跳跃在不同的行业之间，而且跳出了城市之间，甚至跳出了国界。他们像是患了“多动症”的孩子，从不消停。

董颖大学毕业后，在北京这个大都市找了份和自己专业对口的文秘工作。可不久后，不甘平淡生活的她禁不住上海文化气息的诱惑，冲破重重阻力杀到了上海。在这个具有挑战性的城市，她筹划着自己的现在和未来。

当稍微有了一些积蓄的时候，董颖又开始寻找自己喜欢的工作。在终于找到一家中意的公司，正准备踏踏实实大干一场的时候，她却又碰到了不“中意”的领导。复杂的人际关系让董颖“呼吸”困难，在“严重缺氧”的情况下，她选择了逃离。

董颖离开了上海去了机会多多的深圳去发展，因为她认为那是一个更有挑战性且充满情调的城市……

心理专家称董颖这种现象为“职场多动症”。

如今的很多人，在毕业一两年内，就有已经跳槽三四回的“光荣”历史了。这些血气方刚的年轻人就是这样弹跳性能极好，似乎有了超级的才力，所以才上蹿下跳。当然，如果问及涉世不深的他们，社会经验也不够丰富，怎么就敢如此贸然地频繁跳槽？万一有个跳空失足的意外，结果会如何？难道是理想的高薪、几分高昂的尊严、几分自傲的心理作怪，才促使他们在凳子还没有坐热的时候，就开始东征西战地打游击战？

或许初生牛犊不怕虎，他们的脚力是强劲的，只是心理还处于不成熟的发育期，所以现身说法的时候，虽然有不少英雄气概，但显然底气不足。激情的青春，可以有美丽的未来，但调整好心态是跳槽成功的一粒保心丸。

其实，一个人每进入到一个新企业之后，熟悉业务就需要有一段很长的时间，如果想要做出什么更好的成绩，那么就需要更长的时间。如果频繁跳槽，每进入一个工作单位还没有来得及熟悉业务就要选择另外的单位……跳来跳去，始终都处于陌生的环境，这对工作和自己的发展都是极为不利的。

据一些专家介绍，“职场多动症”主要有下面一些临床表现：

动力强：职业动力比较强，永远不满足于既有的生存状态。当觉得自己可以向更高层前进时，永远不会为了眼前的利益而裹足不前，他们永远斗志昂扬。

追求高：对自己有较高的要求，会努力去补充自己的核心能量，而不是浮于表面，夸夸其谈，有要求完美的倾向。

方向弱：职业方向感弱，他们不停地飘荡，但是找不到一个可以施展自己才能的平台和一个比较稳定的生活。

耐不住寂寞：更多地考虑自己想要什么，在目前这份工作中能得到什么，能给这份工作创造多少价值。当难以发挥自己的潜力，纠缠于人际关系之中或者陷入重复性的工作中时，他们会忍耐不住暂时的寂寞，选择“活动一下”。

跳槽者：蒙先生，26岁，媒体行业。

工龄：三年。

跳槽次数：5次。

跳槽理念：不求最好，只求更好。

跳槽的终极目标：一份彼此互相满意的工作和职位。

下面是这位跳槽者蒙先生的自白：

我们这行流动性很大，身边的人跳槽无数。分析跳槽动机，其实也没几个：工作压力、薪水、上司的认可度、报纸的影响力，偶尔还有你自己的能力问题——仅此而已。

我们私下里曾经把跳槽分为三个等级：初级阶段，又称菜鸟阶段，你不能胜任现在的工作，不得不走人，这是被动的跳槽；二级阶段，又称乌龙阶段，种种原因让你觉得新去的地方比现在的状态好，在目前状态下你就是不想好好工作(如没激情、太累、工资和劳动强度不成正比等)，所以主动跳槽；最高阶段，又称骨灰阶段，你觉得你的能力足够独当一面或足够有资格拥有更好的工作条件，所以要去寻找与你能力相称的岗位或薪水。说白了就是“炒老板的鱿鱼”。

可真正在乌龙和骨灰阶段跳了槽，你才发现有很多时候都变了味，现实和你想象中的相差甚远——有对方承诺不够或事后反悔，也有你和他们的融洽度不够，或者你突然发现自己能力是否真的能胜任？——反正很多原因你不去工作时发现不了，而一旦发现了再后悔又来不及了，怎么办？再跳呗。反正跳槽又不是什么大不了的事。

跳成“油条”了，反而掌握了和新同事相处的“诀窍”，人际关系总能处理得空前融洽。不过跳习惯了也有让人头疼的事：没有太多可供跳槽的单位，二流报纸自己又不愿意去，跳来跳去，也就这么几家，万一都不行了，你还能往哪里跳呢？

只有两条“生路”：要么离开这个城市继续干老本行，要么改行——都很痛苦。

有专家曾经列出了跳槽与时间的关系，我们可以借鉴：

在工作头两年，最好不要多动，因为这是一个积累知识、技能、经验和人际关系的阶段，“动”会影响你的机会，也会带来负面影响：

在工作三至五年的时候，是一个“多动”的时机，这时候你可以凭借经验、兴趣和性格，尝试新的感觉。当然，一旦找到就不要轻易动。

在工作五至八年的时候，就可以稳定了，选准一个行业，或者一个企业，和它一同成长；这样你不仅可以实现自己的价值，还能够得到你希望的实惠。

在工作八年以上的人，要做一个重大决定，是创业、做专家还是做一个职业经理人，所以又是一个“多动”的时期，你要做重大抉择，还可能是一个新的开始。这时候不要怕“动”，但是要理性地“多动”。

多年前，一批新毕业的大学生被分配到一家集体企业。没过多久，这家企业由于生产跟不上时代的节奏，再加上管理不善，濒临倒闭。于是这群新分来的大学生们纷纷选择跳槽，他们认为应该找一个更好的企业来发展。到最后，仅剩下一位女大学生，她义无反顾地选择了留下来，虽然每个月只能拿到几百元的工资，但是她依然不放弃。她和工人们同吃同住，没日没夜地为企业设计、开发、研制市场需要的产品。几年之后，这家企业起死回生，并且日益壮大。而这位当年的女大学毕业生也当之无愧地坐上了该企业董事长和总经理的位置，那年她才 34 岁。当初一起的同学问起她那时怎么没有选择离开，她很认真地回答说：“成功，不一定要靠跳槽。”

事实也证明频繁地跳槽对一个人的成功和发展并没有太大的好处。

但是，我们往往很难做到这一点，那么如何克服“职场多动症”呢？可以采取以下几种办法：

1. “动窝”不如“动己”

当你“欲动”时，要慎重考虑换职业或换环境是否更有利于自己的飞跃，充分评估“动”所带来的正负影响。否则，无论你“动”

到哪里，都是换汤不换药，喝下去照样苦涩不堪。要知道，每“动”一次，都标志着必须从另一个零开始，而这样的零起点太多了则不利于人生的发展。因此，倒不如把“动窝”改作“动己”，摒弃盲目的攀比意识，多从自身上挖掘“潜在资源”，学会适应自己从事的工作环境，努力把自身的优势发挥到极致。

2. 明确的职业方向感和职业发展规划

缺乏规划是患有“职业多动症”的最普遍的原因。没有明确的职业前进发展通道，使得她们在庞大的市场信息面前处于被动选择的状态。因为没有职业方向感和职业发展规划，大多时候，总是处于一种盲目的状态，搞不清楚自己真正想要做的是什么。无奈之中，总是跳来跳去，但总也找不到适合自己的位置。

3. 减少外界的影响

在生活和工作中，许多职业女性的亲和度过强，非常在意人际关系，就可能会随着别人的变动而动摇。例如：换了上司、来了新同事、办公室好友辞职……可能，你也因此而换了工作，换了老板，换了环境。所以，在想要跳槽的时候，要为自己的前途多想一下，理智一点，不要感情用事。

所以，处于职场中朋友们，合适的时候再选择跳槽吧！不要因为“职场多动症”而影响自己的前程。

左右你一生的心理学

1. 一家职业咨询公司新近的一份调查却给热衷跳槽的人和准备跳槽的人敲响了警钟：60%的跳槽者在跳槽以后产生了挫败感，认为自己的跳槽是失败的。

2. 频繁跳槽无异于个人未来前程的自杀行为。

工作是一种态度

如果你是正确的，你的世界就是正确的。知识未必可以创造价值，百分百的执着态度，却可以让你成为驾驭工作的优胜者。

钱钟书在《围城》中讲过一个十分有趣的故事。天下有两种人，譬如一串葡萄到手后，其中一种人会挑最好的先吃，另一种人则把最好的留在最后吃。但两种人都感到不快乐。先吃最好的葡萄的人认为他吃的葡萄越来越差，第二种人则认为他每吃一颗都是剩下葡萄中最好的。

其实，生活就像你手中的那串葡萄，也许它会随着时光的流逝而变得不新鲜，或者由最初的青涩而变得甘甜，无论你怎样摘吃，你所吃到的和能感觉到的滋味全由你的态度而决定。你选择什么样的态度，也就选择了什么样的生活。你可以选择闷闷不乐、无精打采地度过每一天，也可以带着不满的态度、毫无耐心地去工作；但是，你还可以选择带着阳光、带着愉快的心情去度过每一天，带着幽默、愉悦的心情去工作。我们可以选择一天的时光怎样度过，同样我们也可以选择一生的时光怎样度过。

工作也首先是态度问题，是一种发自肺腑的，对工作的热爱。工作需要热情和行动，工作需要努力和勤奋，工作需要一种积极主动、自动自发的精神。只有以这样的态度对待工作，我们才可能获得工作所给予的更多的奖赏。

三个工人在砌墙。有人过来问他们："你们在干什么？"

第一个人没好气地说："没看见吗？砌墙。"

第二个人抬头笑了笑说："我们在盖一栋高楼。"

第三个人边干活边哼着小曲，他满面笑容开心地说："我们正在建设一座新城市。"

十年后，第一个人依然在砌墙；第二个人坐在办公室里画图纸——他成了工程师；第三个呢，是前两个人的老板。

可见，不积极地去规划自己的未来，你的一生因此也就会被限制住。在做眼前工作的同时，要看得更远，才能有所作为。

成功取决于态度，成功也是一个长期努力积累的过程，没有谁是一夜成名的。所谓的主动，指的是随时准备把握机会，展现超乎他人要求的工作表现，以及拥有"为了完成任务，必要时不惜打破常规的智慧和判断力"。知道自己工作的意义和责任，并永远保持一种自动自发的工作态度，为自己的行为负责，是那些成就大业之人和凡事得过且过之人的最根本区别。

两个同龄的年轻人同时受雇于一家店铺，并且拿同样的薪水。可是叫阿诺德的小伙子青云直上，而那个叫布鲁诺的小伙子却仍在原地踏步。

布鲁诺很不满意老板的不公正待遇。终于有一天，他到老板那儿发牢骚了。老板一边耐心地听着他的抱怨，一边在心里盘算着怎样向他解释清楚他和阿诺德之间的差别。

"布鲁诺先生，"老板开口说话了，"您今早到集市上去一下，看看今天早上有什么卖的。"

布鲁诺从集市上回来向老板汇报说，今早集市上只有一个农民拉了一车土豆在卖。

"有多少？"老板问。

布鲁诺赶快戴上帽子又跑到集上，然后回来告诉老板一共40口袋土豆。“价格是多少？”布鲁诺又第三次跑到集上问来了价钱。

“好吧，”老板对他说，“现在请您坐到这把椅子上一句话也不要说，看看别人怎么说。

阿诺德很快就从集市上回来了，并汇报说到现在为止只有一个农民在卖土豆，一共40口袋，价格是多少，土豆质量很不错，他带回来一个让老板看看。这个农民一个钟头以后还会弄来几箱西红柿，据他看价格非常公道。昨天他们铺子的西红柿卖得很快，库存已经不多了。他想这么便宜的西红柿老板肯定会要进一些的，所以他不仅带回了一个西红柿做样品，而且把那个农民也带来了，他现在正在外面等回话呢。

此时老板转向了布鲁诺，说：“现在您肯定知道为什么阿诺德的薪水比您高了吧？”

布鲁诺跑了三趟，才在老板的不断提示下，了解了菜市场的部分情况；而阿诺德仅一趟，就掌握了老板需要和可能需要的信息。现实生活中也有不少人像布鲁诺那样，上司吩咐什么，就干什么，自己从不用脑，结果长期不被重用，还感叹命运的不公平。而像阿诺德那样办事高效、灵活的人，不仅圆满完成领导交给的任务，还主动给领导提供参考意见和尽可能多的信息，自然会得到领导的赏识和青睐。

在工作中不肯用脑的人是“懒虫”，不会用脑的人是“傻瓜”，不想用脑的人永远是“奴隶”。

一个人对工作所持的态度，和他的性情、才智有着密切的关系。工作是人生的部分表现，职业则是他志向的表示、理想的体现，所以，了解一个人的工作，从某种程度上，就是主动、尽责。

明白了这个道理，并以这样的眼光来重新审视我们的工作，工作就不再成为一种负担，即使是最平凡的工作也会变得意义非凡。

在各种各样的工作中，当我们发现那些需要做的事情——哪怕并不是你分内事的时候，也就意味着我们发现了超越他人的机会。因为在自动自发地工作的背后，需要你付出的是比别人多得多的智慧、热情、责任、想象和创造力。

工作是上帝赋予我们的神圣使命，是上帝给我们安排的任务，每一个员工都应该尽职尽责地去完成它。

在《鱼》这本书中有这样一句话："即使无法选择工作，但工作方式总是可以选择的。"面对枯燥的工作，我们可以选择每天工作的态度，任何一种选择都会决定我们的工作方式。既然我们在这里工作，为什么不选择工作出色而选择甘于平庸呢？同样，生命是一段注定要走的路程，长短曲直无可选择，那我们还可以选择一份行路的心情。即使头顶烟雨凄迷，脚下坎坷泥泞，可我们眼里依旧风景旖旎，心中一样丽日晴空。

左右你一生的心理学

1. 态度决定一切。同样的事情，仅仅由于态度的不同，结果就会完全不同。所以，要想把事情做好，必须先端正态度。

2. 一个习惯抱怨工作的人，终其一生也不会取得真正的成功。无论你从事什么工作，都要以精进不息的精神，投入十二分的热忱，充分发挥自己的特长，唯有如此，才能摆脱平庸，走向卓越。

掌管明灯，拆除你的情绪“地雷”——情绪心理学

当我们身处阴影之中，破茧而出并不困难。只要自己不倒，什么力量也不能把你击倒。无数的实例证明，人们面对的劲敌往往不是对手，而是自己。只要你不放弃，你的手中就有了能使你走出阴影的明灯。

自卑心理——一颗找不到自我的心

自卑是指自我评价偏低、自愧无能而丧失自信，并伴有自怨自艾、悲观失望等情绪体验的消极心理倾向。有自卑感的人总是轻视自己，认为无法赶上别人。

2004年2月23日下午1时20分，昆明市公安局接到报案，在云南某大学学生公寓衣柜里发现四具被钝器击打致死的男性遗体。经警方认定，死者为住在该寝室的邵瑞杰等四名学生，作案人是他的同学马加爵。

马加爵属于大学校园里“沉默的大多数”，学业中等，貌不惊人，没有什么文体特长，性格极为内向。案发前几日的一天马加爵和邵瑞杰等几个同学打牌，邵瑞杰怀疑他出牌作弊，两人当众发生争执。其间，邵瑞杰说，没想到你连玩牌都玩假，你为人太差了，难怪龚博过生日都不请你……

邵瑞杰是马加爵自认为最好的朋友，而邵瑞杰的这句话对内心极其自卑的马加爵造成了毁灭性的打击，他感到长期以来努力维系而深深依赖的并不开放的社交体系骤然崩溃。于是就对朝夕相处的同学下手，实施“报复”。3月15日，马加爵在海南三亚市被警方抓获。

马加爵的郁闷积蓄已久。“我觉得我太失败了，我觉得他们都看不起我，他们老是在背后说我很怪，把我的一些生活习惯、生活方式、甚至一些隐私都说给别人听，让我感觉完全暴露在别人眼里，

别人在嘲笑我。”马加爵这样对警方承认道。

马加爵在不富裕的农村家庭长大，考入一所全国知名的高等学府，在临近毕业时却做出了这样令人震惊的事情，究竟是什么原因令他产生这样可怕的转变呢？

心理学家分析说：他属于极度自卑的人。一个人的成长会受环境因素的影响，在某种程度上，马加爵产生了强烈的自卑，这就造成了他人际交往的障碍。正是因为自卑，会担心自己不配做别人的朋友；正是因为自卑，会担心自己会遭到喜欢的人的拒绝。为了摆脱在家境比较好的同学面前的自卑，与他平时关系好的同学已经缩小了成了非常少的几位。马加爵的自卑进一步加剧了他的敏感，他感觉所有的人都和他过不去，自卑让他无地自容，最后他疯狂地举起了凶器，并对准了无辜的同学，使他从一个全村为之骄傲的大学生沦为杀人凶手。

内心的自卑，对一个人的成长与发展是最要命的。因而，如果你发现自己自卑，就要用理性的态度把它铲除掉。

在心理学上，自卑属于性格的一种缺陷，表现为对自己的能力和品质评价过低。在交往中缺乏自信(主要因素)，办事无胆量，畏首畏尾，随声附和，没有自己的主见，一遇到有错误的事情就以为是自己不好。这样导致他们失去交往的勇气和信心。

自卑的前提是自尊，当人的自尊需要得不到满足，又不能恰如其分、实事求是地分析自己时，就容易产生自卑心理。一个人形成自卑心理后，往往从怀疑自己的能力到不能表现自己的能力，从怯于与人交往到孤独地自我封闭。本来经过努力可以达到的目标，也会认为“我不行”而放弃追求。他们看不到人生的光华和希望，领略不到生活的乐趣，也不敢去憧憬那美好的明天。

将一个木块放在老式的蒸汽火车的轮子下，火车就怎么也启动不了，只要将它移走，火车就能霎时动了起来，速度可达一百公里以上，连一堵五英尺厚的墙都能够冲得过去。

人的自卑心理，就像这个小小的木块，将它拿掉后，就能创造惊人的事业。

自卑，就是自己轻视自己，自己看不起自己。每个人都有自卑心理，至少在某一方面会感到自卑，因为任何人都有缺点。包括那些名人、伟人，都有过或者曾经有过自卑心理。

当拿破仑率军跨越阿尔卑斯山时，他得意地说："现在，我比阿尔卑斯山都要高大了。"这句豪迈的话就透露出了他的一点自卑，因为他的身高不足160公分。

自卑的人经常自愧不如、自惭形秽，常把自己放在一个低人一等、无能为力、被别人看不起的位置，并由此陷入不能自拔的境地，这是一种严重扭曲的心理。

世界著名民意调查公司盖洛普公司二十五年来，通过对全球100万名员工和8万名经理的访谈得出的结论就是："人不要为填补空缺而枉费心机，而是应该多多发挥自身的优势，因为每个人都有自己独特的才干。"

而且，人即使有某种天生的缺陷或不足，也没有封死他们在这方面取得成功的大门。从小患有口吃的古希腊演说家安梯丰，他含石练习，终于成为著名的演说家。

伟人的伟大之处，不仅仅因为他们是超人，他们没有自卑，而是因为他们能将自卑作为成功的催化剂，所以才会取得骄人的成就。

在现代社会变化剧烈而竞争残酷的状况下，任何人都会不断地遭到自卑感的冲击，尤其是当以往在许多方面逊于自己的人，如今却优越地站在你面前的时候，你的心理会严重地失衡，那种自卑感更是难以忍受。

可是自卑并没有错。每个人都会有自卑感，但不同的人可能有不同的选择——第一种人自惭形秽，被自卑所压倒，在消沉中萎靡不振，在忧郁的情绪中越陷越深而不能自拔，形成恶性的"自卑情结"。第二种人由于刺激产生了相当强烈的反抗心理，急于改变自卑

的地位，不顾他人的利益，极端地自私，形成专注于自我的狂热的“优越情结”。这是和极端的自卑者完全相反的人格类型，由于他缺乏社会责任感和合作精神，同时过分妨碍他人，往往也遭到失败的结局。第三种人是上述两者的中间型。他既正视自己的自卑，注重克服和超越，更清楚人是社会的动物，人与人之间既有冲突，也有合作，而自我的成功就需要在合作中达成，需要兼顾他人的利益。这是一种理性的健康的优越人格。看看当今的社会，这样的人才会如鱼得水，无往不胜。因此对于一个自卑者，如何改良他的自卑心理对于他的人生有着重要的意义。

那么如何克服自卑心理呢？心理专家告诉你：

1. 正确认识自己，提高自我评价

自卑的人往往注重接受别人对他的低估评价，而不愿接受别人的高估评价。在与他人比较时，也多半喜欢拿自己的短处与他人的长处相比。越比越觉得自己不如别人，越比越泄气，自然产生自卑感。其实，我们每个人都有各自的优点和缺点，不仅应如实地看到自己的短处，也应恰如其分地看到自己的长处，切不可因自己的某些不如别人之处而看不到自己的如人之处和过人之处，这才是正确的与人比较。

2. 善于自我满足，消除自卑心理

自卑的人一般都比较敏感脆弱，经不起挫折打击。一旦遭受挫折，就很容易意志消沉，增强自卑感。因此，凡事应不怀奢望，要善于自我满足，知足常乐，无论生活、工作或学习，目标都不要定得过高，这样，就容易达到目标，避免挫折的发生。必须明白和做到：努力的目的是完成自己的既定目标，而不是为了打败别人。而每次取得的成功体验，都是对自己的一种激励，是十分有利于恢复自信心的。

3. 坦然面对挫折，加强心理平衡

自卑的人心理防御机制多数是不健全的，自我评价认知系统多数比较偏低。因此，遭受挫折与失败的时候，不怨天尤人，也不轻视自我，要客观地分析环境与自身条件，这样才可以找到心理平衡，才可以发现人生处处是机会。

4. 广泛社会交往，增强生活勇气

自卑的人多数比较孤僻、内向，不合群，常自己把自己孤立起来，少与周围人群交往，由于缺少心理沟通，易使心理活动走向片面。自卑者如能多参与社会交往，可以感受他人的喜、怒、哀、乐，丰富生活体验；通过交往，可以抒发被压抑的情感，增强生活勇气，走出自卑的泥潭；通过交往，可以增进相互间的友谊、情感，使自己的心情变得开朗，自信心得到恢复。

中央电视台《半边天》节目主持人张越，是大家公认的“胖子”，她这样评述过自己：

“我的胖很有天赋，从小学高年级开始，就明显比别人胖。那时候我觉得胖是一件特大的罪过，对不起所有的人……我一度有些自闭。走在街上，别人多看我一眼，我就会用仇恨的眼光盯上人家。我从来拒绝上体育课，我怕跑得特别慢，跳得不高被人嘲笑，因此差点儿拿不到大学毕业证书。压抑久了，物极必反，有两年我嗜好奇装异服，比方穿件蜡染大袍，挂一串骷髅头，手腕上是蛇形手镯。其实我的相貌、性格都跟‘前卫’、‘酷’这事儿沾不上边……再后来，我穿衣什么禁忌也没有了，街上再有人看我，我由衷地觉得是因为我穿得漂亮。这不是衣服的事，是心理问题解决了。”

这个世界上，每个人都是独一无二的奇迹，都是自然界最伟大的造化，只要正确认识自己的价值，超越自卑心理，从自卑中走出来，不断发挥自身的潜力，就能成就一番事业。

每个人都不可能做到绝对完美。如果你能使50%的人满意，就已经很了不起了。无论你做什么说什么，你总会碰到反对意见的，

如果你知道了这一点，你也就知道了走出绝望隧道的路径。同时你也不用看不起自己，因为自卑而受到伤害。

因为，每个人都会在某一方面有突出表现的，从这个角度来说，我们人人都是金子，都会以不同的角度，在不同的地方发光。我们每个人都应当认清自己的优点并尽量充分地发挥，有了弱点就必须坚决毅然地进行改造。

英国著名诗人济慈本来是学医的，后来他发现了自己有写诗的才能，就当机立断，用自己的整个生命去写诗。他虽不幸只活了二十几岁，但已为人类留下了可观的不朽诗篇。马克思年轻的时候也曾想做一个诗人，也努力写过一些诗，但他很快就发现自己的长处其实不在这里，便毅然放弃了成为诗人的打算，转到社会科学的研究上面去了。如果他们两个人都不能认识自己的长处和优势，那么英国至多不过多了一位平庸的医生济慈，德国至多不过增加了一位蹩脚的诗人马克思，而在英国文学史和国际共产主义运动史上则肯定要失去两颗光彩夺目的明星。

你要相信：我就是我，是这个世界上独一无二的，也是任何人都无法取代的。

左右你一生的心理学

1. 有些人容易产生自卑感，甚至瞧不起自己，只知其短不知其长，甘居人下，缺乏应有的自信心，无法发挥自己的优势和特长。这种心态如不改变，久而久之，会磨损人的胆识、魄力和独特的个性。

2. 自卑是人生最大的跨栏，每个人都必须成功跨越才能达到人生的巅峰。如果一个人生活在自卑之中，他就选择了一条痛苦的人生之路；如果生活在自信之中，他就学会了快乐地生活。

怯懦心理——你就是自己的敌人

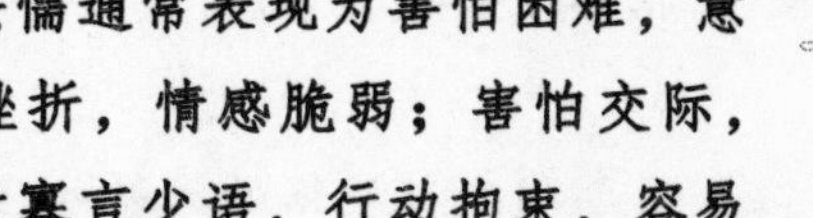

怯懦是指胆怯、怕事、懦弱、拘谨的人格表现缺陷。怯懦通常表现为害怕困难，意志薄弱；害怕挫折，情感脆弱；害怕交际，性格软弱。平时寡言少语，行动拘束，容易逆来顺受和屈从他人，遇事退缩，极其胆小怕事，多一事不如少一事，不愿冒半点风险，遇到困难易惊慌失措，不知如何是好，受到挫折则易自暴自弃，无地自容。

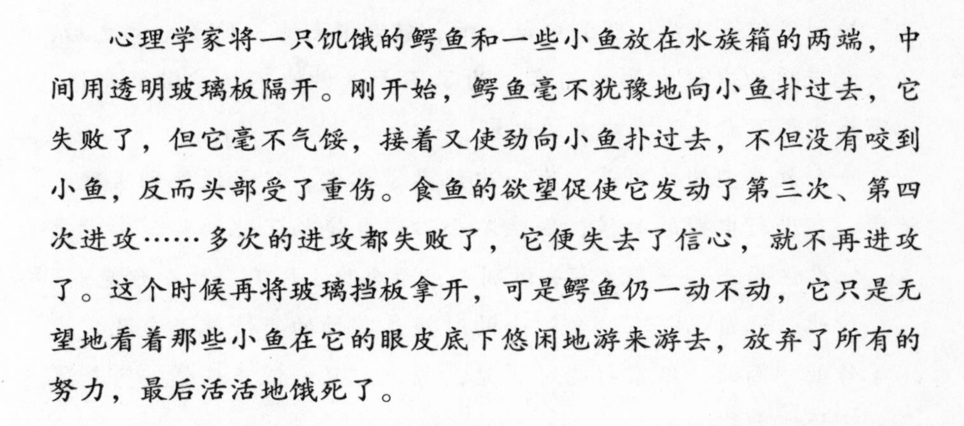

心理学家将一只饥饿的鳄鱼和一些小鱼放在水族箱的两端，中间用透明玻璃板隔开。刚开始，鳄鱼毫不犹豫地向小鱼扑过去，它失败了，但它毫不气馁，接着又使劲向小鱼扑过去，不但没有咬到小鱼，反而头部受了重伤。食鱼的欲望促使它发动了第三次、第四次进攻……多次的进攻都失败了，它便失去了信心，就不再进攻了。这个时候再将玻璃挡板拿开，可是鳄鱼仍一动不动，它只是无望地看着那些小鱼在它的眼皮底下悠闲地游来游去，放弃了所有的努力，最后活活地饿死了。

鳄鱼受习惯的影响，死于成见，而我们也同样会犯鳄鱼所犯的错误。为什么失败之后我们不敢再向前走，哪怕是一小步？阻碍我们前进的，就是在我们心中的怯懦。

心理专家认为：怯懦是一种以胆怯和懦弱为特征的性格缺陷，其基本表现是：胆小怕事，遇事好退缩，容易屈从他人，甚至逆来

顺受，无反抗精神；进取心差，意志薄弱，害怕困难，在困难面前张皇失措；感情脆弱，经不住挫折和失败；一个人一旦形成怯懦性格后，往往从怀疑自己的能力到不能表现自己的能力，从怯于与人交往到孤僻地自我封闭。

怯懦者往往自己把自己放在弱势地位，他们害怕有压力的状态，因而他们也害怕竞争。在对手或困难面前，他们往往不善于坚持，而选择回避或屈服。懦弱者对于自尊并不忽视，但他们常常更愿意用屈辱来换回安宁。

李阳疯狂英语的风暴吹上了2002年的春节联欢晚会，真是风光得很，可是很多人还不知道，李阳原先也“不过如此!”

从很多资料中，我们发现他也有“不堪回首”的时候：他少年时代很内向，用最常见的话说就是“怕生”。他是一个十足的“丑小鸭”，十几岁了，亲戚朋友还不知道李家有这样一个孩子。他“怕生”怕到了何等地步：听到电话一响，就会躲起来；他看电影之后，父亲总是要他复述电影的内容，为了不干这种他不愿意做的事情，他宁愿多年不看自己喜欢看的电影。

一个最典型的故事是：有一次他患了鼻炎，父母送他到医院去治疗，在进行电疗的时候，医生不小心漏电烧伤了他的脸，由于害羞，他忍住痛苦，一直没有告诉别人，至今脸上还有一块小伤疤。

对此，他自己深有体会：小的时候最害怕的事情就是自己完成不了作业，因此，经常被老师罚站，每次都只好低声认错，可是第二天又故伎重演……

值得庆幸的是，李阳多次向父母提出退学，父母在他心目中是有权威的，没有退成，勉强熬到了高中毕业，还居然考上了兰州大学力学系——看来他并不笨。可就是在大学里，李阳还是浑浑噩噩的，自己的形象并没有改变。

按照学校规定，旷课70节就要被勒令退学，可是他很快就超过了100节，他因此差点被兰州大学请出了校门。

那么，李阳的英语是不是特别好呢？

不是！谁能相信今天的英语教师当年曾经是连“60分万岁”都办不到，常常都要补考才能过关的人。

大学二年级的时候，他必须参加全国英语四级考试才能取得学位证书。读大学为什么？不就是弄一张文凭吗？可是过不了四级，得不到学位证书，这大学本科不是打折了吗？

他被逼上了梁山，不得不打起精神，每天早上都去学习英语。他本来是一个懒散惯了的人，如今要集中精力，那可不是一件容易的事情。为了集中精力，他干脆跑到兰州大学校园里的烈士亭上放开歌喉大声背诵起English来。这一声大喊不要紧，喊出了李阳的灵感来了：这样不仅思想不容易开小差，效果还不错！

他就这样“吼”了几个星期，居然还“吼”出了自信！

胆子出来了，他就去了学校的英语角，说出来的英语还居然像模像样的：知道他底细的同学都感到惊奇，急忙向他“请教”高招！李阳此时已经隐隐约约地感到这可能是一种奇妙的办法，虽然说不出什么，但是他决心这样干下去。

从此以后，只要有时间，李阳就像疯子那样在烈士亭等地方大喊大叫，不管是刮风还是下雨，不管是晴天，还是沙尘天。有时候，为了增加自己的胆量，他居然穿着46号的特大美国劳工鞋、肥大的裤子，戴着耳环，在大学校园内嘶声力竭地喊叫。

不管别人怎么看他，他就是我行我素：他就这样复述了10本左右英文原著，在四级英语考试中得了个第二……

最令他恐惧的英语给他带来了成功的喜悦，他的疯狂故事就这样走出兰州大学，走出甘肃，走向全国……

李阳有一句“格言”：“I enjoy losing face!”（我喜欢丢脸！）

李阳本来是天生的内向、胆怯，是一种封闭的性格。为了挑战自我，他以英语为媒，走向了成功的一步：他把自己学习英语的心得体会写成了40多页演讲稿，准备拿到演讲场里去——美国社会学家曾经进行过这样的调查，世界上人们最怕的就是当众讲话。他很

想突破自我，所以他决心去演讲，面对全校的人。他请同学帮自己把海报贴出去，说是有一个叫做李阳的人要搞一个英语讲座。

那天晚上，李阳简直“紧张得要吐”(李阳语)，可是他还是上台了。他虽然是气喘吁吁的，但是终于坚持下来了：演讲获得了意想不到的成功！李阳就这样讲出去了，一讲就是几十场，他因此成了校园名人……

他现在的目标是什么：让十三亿中国人说一口流利的英语！

李阳的成功就在于他战胜了自己，战胜了怯懦，建立了自信。

如果李阳没有战胜自己性格上的怯懦，可想而知：不可能有今天的李阳和他的疯狂英语。

贝多芬学拉小提琴时，技术并不高明，他宁可拉他自己作的曲子，也不肯做技巧上的改善，他的老师说他绝不是个当作曲家的料。

达尔文当年决定放弃行医时，遭到父亲的斥责：“你放着正经事不干，整天只管打猎、捉狗捉耗子的。”另外，达尔文在自传中透露：“小时候，所有的老师和长辈都认为我资质平庸，与聪明是沾不上边的。”

爱因斯坦4岁才会说话，7岁才会认字；老师给他的评语是：“反应迟钝，不合群，满脑袋不切实际的幻想。”他曾遭遇到退学的命运。

托尔斯泰读大学时因成绩太差而被劝退学。老师认为他：“既没有读书的头脑，又缺乏学习的兴趣。”

……

这些，都是我们熟悉的名人，他们的共同点是：当别人瞧不起自己时，不是以怯懦示人，而是勇敢地面对，并且挑战自己。

那么，如何克服怯懦这一性格缺陷呢？心理专家告诉你：

1. 要学会自我暗示

怯懦性格者最大弱点是畏惧和害怕，要克服这一弱点，就要借助气势的激励。对性格怯懦的人来说，要学会用自我打气、自我鼓励、自我暗示等方法来培养自己无所畏惧的气势。要善于发现和肯定自己的长处与成绩，提高对自我的评价和信心。

2. 要有意识地锻炼意志品质

在生活中有许多事情可以锻炼我们的意志品质。比如说制订了学习计划，一定要坚持进行，每天早起朗读不间断，无论刮风下雨都坚持锻炼。工作既然承担了，就不要打“退堂鼓”，即使刚开始时很困难，只要咬紧牙关，慢慢深入下去以后，你会发现，其实事情并不像你想象的那样艰难。只要成功了几次，你一定会增强勇气和信心的。

3. 不要害怕失败

许多人之所以怯懦，无非就是怕失败。但越怕就越不敢行动，越不敢行动就又越怕，一旦陷入这种恶性循环之中，怯懦不免就加深了。应该懂得：越是感到怯懦的事越要大胆去做，只要你能大胆去做，你才能战胜你的怯懦。

心理学家要求那些备受怯懦之苦的人讨论“最深的恐惧是什么？”以此找到怯懦的原因，并预测最坏的结果是什么样的。既然最坏的结果不过如此，你还担忧什么呢？只管去做好了。

人身上的潜能是无穷无尽的，为什么绝大部分却处于休眠状态？主要是受心理上无形障碍的影响和阻碍。如果你想充分发挥你自己身上的潜能，想知道自己能胜任什么事，那就从现在开始，把你身上的无形障碍，也就是你害怕做的事，一项一项排排队，写在日记里，由易到难订个跨越计划。然后从第一件害怕做的事做起，直到不惧怕为止。这样每完成一项，你就跨越一个心理障碍，解去一根捆绑自己心灵的绳索，消除一次“我从未做过”的念头，擦去一个“我不敢做”的想法。

总之，如果你想成为一个成功的人，在困难和压力面前，怯懦是没有用的。只有不畏挫折和失败，不怕别人讥笑，坚持不懈，你才可以不断体验到成功的快乐和奋斗的乐趣。

左右你一生的心理学

1. 怯懦会阻碍自己计划与设想的实现。怯懦心理是束缚思想和行为的一种重要病态心理。

2. 化怯懦为自信，化浮躁为冷静，化不安为稳定，只有这样才能使我们受伤的心灵得以安宁，使我们烦恼不堪的生命重获生机，变得美满快乐。

嫉妒心理——不要跳入心灵的“深坑”

嫉妒是一种病态心理，属于一种内心情绪的体验，通常源于不正确的比较。比如，当看到别人在某些方面高于自己或顺利时，产生的一种由羡慕转为恼怒忌恨的心理不平衡的情感状态，为了消减这种不平衡，采取的消极方式加以补偿，通常不满、怨恨、烦恼、恐惧等消极情绪就和嫉妒形影不离。

赵刚以优异的成绩考入一所名牌大学，刚开始他与同学们关系非常融洽，但逐渐地，他发现他不再是像从前那样是班里唯一的几个成绩最好的学生，备受老师关爱，这里比他成绩更优秀的同学有很多(能上名牌大学的同学当然都是录取的各个学校成绩最好的学生了)。他产生了严重的不平衡心理，只要别的同学哪方面比他强，他就眼红，只要老师在同学面前表扬别的同学，他就心理酸溜溜的，他看见有同学得了奖学金或被评为三好学生，他就嫉妒得夜不能眠。他尤其看不惯来自同一所高中的老乡，以前两个人在高中时各方面都不相上下，上大学后，老乡的成绩越来越好，而且被选上班干部，他就更加妒火中烧了。他经常不专心读书，而是到处给那位老乡散布流言飞语，造谣中伤。大家都开始讨厌他，在班干部的换届选举上，为了把老乡同学比下去，他在下面做小动作，拉选票，结果他的阴谋被同学们识破，搞得十分狼狈。

终于，为了使自己的成绩能拿最好，在考试的时候多次作弊，被老师发现，学校教务处做出了开除其学籍的处分决定。他觉得无

脸面对自己的父母，于是一个人去了一个陌生的城市，开始了他的流浪生涯，对自己做出了深深的反思。

赵刚的这种极端行为就是嫉妒造成的。什么事情都是有一定限度的，嫉妒一旦过量，成为一个人生活的主要目标，那就是十分危险的事了。

在现代社会激烈的竞争中，有人成功，就必然有人失败。失败之后所产生的由羞愧、愤怒和怨恨组成的复杂情感就是嫉妒。

嫉妒成性不仅会毁了别人，同时也会毁了自己。嫉妒成性是一味毒素，它无时无刻不在侵蚀本来健康的心灵，它使智者也会失去常性，从而做出愚昧可悲的事情。有人问亚里士多德："为什么心怀嫉妒的人总是心情不悦呢?"亚里士多德回答道："因为折磨他的不仅仅是本身的挫折，还有别人的成就。"

《圣经》里说："嫉妒是骨中的朽乱。"其实，嫉妒是一种普遍的社会心理现象，是人类普遍具有的一种情绪。它指的是自己以外的人获得了比自己更为优越的地位、荣誉，或是自己宝贵的物质，钟情的人被别人掠取或将被掠取时而产生的情感。它有一个重大的特征就是"指向性"，即嫉妒有条件的，是在一定的范围内产生的，指向一定的对象。也就是说，不是任何人在某些方面超过自己都会产生嫉妒，超过自己太多的人只会让我们羡慕而不会嫉妒。

法国作家大仲马在小说《黑郁金香》中也讲述了一个关于嫉妒的故事。卑劣的博克斯·戴尔出于嫉恨荷兰青年拜尔勒成功地培育出黑郁金香，制造了一系列毁灭拜尔勒及其所创造的事业的行为。但正义最终战胜了邪恶，博克斯·戴尔的阴谋未能得逞，拜尔勒事业有成，而嫉妒者博克斯·戴尔却在恐怖、愤怒、绝望中走向坟墓。

嫉妒成性的人是可怕的，他们总爱把自己放在与别人对立的位置上，目光短浅，气量狭小，通常会因一些微不足道的小事而生出嫉妒。最终他们会在熊熊的妒火下做出害人害己的事情来。英国哲学家培根就曾经指出："在人类的一切情欲中，嫉妒心恐怕要算是最顽固、最持久的情绪。"英国大文豪莎士比亚所说："嫉妒是绿眼妖魔，谁做了它的俘虏，谁就要受到愚弄。"因此，我们不能被嫉妒所俘而走向毁灭，我们要想方设法地克服它。

归根到底，我们之所以嫉妒别人，因为我们都只看到别人优秀突出的一面，并把它们无限地夸大，从而忽略了我们自身所拥有的。生活在这个世界上，每个人都有自己的烦恼，除了白痴之外，没有人是一点烦心的事都没有的。同样的道理，我们每个人也都有自己的优点和特色，都能够在自己适合的领域做出一番属于自己的事业。

而嫉妒成性的人，往往只看到别人的成功，却没有看到成功背后所付出的汗水和心血。他们只看到别人的万贯家产，却从没有注意自己温暖的家庭。人生在世，有得便有失，没有人是可以拥有一切的，所以我们只需要去追求我们最希望得到的，而不是干瞪着眼看着别人的好处。

有嫉妒心的人，自己不能办成的事，便尽量低估他人的能力，使之与他本人可以齐肩，或者用怀疑别人动机、诬蔑别人伪善的办法，来剥夺别人可敬佩的成就。于是，因嫉妒而产生的种种心态便表现出来：或消极沉沦，萎靡不振；或咬牙切齿，恼羞成怒；或铤而走险，害人毁己。

心理专家分析，嫉妒心理有以下一些特征：

1. 明显的对抗性

古希腊斯多葛派的哲学家认为："嫉妒是对别人幸运的一种烦恼。"

嫉妒心理的对抗特征具有明显的攻击性，其攻击目的在于颠倒被攻击者的形象。甚至本来关系密切，由于嫉妒使道德天平倾斜。往往不看别人的优点、长处，而总是挑剔别人的毛病，甚至不惜颠倒黑白，弄虚作假。

2. 明确的指向性

嫉妒心理的指向性往往产生于同一时代、同一部门的同一水平的人中间，主要是因为嫉妒心理是一种以极端自私为核心的绝对平均主义。因为曾经“平起平坐”过，或是曾经“不如自己”过，如今成了“能干”者，使嫉妒者产生抵触和对抗。

3. 不断发展的发泄性

一般说来，除了轻微的嫉妒心理都伴随着发泄性行为。主要有三种方式：一种是言语上的冷嘲热讽；一种是行为上的冷淡，疏远被嫉妒者；一种是具体行为，或是攻击性强的行为。

4. 不易察觉的伪装性

由于社会道德的威力，嫉妒心理被大多数人所不齿，一般都不愿直接地表露出嫉妒来，千方百计地伪装，企图使人不易察觉。如本来是嫉妒某人的某一方面，却不敢直言，故意拐弯抹角地从另一方面进行指责或攻击。

嫉妒心理总是与不满、怨恨、烦恼、恐惧等消极情绪联系在一起，构成嫉妒心理的独特情绪。

不同的嫉妒心理有不同的嫉妒内容，但主要是在四个方面表现得尤为突出，这就是名誉、地位、钱财、爱情。有的还表现为一种综合性的笼统内容，即只要是别人所有的，都在其嫉妒之内。

想克服嫉妒只要你努力就可以办到，有见贤思齐的精神，对待他人要宽容，对待自己要客观，那些可能会不期而至的嫉妒心理便会烟消云散。你如果能不断地克服这种不良的心态，你的人格就会不断地健全，你便于工作会成为一个受人欢迎的人。

1. 正确认识自己

既看到自己的短处，也看到自己的长处，就不会有处处不如人的想法。当看到自己的不足时，不怨天尤人，自暴自弃，而应加倍努力，奋起直追。尤其要克服乱攀比的心态，要善于学习，勇于超越，久而久之，嫉妒心理就会消失。

2. 克服个人主义和虚荣心

说到底，嫉妒心理是由于个人主义和虚荣心在作祟。如果能加强思想修养，克服个人主义和虚荣心，那么就会“心底无私天地宽”，把别人的成就和荣誉当做自己学习的榜样和前进的动力，这是消除嫉妒的根本方法。

3. 对待贤者要思齐

一个有道德的人，一个思想纯正的人，一个能积极进取的人，当他发现有人比自己做得好，比自己有能力时，从不去考虑别人是否超过了自己，或对别人心生不满，而是从别人的成绩中找出自己的差距所在，从而振作精神，向人家学习。这样便有可能在一种积极进取的心理状态下，迸发出创造性，赶上或超过曾经比自己强的人。这就是古人说的见贤思齐。

4. 对待他人要宽容

一般来说，心胸狭窄的“小心眼”很容易产生嫉妒心理。只有使自己的胸襟开阔，改变器量过小的性格特点，才能时时刻刻清醒地意识到世界是很大的，能人背后有能人，要想自己所有方面都胜过别人是根本不可能的。一个人如果善于以宽厚的态度对人处事，就必然能够善于容人。所谓善于容人，就是善于与任何人包括超过自己的人相处。如果能做到这一点，就不会出现斤斤计较，唯恐委屈自己的嫉妒心理了。做人无私，胸怀宽广，坦诚处事，才能净化自己的心灵，才能真正感受到心底无私天地宽，也才能避免沾染上嫉妒心理之病。

5. 要具有仁爱之心

《尚书•秦誓》中说，假如有一个耿直独立的人，虽然他没有什么别的才能，但他的心地善良，就会有宽广的胸怀：别人有才能，就好像自己有才能；对别人的美德，他总是真诚的赞慕。这种人具有以天下为公的胸怀，是真正能容纳别人才德的人。

6. 必须具有忍让精神

要具有忍让的精神，就要做到下面两方面：

一是看到别人比自己强时，要能忍住自己的嫉妒心。多看人家的长处，多找自己的短处，这样不仅能寻求心理上的平衡，久而久之还会纯净自己的心灵，提高自己的道德修养。

二是自己比别人强时，要能忍受住别人的嫉妒。我国著名的爱国民主人士黄炎培先生，字任之，当人们问他为何叫任之时，他说："其中一个含义就是对无所谓的事、无聊的流言，不管它，由它去。"黄先生的做法很高明，你嫉妒你的，我做我的，让别人说去吧！走自己的路。如果你危害到我的人身安全和名誉，我则要诉诸法律，到头来受害的还是你。

7. 不断地奋斗、工作

培根说得好："每一个埋头沉入自己事业的人，是没有工夫去嫉妒别人的。""嫉妒可以使一个人萎靡不振，如果经过合理的内心调整，它也可以化为动力，催人奋进。"给自己订立一个长远目标和一个近期目标，孜孜不倦地为实现这个目标而努力。你的目标主要是同自己一个个的近期目标比，踏踏实实地前进。正因为确立了坚定、明确、始终如一的目标，不为别人的成功而烦忧，你就不容易分心，嫉妒也就很难再占据你的内心，阻碍你的前进了。"化悲痛为力量"，为了自己明天的成就，将自己与别人的差距作为自己的动力，你终将会在自己的领域取得辉煌的成就。

8. 增加交往，增进了解

大凡嫉妒心强的人，社交范围很小，视野也不开阔，只做"井底之蛙"，不知天外有天，只有投入到人际关系的海洋里才能消除自私、狭隘的嫉妒心理。因此，相互主动接近，多加帮助和协作，增进双方的感情，就会逐渐消除嫉妒。

切记，路有升沉进退，人有悲欢离合。从容是一种对人生的透彻把握，不管是谁，只要能以平和心态面对一切，闲看天边云卷云舒，笑看庭前花开花落，必能摆脱是是非非、纷纷扰扰。也只有这样，才能善待自己，善待人生，善待生命。

左右你一生的心理学

1. 在现实生活中，嫉妒是一种极端消极、狭隘的病态心理，是人际交往中的一大心理障碍，它会限制人的交往氛围，它会压抑人的交往热情，它甚至能反友为敌。因此，要克服嫉妒心理。

2. 嫉妒心理人人有之。积极型的嫉妒是事业成功的动力，而消极型的嫉妒则是滋生邪恶的因素，这已被无数事实所验证。这两种效应若处理得好，会使自己事业有成，得到社会的承认；处理得不好，会使自己遭人唾弃。

抱怨心理——迷失自我的毒药

抱怨心理是指心中不满，数说别人不对，所进行的责怪、埋怨或牢骚。抱怨的心理在生活中是常有的，几乎可以说是无处不在。

一位年轻的女工进入一家毛织厂以后一直从事织挂毯的工作，做了几个星期之后她再也不愿意干这种无聊的工作了。

她去向主管提出辞职，低沉地叹气道："这种事情太无聊了，一会儿要我打结，一会儿又要把线剪断，这种事完全没有意义，真是在浪费时间。"

主管意味深长地说："其实，你的工作并没有浪费，你织出的很小的一部分是非常重要的一部分。"

然后主管带着她走到仓库里的挂毯面前，年轻的女工呆住了。

原来，她编织的是一幅美丽的百鸟朝凤图，她所织出的那一部分正是凤凰展开的美丽的羽毛。她没想到，在她看来没有意义的工作竟然这么伟大。

其实，生活中经常有人爱抱怨，抱怨生活、抱怨工作、抱怨老天、抱怨命运、抱怨这抱怨那。每次抱怨时总是在心中充满了委屈、愤怒、懊恼……

一位女士抱怨道："我活得很不快乐，因为先生常出差不在家。"

一位妈妈说："我的孩子不听话，叫我很生气！"

男人可能说："上司不赏识我，所以我情绪低落。"

婆婆说："我的媳妇不孝顺，我真命苦。"

年轻人从文具店走出来说："那位老板服务态度恶劣，把我气炸了！"

这些人都做了相同的决定，就是让别人来控制他们的心情。

当我们容许别人掌控我们的情绪时，我们便觉得自己是受害者，对现况无能为力，抱怨与愤怒成为我们唯一的选择。

我们开始怪罪他人，并且传达一个信息："我这样痛苦，都是你造成的，你要为我的痛苦负责！"此时我们就把这重大的责任托给周围的人，即要求他们使我们快乐。

我们似乎承认自己无法掌控自己，只能可怜地任人摆布。其实一切都掌握在你自己的手里。你不能决定生命的长度，但你可以控制它的宽度；你不能左右天气，但你可以改变心情；你不能改变容貌，但你可以展现笑容；你不能控制他人，但你可以掌握自己；你不能事事顺利，但你可以事事尽力。停止抱怨，快乐的生活才是真正成功的人生！

有心理专家指出：有的人认为发发牢骚，是对不满情绪的发泄，有助于身心健康。其实不然，抱怨不仅不会给我们带来健康，而且还会给我们的工作和生活带来很多麻烦。

那么为什么我们会有这么多的抱怨呢？也就是说抱怨的人会是一种什么心态呢？

1. "应该如此"的心态

简单地说，"应该如此"的意思就是："事情理应如我所认为的那样发生。"他们事事要求公平，要求按照自己的意愿发展。如果稍出差错就觉得老天对自己不公平，比如说女人们经常的抱怨是：我为他、为这个家庭付出这么多，为什么得不到回报呢？她们认为：自己必须受到对方的关注和尊重，我们的付出别人理所当然就应该给我们回报，家人应该满足自己的要求；且潜意识中又往往想少付

出而多得到，这都是一些不合理的过分要求，自己却又难于意识到。一旦这些过分需求没有得到满足，就有一种被作弄和被欺骗感，心中愤愤不平，于是各种抱怨就出来了。

2. “托付心态”

“托付心态”指的是把自己生活中成功快乐的控制权托付给别人。由于女性从小就受传统观念的熏陶，使她们习惯于设想自己未来的生活是做贤妻良母。如果社会真正提供机会让她们完全独立，过一种全新的、不依靠男人的、体现男女平等的生活时，女性从小养成的依赖心理又会使她们感到犹豫不决，甚至为失去男人的依靠而感到惶恐和不安。所以说，女人真是一种矛盾体，一方面她们渴望一种全新的生活带给她们发现自我和实现自我的机会，以维持独立的人格和尊严；但另一方面，她们又不愿承担过多的责任，害怕独立生活的操劳、紧张、竞争和不稳定。故很多女性都处于自立和依赖这两者矛盾的内心冲突之中，甚至那些在事业上很成功的女性也仍然倾向于依靠什么人，正如有的女性说：只要周围有什么人可依靠，我就不想靠自己。

一旦把自己的快乐和成功托付给了别人，那么别人的一言一行都会给你带来影响，不顺心的事情也就多了起来，抱怨和牢骚也随之而来。

总的说来，抱怨是一种心理不平衡的感觉，是一种追求完美的心理，是一种情绪化的心态。

我们应该如何克服这种有害的心理呢？

首先，得纠正自己某些错误的信念和观点。

其实，我们任何人都不能对别人有过分的要求，哪怕是对自己最亲近的人，他们也没有责任和义务来满足你的一切要求，生活的真谛不在于求得回报，别人不欠我们任何东西。因为别人不可能按照我们的意志、喜好来行事，我们不可能主宰环境和他人。所以我们必须对自己的情感、生活负责。一个人如果把自己的命运、情感交给环境、交给运气或交给他人，那么，他时时都有受到伤害和产生怨恨的可能。

第二，要学会自我消解。

即通过自我劝慰、自我开导、自我调适，使自己冷静下来，把问题想通、想透，这是克服抱怨心理的最好的办法。之所以会产生抱怨，固然与身边的不公正现象有关，但也与一个人的思想修养和认知方式有关。想一想自己对问题的看法是否对头，是否只从个人意愿出发；想一想自己考虑问题是否全面，有没有偏激；想一想还有没有比抱怨更能解决问题的办法。

第三，保持一颗平常心，不被生活中的琐事侵扰。

有些女性朋友的抱怨常常来自生活中的琐碎之事，凡事过于较真儿，斤斤计较，常常是搞得自己疲惫不堪。那么对于这些琐碎之事，我们还是置之不理为佳，一位哲人说的好：如果你被疯狗咬了，难道非要把侵犯你的疯狗也反咬一口么？所以，遇事要有一种平和的心态，这样才能生活的更加理智，从而减少不必要的抱怨和牢骚。

有人曾经问雷伯克，当他毫无希望地迷失在太平洋里，和他的同伴在救生筏上漂流了 21 天之久时，他学到的最重要的一课是什么？“我从那次经验所学到的最重要一课是：他说，如果你有足够多的新鲜的水可以喝，有足够的食物可以吃，就绝不要再抱怨任何事情。”

曾经有一篇报道，讲到一个士兵在战争中受了伤，喉部被碎弹片击中，输了 7 次血，他写了一张纸条给他的医生，问道：“我能活下去吗?”医生回答说：“可以的。”他又另外写了一张纸条问道：“我还能不能说话?”医生又回答他说：“可以的。”然后他再写了一张纸条说：“那我还担什么鬼心!”

你何不也马上停下来问自己：“那我还担什么鬼心。珍惜所拥有的，漠视所失去的和得不到的。”

你很可能发现自己所担心的事情，比起上述两例来实在是很微

不足道，很不重要。那么，我们还有什么可担心的，还有什么不快乐呢？

在生活当中，我们大概有90%的事情是做对的，只有10%是错的。如果我们要快乐，我们所应该做的就是：集中精力在那90%对的事情上，而不要理会那10%的错误。如果我们想要担忧，想要难过，想要得胃溃疡，我们只要集中精力去想10%的错事，而不管那90%的好事。

英国有很多新教堂里都刻着“多想、多感激”，这两句话也应该铭刻在我们的心上。“多想、多感激”，想所有我们值得感激的事，为我们所得到的一切而感谢所有的人。

我们每一天，每个小时，都能得到“快乐医生”的免费服务，只要我们把注意力集中在我们所拥有的那么多令人难以置信的财富上，那些财富远远超过阿里巴巴的珍宝。你愿意把你的两只眼睛卖一亿美金吗？你肯把你的两条腿卖多少钱吗？还有你的两只手，你的家庭。把你所有的资产加在一起，你就会发现你现在所拥有的一切绝不会就此卖掉，即使把洛克菲勒、福特和摩根三个家族所拥有的财富都加在一起也不卖。

可是我们能否欣赏这些呢？啊，不能的。就像叔本华说的：“我们很少想到我们已经拥有的，而总是想到我们所没有的。”

快乐原是这么简单，我们还有什么可抱怨的？想想看那些生活在困苦中的人，你就会发现我们多么幸福；想想那些躺在医院里的人，你会发现我们多么幸运……那么，我们就没有什么可抱怨，也没有什么值得不快乐的了。

荀子说：“自知者不怨人，知命者不怨天。怨人者穷，怨天者无志，失之已，反之人，岂不迂乎哉！”意思是说，有自知之明的人会选择生活的道路，时刻把握命运的主动权。

面对现实生活中暂时不完善的地方，不要牢骚满腹，不要怨天尤人，我们不能像裁判员、检察官那样居高临下地评判、抨击和指责别人，而应当看到自己的责任，拿出实干的精神和勇气来。

左右你一生的心理学

1. 没有一种生活是完美的，也没有一种生活会让一个人完全满意，面对生活的不如意与其花时间去抱怨它，还不如抓紧时间去改进生活。别让抱怨成为习惯。

2. 有一位哲人曾经说过：“心灵是它自己的殿堂，它可以是天堂中的地狱，也可以是地狱中的天堂。”如果我们心中充满了抱怨，它不但会伤到别人，更会毁掉你的一切，使你在芸芸众生中迷失自我。

自私心理——藏于心底的一颗“雷”

自私是一种较为普遍的病状心理现象。“自”是指自我；“私”是指利己；“自私”指的是只顾自己的利益，不顾他人、集体、国家和社会的利益。常有自私自利、损人利己、损公肥私等说法。

李某年轻时在北大荒当过知青，吃过苦，受过穷，所以回城后，对什么都很在乎。买菜时，一分两分钱争半天，买菜恨不得多抓两把走。单位的经济效益还不错，分了二室一厅的房子，妻子、女儿都不错，可他心理却总不平衡。看看单位那些小青年位子比他高，用公费旅游、跳舞，利用洽谈业务之机搞权钱交易，用公款高标准装饰住房，某地造价 7 万元的套房他们只需要八九千元就能买到手，还用公款安装住宅电话，心里很窝火，他暗自怪文化水平没有别人高。

另外，看到以前那些学习成绩都不如他的老同学，现在成了个体户，银行存折一大沓，一顿饭的酒钱也比他一月的工资高几倍，心里直冒火，难受，恨不得这些人哪天遇上车祸，或者是火灾。他现在有一手绝活，但是他不想轻易将技术授予他人，怕‘授予徒弟，饿死师傅’。他决定终身不授后人，将技术带入坟墓。他爱人认为他自私，与他离婚。

从心理学角度讲，李某的病状属于异常心理中的自私心理。由于社会分配不平均，心理不平衡，觉得委屈，导致自私心理的产生。

首先表现在不讲公德，把自己的东西看得紧，看得重，不管别人的利益是否受到损害，买小菜的举动就表现出斤斤计较，总觉得自己吃亏了，所以“买完菜还要多抓两把走，才心安理得”。其次，就是嫉妒心理，当然公款吃喝消费不对，但谁的本事比他强，取得了好成绩，甚至在年龄方面超过他都会感到难受，于是老想方设法诋毁、诬陷、为难比他强的人。另外，在技术方面的垄断和拒绝传授任何人也是一种自私的表现。

自私之心是万恶之源，贪婪、嫉妒、报复、吝啬、虚荣等病态社会心理从根本上讲都是自私的表现。自私的人停留在狭小自我的束缚里，无法想法和体会助人为乐的快乐。

自私是一种近似本能的欲望，处于一个人的心灵深处。人有许多需求，如生理的需求、物质的需求、精神的需求、社会的需求等。需求是人的行为的原始推动力，人的许多行为就是为了满足需求。但是，需求要受到社会规范、道德伦理、法律法令的制约，不顾社会历史条件的要求，一味想满足自己的各种私欲的人就是具有自私心理的人。自私之心隐藏在个人的需求结构之中，是深层次的心理活动。

从前，有两位很虔诚、很要好的教徒，决定一起到遥远的圣山朝圣。圣者看到这两位如此虔诚的教徒千里迢迢去朝圣，十分感动地告诉他们：“我要送给你们每人一件礼物！不过你们当中一个要先许愿，他的愿望会马上实现；而第二个人则可以得到那愿望的两倍。”

其中一个教徒心里想：“太好了，我已经想好我要许什么愿了，但我不能先讲，那样的话太吃亏了，应该让他先讲。”而另一个教徒也怀有这样的想法：“我怎么可以先讲，让他获得两部的礼物。”于是，两个教徒就开始假装客气地推让起来。“你先讲！”“你比我年长，你先许愿吧！”“不，应该你先许愿！”两人彼此推来让去。最后两人都不耐烦起来，气氛一下子变得紧张起来。“你干吗呀？”

"你先讲啊!""为什么你不先讲而让我先讲?我才不先讲呢!"

到最后,其中一个气呼呼地大声嚷道:"喂,你再不许愿的话,我就打断你的狗腿,掐死你!"另外一个见他的朋友居然和自己翻脸,而且还恐吓自己,干脆把心一横,狠狠地说道:"好,我先许愿!我希望……我的一只眼睛瞎掉!"

很快地,这位教徒的一只眼睛瞎掉了,而与此同时,他的朋友双眼也立即瞎掉了!

本是一件皆大欢喜的事,因为两人的自私而成了悲剧。自私者往往会把自己毁灭。

自私作为一种病态社会心理,是可以克服的。

以下是心理学家给出的自私心理调适的几种方法:

1. 内省法

这是构造心理学派主张的方法,是指通过内省,即用自我观察的陈述方法来研究自身的心理现象。自私常常是一种下意识的心理倾向,要克服自私心理,就要经常对自己的心态与行为进行自我观察。观察时要有一定的客观标准,就是社会公德与社会规范。而要反省自己的过错,就必须加强学习,更新观念,强化社会价值取向,向毫不利己、专门利人的模范学习,对照榜样与模范找差距。并从自己自私行为的不良后果中看危害找问题,总结改正错误的方式方法。

2. 多做利他行为

一个想要改正自私心态的人,不妨多做些利他行为。例如关心和帮助他人,给希望工程捐款,为他人排忧解难等。私心很重的人,可以从让座、借东西给他人这些小事情做起,多做好事,可在行为中纠正过去那些不正常的心态,从他人的赞许中得到利他的乐趣,使自己的灵魂得到净化。

3. 回避性训练

这是心理学上以操作性反射原理为基础,以负强化为手段而进行的一种训练方法。通俗地说，凡下决心改正自私心态的人，只要意识到自私的念头或行为，就可用缚在手腕上的一根橡皮弹环弹击自己，从痛觉中意识到自私是不好的，促使自己纠正。

人是社会化的动物，人们的生活总是与他人紧密相连，自私自利最终影响的是个人的生活和工作，因此，在生活中，我们无论是对人还是对己都要多一分宽容和爱心，少一分狭隘和自私。

左右你一生的心理学

1. 自私的人妒忌心强，心目中只有自己，根本不能容纳别人。妒忌心有时会使自私的人陷入疯狂状态，甚至做出伤害别人的违法行为。因此，一定要注意调适自私心理。

2. 一个想要改正自私心态的人，不妨多做些利他行为。例如，关心和帮助他人，为他人排忧解难等。帮助别人获得快乐的那一刻，你会感觉无比的幸福。一个自私的人是无法体会到这种快乐的。

冲动心理——不要让“魔鬼”时时出现

冲动，心理学定义是神经受到刺激引起的兴奋性反应，我们日常所言的冲动多指理性弱于情绪的心理现象。

有一个人脾气很暴躁，常常因此得罪别人而懊恼不已，所以一直想将这暴躁的坏脾气改掉。后来，他决定好好修行，改变自己的脾气。于是他花了许多钱，盖了一座庙，并且特地找人在庙门口写上“百忍寺”三个大字。这个人为了显示自己修行的诚心，每天都站在庙门口，一一向前来参拜的香客说明自己改过向善的意。香客们听了他的说明，都十分钦佩他的用心良苦，也纷纷称赞他改变自己的决心。

这一天，他一如往常站在庙门口，向香客解释他建造百忍寺的意义时，其中一位年纪大的香客因为不认识字，而向这个修行者询问牌匾上到底是写了些什么。修行者回答香客说：“牌匾上写的三个字是‘百忍寺’。”香客没听清楚，于是再问了一次。这次，修行者的口气开始有些不耐烦：“上面写的是‘百忍寺’。”等到香客问第三次时，修行者已经按捺不住，很生气地回答：“你是聋子啊？跟你说上面写的是‘百忍寺’，你难道听不懂吗？”

香客听了，笑着说：“你才说了三遍你就忍受不了了，还建什么百忍寺呢？”

安禅何必须山水，灭却心头火自凉。生活就是心灵的修炼场，想要改变自己，应当从改变心境做起，而不是筑造虚华的水月道场。

心理学家讲：在我们所有的情绪中，最需要克制的便是冲动。因为冲动会使人失去理智思考的机会。在许多场合，因为不可抑制的冲动，使人失去了解决问题和冲突的良好机会。而且，一时冲动的冲动，可能意味着事过之后得付出高昂的代价。在实际生活中，冲动导致的损失往往可能是无法弥补的。你可能从此失去一个好朋友，失去一批客户，失去一份工作，甚至失去婚姻。

冲动时最坏的后果是，人在冲动的情绪支配下，往往不顾及别人的尊严，并且严重地伤害别人的自尊心。损害他人的物质利益也许并不是太严重的问题，但是损害他人的感情和自尊却无异于自绝后路，自挖陷阱。

心理学家发现，缺少自信的男人更容易产生冲动情绪，这种冲动实际上是他们一种错误的自我保护。如果一个男人自我效能感低，对自己的价值不认同，他会觉得自己是被人瞧不起的，是受威胁的，这种心理常态的表现是怯懦、退缩，但是，遇到偶然的触发事件，容易引发出失控的情绪，比如说野蛮、愤怒，当事人在非理智状态下，能感受到反抗的快感，实际上是潜在的一种心理补偿。通常它并不能带给我们飞蛾扑火的灿烂，假如在理智弱于情绪的那一刻，给自己三分钟的冷静，你将发现：魔鬼就在身旁。

有个地区对当地监狱的成年犯人作过一项调查，发现了一个惊人的事实：这些不幸的男女犯人之所以沦落到监狱中，有百分之九十的人是因为他们缺乏必要的自制能力。

要想做个极为“平衡”的人，我们身上的热忱和自制必须相等而平衡。

对于爱冲动的人，心理专家建议，不妨采用以下方法，帮助自己疏导缓解冲动情绪，防止因冲动而酿成大祸。

1. 推迟愤怒法

当某一事件触发了你强烈的情绪反应，在表达出情绪之前，先

为自己的情绪降降温，比如在心里对自己说“我三分钟后再发怒”，然后在心中默默地数数。不要小看这三分钟，它在很大程度上可以帮助你恢复理智，避免冲动行为的发生。

2. 环境转换法

在情绪即将失控的时候，请赶快转换一个环境，你的注意力和精力也会相应的转移，可以使即将失控的情绪得到平息。值得提醒的是，你的行动必须及时，不要在消极情绪中沉溺太久，以免最终酿成情绪的失控。

3. 描述感觉法

当你情绪激动的时候，可以试着把注意力放在你身体的感觉上，去感觉“我现在心跳很快”、“我现在脸很红”、“我现在呼吸局促”等，当你关注自己身体的时候，实际上是将关注点从事件上转移。

4. 培养与人沟通的能力

不生气的时候，去和经常受你气的人谈谈。彼此听听对方最容易发怒的事情，想一个沟通感情的方式，注意不要生气。也许约定写张纸条，或做个缓和情绪的散步，这样你便不会继续用毫无意义的怒气来彼此虐待。经过几次缓和情绪的散步之后，你会发现冲动是多么愚蠢的一件事情。

5. 让冲动在运动中消失

心理学家发现，运动是有效解决愤怒的方法，尤其是多参加户外活动，主动做一些消耗体力的运动，如登山、游泳、武术或拳击等，使不快得以宣泄。当感觉自己的情绪无法控制时，可以主动做一些运动，让冲动的情绪随着汗水一起流淌掉。

6. 转移术

这也是一种相当好的压力减缓办法。当我们情绪不好的时候，我们可以尽量使自己的注意力转移到别的事情上去，当一种需求受阻或者遭到挫折时，可以用满足另一种需求来代偿。也可以通过分散注意力，改变环境来转移情绪的指向。你可以走到户外，看看远景或近物，伸伸腰踢踢腿，做个深呼吸。如果你在上班时撞到上司的怒火，这时要离座活动一下，然后让自己重新开始，千万别让上司的怒火影响你一天的情绪。还有，你要学会忘记，别在脑海中重现一些不愉快的过程。赶紧做些别的事情，或者工作起来，就是别让自己的情绪还停留在方才的事情上。

俄国文学家屠格涅夫，曾劝告那些易于爆发激情的人，“最好在发言之前把舌头在嘴里转上几圈”，通过时间缓冲，帮助自己的头脑冷静下来。在快要发脾气时，嘴里默念“镇静，镇静，三思，三思”之类的话。这些方法都有助于控制情绪，增强大脑的理智思维。

灵活，有很多事情是可以有多种处理办法的，遇事要灵活行事，不要那么僵硬，有时可以退让一下，给对方改变主意和态度的机会，选择方法要考虑事情的效果。

也可以用一个小本子专门记载每一次发脾气的原因和经过，通过记录和回忆，在思想上进行分析梳理，定会发现有很多脾气发得毫无价值，会感到很羞愧，以后怒气发作的次数就会减少很多。

我们每个人都避免不了会动怒，冲动情绪是一种心理病毒；它同其他病毒一样，可以使你重病缠身，一蹶不振。留心四周，你很容易就可以找到正在生气发怒的人们。商店里，也许顾客正在和营业员吵架；出租车上，司机也许正因交通堵塞而满脸怒色；公共汽车上，也许两人正在为抢占座位而大打出手……此种情形，举不胜举。那么你呢？是否动辄勃然大怒？是否让发怒成为你生活中的一部分，而且你是否知道：这种情绪根本无济于事？也许，你会为自己的暴躁脾气大加辩护：“人嘛，总都有生气发火的时候”、“我要不把肚子里的火发出来，非得憋死不可。”在这种借口之下，你不时地自我生气，也冲着他人生气，你似乎成了一个愤怒之人。

其实，并非人人都会不时地表露出自己的愤怒情绪，愤怒这一习惯行为可能连你自己也不喜欢，更不用他人感觉如何了。因此，你大可不必对它留恋不舍，它不能帮助你解决任何问题。在遇到发

怒的事情时，首先想想自己发怒有无道理，其次发怒后有何后果，然后想想是否有其他方式代替发怒。这样一想，你就可以变得冷静而情绪稳定。

一个人因为一件小事和邻居争吵起来，争论得面红耳赤，谁也不肯让谁。最后，那人气呼呼地跑去找牧师，牧师是当地最有智慧、最公道的人。

“牧师，您来帮我们评评理吧！我那邻居简直是一堆狗屎！他竟然……”那个人怨气冲冲，一见到牧师就开始了他的抱怨和指责，正要大肆指责邻居的不对，就被牧师打断了。

牧师说：“对不起，正巧我现在有事，麻烦你先回去，明天再说吧。”

第二天一大早，那人又愤愤不平地来了，不过，显然没有昨天那么生气了。

“今天，您一定要帮我评出个是非对错，那个人简直是……”他又开始数落起别人的劣行。

牧师不快不慢地说：“你的怒气还是没有消除，等你心平气和后再说吧！正好我的事情还没有办好。”

一连好几天，那个人都没有来找牧师了。牧师在前往布道的路上遇到了那个人，他正在农田里忙碌着，他的心情显然平静了许多。

牧师问道：“现在，你还需要我来评理吗？”说完，微笑地看着对方。

那个人羞愧地笑了笑，说：“我已经心平气和了！现在想来也不是什么大事，不值得生气的。”

牧师仍然不快不慢地说：“这就对了，我不急于和你说这件事情就是想给你时间消消气啊！记住：不要在气头上说话或行动。”

怒气有时候会自己溜走，稍稍耐心地等一下，不必急着发作，否则会惹出更多的怒气，付出更大的代价。

面对事情，心平气和方能化解一切矛盾。人生路上会遇到许多不如意的事，磕磕绊绊也少不了，是心平气和地去化解，还是怒气冲天的去对待，往往一件小事就能决定你今后的命运如何。

心理专家建议：平时可以努力增加自己的积极情绪，具体方法有三：一是多交朋友，把自己的心情及时与朋友们分享，在群体交往中得到快乐；二是给自己以成就感，对于成功每个人都会感到开心，我们树立一些人生的小目标，把这些小目标实现，每一次实现都能给你带来愉悦的满足感；三，最重要的就是学会辩证的看待挫折和失败，那是无法避免的，当你也遭遇它们的时候，不要伤心绝望，要看到在这些挫折与失败背后蕴藏的东西。

左右你一生的心理学

1. 自制是一种难得的美德，学会自制的人才能控制别人，冷静的人是永远的胜者。维持你对自己的控制，保持你所拥有的冷静与沉着，也就意味着保持住了你的胜利。

2. 遇到容易发怒的事情，一定要忍耐下来，然后想想解决的方法。如果被一时的愤怒冲昏头脑，可能更加不利于事情的解决。

3. 要想改变人生，首先要改变自己的心境。平和的心境会有平和的生活。

从今天起我要学会控制情绪

情绪是身体对行为成功的可能性乃至必然性，在生理反应上的评价和体验，包括喜、怒、忧、思、悲、恐、惊七种。行为在身体动作上表现得越强就说明其情绪越强，如喜会是手舞足蹈、怒会是咬牙切齿、忧会是茶饭不思、悲会是痛心疾首等等就是情绪在身体动作上的反应。坏的情绪直接影响健康，因此，要学会控制情绪。

《羊皮卷》第六卷，控制情绪篇这样写道：

潮起潮落，冬去春来，夏末秋至，日出日落，月圆月缺，雁来雁往，花开花谢，草长瓜熟，自然界万物都在循环往复的变化中，我也不例外，情绪会时好时坏。

今天我要学会控制情绪。

这是大自然的玩笑，很少有人窥破天机。每天我醒来时，不再有旧日的心情。昨日的快乐变成今天的哀愁，今天的悲伤又转为明日的喜悦。我心中像一只轮子不停地转着，由乐而悲，由悲而喜，由喜而忧。这就好比花儿的变化，今天枯败的花儿蕴藏着明天新生的种子，今天的悲伤也预示着明天的快乐。

今天我要学会控制情绪。

我怎样才能控制情绪，以使每天卓有成效呢？除非我心平气和，否则迎来的又将是失败的一天。花草树木，随着气候的变化而生长，而我却不可能为自己创造天气，但我可以学会用自己的心灵弥补气候的不足。如果我为顾客带来风雨、忧郁、黑暗和悲观，那么他们也会报之以风雨、忧郁、黑暗和悲观，而他们什么也不会买。相反的，如果我们为顾客献上欢乐、喜悦、光明和笑声，他们也会报之以欢乐、喜悦、光明和笑声，我就能获得销售上的丰收，赚取成仓的金币。

今天我要学会控制情绪。

我怎样才能控制情绪，让每天充满幸福和欢乐？我要学会这个千古秘诀：弱者任思绪控制行为，强者让行为控制思绪。每天醒来当我被悲伤、自怜、失败的情绪包围时，我就这样与之对抗：

沮丧时，我引吭高歌。

悲伤时，我开怀大笑。

病痛时，我加倍工作。

恐惧时，我勇往直前。

自卑时，我换上新装。

不安时，我提高嗓音。

穷困潦倒时，我想象未来的富有。

力不从心时，我回想过去的成功。

自轻自贱时，我想想自己的目标。

总之，今天我要学会控制自己的情绪。

从今往后，我明白了，只有低能者才会江郎才尽，我并非低能者，我必须不断对抗那些企图摧垮我的力量。失望与悲伤一眼就会被识破，而其他许多敌人是不易觉察的，它们往往面带微笑，却随时可能将我们摧垮。对它们，我们永远不能放松警惕，应该：

自高自大时，我要追寻失败的记忆。

纵情得意时，我要记得挨饿的日子。

洋洋得意时，我要想想竞争的对手。

沾沾自喜时，不要忘了那忍辱的时刻。

自以为是时，看看自己能否让风驻步。

腰缠万贯时，想想那些食不果腹的人。

骄傲自满时，要想到自己怯懦的时候。

不可一世时，让我抬头，仰望群星。

今天我要学会控制情绪。

有了这项新本领，我也更能体察别人的情绪变化。我宽容怒气冲冲的人，因为他尚未懂得控制自己的情绪，就可以忍受他的指责与辱骂，因为我知道明天他会改变，重新变得随和。

我不再只凭一面之交来判断一个人，也不再一时的怨恨与人绝交，今天不肯花一分钱买金篷马车的人，明天也许会用全部家当换树苗。知道了这个秘密，我可以获得极大的财富。

今天我要学会控制情绪。

我从此领悟人类情绪变化的奥秘。对于自己千变万化的个性，我不再听之任之，我知道，只有积极主动地控制情绪，才能掌握自己的命运。

我成为自己的主人。

我由此而变得伟大。

人是一种具有思维和感情的动物，所以每个人都有情绪的波动，这也是人和其他动物的不同之处。不过，现实生活中有人的自制能力很强，喜怒不形于色；有人则说哭就哭，说笑就笑，说生气就生气。

最近，美国密歇根大学心理学家南迪·内森的一项研究发现，一般人的一生平均有十分之三的时间处于情绪不佳的状态，因此，人们常常需要与那些消极的情绪作斗争。

情绪变化往往会在我们的一些神经生理活动中表现出来。比如：当你听到自己失去了一次本该到手的晋升机会时，你的大脑神经就会立刻刺激身体产生大量起兴奋作用的“正肾上腺素”，其结果是使你怒气冲冲，坐卧不安，随时准备找人评评理，或者“讨个说法”。

当然，这并不意味着你应该压抑所有这些情绪反应。事实上，情绪有两种：消极的和积极的。我们的生活离不开情绪，它是我们对外面世界正常的心理反应，我们所必需的只是不能让我们成为情绪的奴隶，不能让那些消极的心境左右我们的生活。

消极情绪对我们的健康十分有害，科学家们已经发现，经常发怒和充满敌意的人很可能患有心脏病，哈佛大学曾调查了1600名心脏病患者，发现他们中经常焦虑、抑郁、和脾气暴躁者比普通人高三倍。

因此，可以毫不夸张地说，学会控制你的情绪是你生活中一件生死攸关的大事。

以下是心理学专家提供的几条最新劝告：

1. 寻找原因

当你闷闷不乐或者忧心忡忡时，你所要做的第一步是找出原因。30岁的明明是一名广告公司职员，她一向心平气和，可有一阵子却像换了一个人似的，对同事和丈夫都没好脸色，后来她发现扰乱她心境的是担心自己会在一次最重要的公司人事安排中失去职位。“尽管我已被告知不会受到影响，”她说，“但我心里仍对此隐隐不安。”一旦明明了解到自己真正害怕的是什么，她似乎就觉得轻松了许多。她说：“我将这些内心的焦虑用语言明确表达出来，便发现事情并没有那么糟糕。”

找出问题症结后，明明便集中精力对付它。“我开始充实自己，工作上也更加卖力。”结果，明明不仅消除了内心的焦虑，还由于工作出色而被委以更重要的职务。

2. 尊重规律

加州大学心理学教授罗伯特•塞伊说：“我们许多人都仅仅是将自己的情绪变化归之于外部发生的事，却忽视了它们很可能也与你身体内在的‘生物节奏’有关。我们吃的食物，健康水平及精力状况，甚至一天中的不同时段都能影响我们的情绪。”

塞伊教授的一项研究发现，那些睡得很晚的人更可能情绪不佳。此外，我们的精力往往在一天之始处于高峰，而在午后则有所下降。“一件坏事并不一定在任何时候都能使你烦心，”塞伊说，“它往往是在你精力最差时影响你。”

塞伊教授还做过一个实验，他在一段时间里对125名实验者的情绪和体温变化进行了观察。他发现，当人们的体温在正常范围内处于上升期时，他们的心情要更愉快些，而此时他们的精力也最充沛。根据塞伊教授的结论，人的情绪变化是有周期的。塞伊本人就严格遵循着这一“生物节奏”的规律，他往往很早就开始，“我写作的最佳时间是早上”，而在下午，他一般都用来会客和处理杂事，“因为那时我的精力往往不够集中，更适合与人交谈”。

3. 睡眠充足

最近一项调查表明，成年人平均每晚的睡眠时间不足七小时。

匹兹堡大学医学中心的罗拉德•达尔教授的一项研究发现，睡眠不足对我们的情绪影响极大，他说：“对睡眠不足者而言，那些令人烦心的事更能左右他们的情绪。”

那么，一个成年人到底睡多长时间才足够呢？达尔教授做了一个实验，他在一个月的时间里，让14名被试者每晚在黑暗中呆14个小时，第一晚，他们每人几乎睡了11个小时，仿佛是要补回以前没睡够的时间，此后，他们的睡觉时间满满地稳定在每晚8小时左右。

在此期间，达尔教授还让被试者一天两次记录他们的心情状态，所有的人都说在他们睡眠充足后心情最舒畅，看待事物的方式也更乐观。

4. 亲近自然

许多专家认为与自然亲近有助于你心情愉快开朗，著名歌手弗•拉卡斯特说：“每当我心情沮丧、抑郁时，我便去从事园林劳作，在与那些花草林木的接触中，我的不快之感也烟消云散了。”

假如你并不可能总到户外去活动，那么，即使走到窗前眺望一下青草绿树也对你的心情有所裨益。密歇根大学心理学家斯蒂芬•开普勒做过一个有趣的实验，他分别让两组人员在不同的环境中工作，一组的办公室窗户靠近自然景物，另一组的办公室则位于一个喧闹的停车场，结果他发现，前者比后者对工作的热情更高，更少出现不良心境，其效率也高得多。

5. 经常运动

另一个极有效地驱除不良心境的自助手段是健身运动。哪怕你只是散步十分钟，对克服你的坏心境都能收到立竿见影之效。研究人员发现，健身运动能使你的身体产生一系列的生理变化，其功效与那些能提神醒脑的药物类似。但比药物更胜一筹的是，健身运动对你是有百利而无一害。不过，要做到效果明显，你最好是从事有氧运动——跑步、体操、骑车、游泳和其他有一定强度的运动，运动之后再洗个热水澡则效果更佳。

6. 合理饮食

大脑活动的所有能量都能来自于我们所吃的食物，因此情绪波动也常常与我们吃的东西有关。《食物与情绪》一书的作者索姆认为，对于那些每天早晨只喝一杯咖啡的人来说，心情不佳是一点也不足为怪的。索姆建议，要确保你心情愉快，你应养成一些好的饮食习惯：定时就餐(早餐尤其不能省)，限制咖啡和糖的摄入(它们都可能使你过于激动)，每天至少喝六至八杯水(脱水易使人疲劳)。

据最新研究表明，碳水化合物更能使人心境平和、感觉舒畅。马塞诸塞州的营养生化学家詹狄斯•瓦特曼认为，碳水化合物能增加大脑血液中复合胺的确含量，而该物质被认为是一种人体自然产生的镇静剂。各种水果、稻米、杂粮都是富含碳水化合物的食物。

善于控制、治理自身情绪的人，能够消除情绪的负效能，最大限度地开发情绪的正效能。这种能力，对任何一个人来说，都是很必要的。善于管理自己情绪的人，无论在哪里，都会受到欢迎，在事业上亦较容易成功。而那些不善管理自己情绪的人，很少人愿意

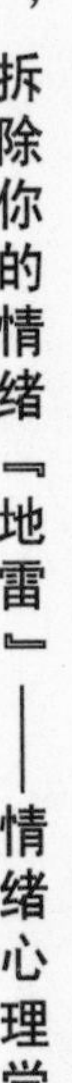

跟他做朋友，连朋友都交不上的人，想要成功也是难上加难。

有位秀才进京赶考，歇脚在一个客栈里。考试前他做了两个梦，第一个梦是梦到一个下雨天，自己戴着斗笠打着伞，第二个梦是梦到自己在屋顶上种白菜。醒来后，觉得这两个梦有点怪，于是第二天一大早，他就赶紧去找算命先生解梦。

那个算命先生一听，严肃地摇了摇头，叹息道："可惜呀，可惜，你还是回家去吧，今年你铁定是考不上了。你想想，戴着斗笠还打伞，这是说你多此一举；屋顶上没有土，在那上面种白菜，这是说你白费劲，啥也得不到！"秀才一听，心立刻就凉了，回客栈就收拾行李，准备回家。那个客栈的老板非常奇怪，问："马上就要考试了，你怎么现在回家呀？"秀才就把刚才算命先生的话如此这般说了一番，店老板一听就乐了："你这个读书人哟，你可真实在，那个算命先生的话呀根本听不得，要不我也会解梦，我给你解解看。我看呀，你这次一定要留下来。你想想，戴着斗笠还打伞，这说明你这次有备无患；在屋顶上种菜，那么高的地方种菜，不是高种(中)吗？"

秀才一听，觉得这位店老板说得很在理，于是精神振奋地参加考试。皇榜出来了，他居然中了个榜眼，得知这个消息，他给那家店的老板送了一份大礼。

看了这个故事，你是否有些感触，想法决定我们的生活，有什么样的想法，就有什么样的未来。在这个故事里，秀才虽然迷信，但是后来他调整了自己的情绪，让积极的心态保留了下来，所以他取得了好成绩。保持你的好心态有助于自己的成功。我们要做自己情绪的主人，时刻让自己保持阳光的心态。阳光心态是积极向上的一种心态，对工作效率的提升和良好工作氛围的营造起着极其重要的作用。阳光心态的塑造可建立积极的价值观、获得健康的人生和释放强劲的影响力。

今天的社会里，有很多人因为某些事情经常出现，而总是陷入负面情绪之中。而每当某种负面情绪出现时，他们便束手无策，总是导致某些行为出现，这完全是不必要的。在同样事情之中，我们可以有不同情绪的选择；而同样情绪出现，我们也可以选择有不同的行为。

一切的选择都在于你自己。

左右你一生的心理学

1. 人人都会有情绪，但是，若想成为人生战场上的常胜将军，你就得学会好好控制它。

2. 管理自己的情绪，不但有益身心健康，而且能使自己的工作效能提高。

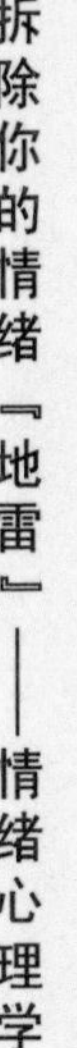

快乐生活，健康从“心”开始——幸福心理学

戴尔·卡耐基曾说过：“快乐的人生，意味着心中充满阳光。”把自己置于百姓们平淡如水的衣、食、住、行中，才会在司空见惯的日子里一点点吮吸着人间的真情，在默默付出的同时，获得精神的满足和幸福，我们何乐而不为呢？只要内心深处把阳光锁定，时刻保持一颗健康明丽之心，就会让内心充满阳光！

平常心——生活是一种平淡，平平淡淡才是真

什么是平常心？一是不高估或低估自己的能力，具体表现为对自己做任何事的成功和失败的概率有准确的预测。二是既积极主动，要尽力而为，又顺其自然，不苛求事事完美。有从容淡定的自信心。

有一个美国商人坐在墨西哥海岸边一个小渔村的码头上，看着一个渔夫划着一艘小船靠岸，小船上有好几尾大黄鳍鲔鱼。这个美国商人对墨西哥渔夫捕到这么高档的鱼恭维了一番，问他要多少时间才能捕到这么多？

墨西哥渔夫说："不一会儿工夫就捕到了。"

美国人又问："你为什么不多呆一点，好多捕一些鱼？"

墨西哥渔夫不以为然地说："这些鱼已经足够我一家人生活所需啦！"

美国人又问："那么你一天剩下那么多时间都在干什么呢？"

墨西哥渔夫解释："我呀，我每天睡到自然醒，出海捕几条鱼，回来后跟孩子们玩一玩，再睡个午觉，黄昏时晃到村子里喝点小酒，跟哥儿们玩玩吉他，我的日子可过得充满又忙碌呢！"

美国商人不以为然，帮他出主意说："我是美国哈佛大学企管硕士，我倒是可以帮你忙！你应该每天多花一些时间去捕鱼，到时候你就有钱去买条大一点的船。自然你就可以捕更多鱼，再买更多

渔船。然后你就可以拥有一个渔船队。到时候你就不用把鱼卖给鱼贩子，而是直接卖给加工厂。或者你可以自己开一家罐头厂。这样你就可以控制整个生产、加工处理和行销。然后你可以离开这个小渔村，搬到墨西哥城，再搬到洛杉矶，最后到纽约。在那里经营你不断扩充的企业。”

墨西哥渔夫问：“这要花多少时间呢？”

美国人回答说：“十五到二十年。”

墨西哥渔夫问：“然后呢？”

美国人大笑着说：“然后你就可以在家运筹帷幄。时机一到，你就可以宣布股票上市，把你的公司股份卖给投资大众。到时候你就大发啦！你可以几亿几亿地赚！”

墨西哥渔夫问：“再然后呢？”

美国人说：“到那个时候你就可以退休啦！你可以搬到海边的小渔村去住。每天睡到自然醒，出海随便捕几条鱼，跟孩子们玩一玩，再睡个午觉，黄昏时，晃到村子里喝点小酒，跟哥儿们玩玩吉他！”

墨西哥渔夫不屑地说：“有那么复杂吗？我现在不是已经享受退休的待遇吗？”

其实，生活中有很多简单的事情都让我们复杂化了。简单就是美，容易实现，快乐即时兑现。很多不快乐的人，他们的痛苦源自对追求丧失了信心。他们不像快乐的人非常清楚如何安排生活，不快乐的人，每天睁开眼睛总是迷茫地自问：“我究竟要干什么？”

我们时常抱怨每天的生活平淡乏味，其实，生活原本就是平淡无奇的。人的生活之所以会有所不同，当然是由于诸多因素的影响，但从根本上说是由于存在不同的心态。任何人的生活都有一个常规，而这个常规意味着每天要过同样的生活，平淡无奇的生活。曲折是有的，高潮是有的，但更多的还是平淡无奇，甚至是艰难困苦、需要拼搏的生活，这就要靠我们抱着一颗从容稳定而又积极热情的心去体验了。

大凡简洁而执着的人常有充实的人生。一个人若时常追求复杂而奢侈的生活，则苦难没有尽头，不仅贪欲无度，烦恼缠身，而且日夜不宁，心无快乐。因为复杂，往往浪费了宝贵的时间；因为奢侈，极有可能断送美好的人生。因为简洁，每每能找到生活的快乐；因为执着，时时能感觉没有虚度每一天。平凡是人生的主旋律，简洁则是生活的真谛。

我们周围有很多人，当他们下了班之后，如同泄了气的皮球，整个人瘫坐在电视前面，要不就是酗酒、豪赌，生活得无奈。

从心理角度讲：身体对于食物的反应，会影响身体的健康；而情绪对于外在刺激所产生的反应，则影响心理的健康。每天我们所经历的事情，有愉快的，有悲伤的。这时，就需要我们有一颗平静的心了。

如果我们的心境理智平和，自然会过滤掉所有对我们不利的思想和情绪，而不会受到影响。我们要抛开所有消极与否定的思想，才能达到这种理想的境界。而所谓的“抛开”，也包括把消极的思想转变为积极的思想。也就是我们要多想想愉快的事情，不要去钻牛角尖。

欧•亨利曾经因为犯案而被判刑，其后他并未因此而愤世嫉俗，而是致力于写作，终于成为文学史上不朽的人物。

杰克•伦敦把早年遭受的挫折写成小说，成为全国知名的作家，那些故事至今仍然被视为文学的瑰宝。

挪威的移民努特•汉生一生尝试许多事情均告失败。最后，在绝望之中，他决定把所有失望的故事写成一本书，书名是《饥饿》。这本书让汉生赢得诺贝尔文学奖，来自世界各地登门求稿的出版商络绎不绝，使他名利双收，从此悠闲度日。

心理学家认为：在生活中，我们每一个人一生所经历的事情，无论是好还是坏，事件的本身并不重要，重要的是我们对事情的感

受及反应。我们每个人都可以把所有不愉快的经验，转变成对个人及世界极有利的契机。

狄更斯的初恋失败了。他没有从高楼上跳下轻生，或是吞服大量的安眠药。他把苦恋写成《大卫•科波菲尔》一书，使他在文坛上大放异彩，拥有无上的荣耀和财富。

我们必须承受一连串的挫折、失望、打击和失败，才能找到真正的自我。

杜鲁门曾经是一名失败的成衣商，日后却成为美国的总统。我们所谓的失败和打击，大多是使我们发掘更多的机会，得到更大的快乐，更能领悟人生的真意。

有一名矿工穷其一生都在寻找金矿。他忠实的骡子，驮着所有家当和淘金的工具，跟着他四处寻宝。有一次骡子掉进一个洞里，跌断了腿，矿工只好开枪射杀骡子。在他设法把骡子的腿从洞里拉出来时，意外地发现了世界上最丰富的铜矿。

每当我们遭遇挫折或逆境时，都可能有一位无形的朋友默默地努力，想要帮我们脱离困境。为此，我们要持有一颗平静的心，对于我们尚未达成的目标充满期待，而不要去想过去所遭遇的挫折和失望。

我们的心属于我们自己，我们是内心唯一的主人。把所有负面的反应都阻隔在心门之外，我们就能找到内心的平静与喜悦。保有一颗平静的心，平静的走过你生命中的每一天。

当今时尚无论是物品的价值或是对于人的评价，大都以金钱来衡量，愈贵的东西就被认为愈有价值，愈有钱的人就愈伟大，可以说拜金主义泛滥。如此一来，多年形成的道德和价值观随之发生了变化，大多数人处在迷茫、徘徊的状态中，导致自我心态把握上的失准，继而陷入名利诱惑的苦海中不能自拔。

人不能脱离现实而存在，纯粹地杜绝欲望的人也是不存在的，关键在于，是否能够时时自省，不丧失自我的真性，追求真而自然的品格。诚如书中所言："保持自我的真性，不陷于贪欲和争斗，对于一个悟得平常心的人来说，即是正确而明智的抉择。"平常心说起来容易，做起来很难，贵在守恒。

真正领悟平常心的意义，并以此为人生准则，从中获取无限的欢乐与满足，做一个永远幸福的人，既需要有崇高的精神境界，又要有睿智的理性思考。

左右你一生的心理学

1. 做好每天要做的事情，享受生活，享受做好每一件事情所带来的快乐，就会有足够的力量承担一旦到来的挫折和痛苦。

2. 人生在世，谁都会遇到许多不尽如人意的事，关键是你要以一个平和的心态去面对这一切。世界总是平凡人的世界，生活更是大众的生活。所以我们要在平和的心态中寻找一份希望，驱散心中的阴霾。

得失心理——丰满人生在得失之间

得与失，并不是单独存在的，往往就是事物的正反两个方面，有时得到这个却要失去其他，有时失去了却可能因此得到别的机会。

有一个故事说：在一个暴风雨的夜里，你驾车经过一个车站。车站上有三个人在等巴士，其中一个是病得很严重的老妇人，一个是曾经救过你命的医生，还有一个是你长久以来的梦中情人。如果你只能带上其中一个乘客走，你会选择哪一个？

答案里面，很多人都只选了其中唯一一个选项，而最好的答案是："把车钥匙给医生，让医生带老人去医院，然后我和我的梦中情人一起等巴士。"

是因为我们从来不想放弃任何好处吗，就像那车钥匙？有时候，如果我们可以放弃一些固执，甚至是利益，我们反而可以得到更多。

你没有美丽，但是你可以让自己拥有一颗美丽的心灵；你不是天才，但是因此你可能会更加勤奋……不要抱怨上天的不公平，让你失去太多、得到太少，想想看，其实每个人都不可能拥有全部，你只要珍惜自己手里已经拥有的就足够了。

年少时，总以为什么都可以得到：得江山、得财富、得佳偶。成年时，方知失远远大于得。七十二行，能择几行？漫天飞鸟，能逮几只？天下美景，又能揽几处？

俗语说得好：有得必有失，有失必有得，不得不失，不失不得。

有时间，你可能为一时的不如意而恨天怨地，可是，塞翁失马，又能焉知非福？在你失去的同时，转过头来，看看你同时得到了些什么？

歌德提醒我们："你失去了财富，你只失去了一点点，你失去了名誉，你就失去了很多，你失去了勇气，你就什么都失去了。"仔细想想，我们在得到财富的同时是不是失去了名誉？我们在身处困境的时候是不是失去了勇气？假如你还葆有高尚，假如你还拥有永远向前的勇气，那么祝贺你。

究竟应该怎么对待我们的得与失？也许我们常常会在这个问题面前迷惑。因为我们每个人都是那么普通、那么复杂，我们常常充满了各种欲望，当我们拥有了财富，我们还希望拥有权利，当我们拥有了权利，我们还想永远保持权力……一个接着一个的欲望，一个接着一个的要求，有一天也许你会发现这些欲望最终会把你带向堕落，甚至是犯罪。今天，因为权利、金钱、美色落马的高官并不少，因为婚外恋情而破裂的家庭也很多……那么，这样的得与失我们要如何选择呢？最简单的方法，就是安静下来，好好地问问自己，什么对你最重要，那么这个东西就是你要努力去奋斗的目标，这个目标之外的东西你完全可以放弃。当我们扪心自问的时候，也许我们会发现，家庭、朋友、心灵的安宁等等才是对我们最重要的，那么就不要再被那些无谓的欲望所诱惑了吧。

老子也曾说过："祸兮福之所倚，福兮祸之所伏。"因此得到了不一定就是好事，失去了也不见得就是坏事。认识人、认识事物，都应该是认识其根本，得也应得到真的东西，不要为虚幻的假象所迷惑。失去固然可惜，但也要看失去的是什么，如果是自身的缺点，虚幻不实的东西，这样的失去又有什么值得惋惜的呢？

生活中有时需要我们选择。但什么才是最难舍弃的，是一种道义，还是一段感情？为什么不能抛开和牺牲一些东西，而去获得另一些永恒？

一位青年在高速行驶的火车上一不小心将刚买的新鞋从窗口弄掉了一只，周围的人倍感惋惜，不料那青年立即把第二只鞋也从窗

口扔了下去。这一举动令大家很吃惊，青年解释道：

“这一只鞋无论多么昂贵，对我而言都没用了，如能有谁捡到一双鞋子，说不定他还能穿呢！”

换一个角度看问题，你会发现很多积极的东西。

一个孩子伸手到一个装满榛果的瓶里去，他尽其所能地抓了一把榛果。当他想把手收回来时，手却被瓶口卡住了。他既不愿放弃榛果，又不能把手缩出来，不禁伤心地哭了起来，一个旁人对他说：“如果你只拿一半，让你的拳头小些，那你的手就可以很容易地拿出来了。”

我们多少次站在人生的岔道口上，无论我们愿不愿意都要面临诸多选择。有选择就有放弃，趋利避害是人的本能，生活中有许多事情是要我们迎难而上，努力拼搏才能取得最后的胜利。但如果目标不对，一味地流汗只意味着偏执，是一种无谓的牺牲。有人说：“我以一生的精力去做一件事，十年、二十年……再笨也会成为某一面的专家。”但是如果这条路不适合你，自信和执着只能使你身陷泥潭，不能自拔。

心理学家告诉我们：人生在世不要过多计较成败得失，生命是短暂的，放下心中的不快，把握好眼前的人生，去安心体会生命的意义，这就是命之所在。

人生即哲学，可许多人无法悟透其中的道理。凡事都有一个度和量，过分追求本不该属于自己的东西，往往会适得其反，失去自己原本拥有的东西。该得则得，该放就放，一张一弛乃人生一大智慧。

在人生漫漫长路上，会面临着很多选择，有选择就有放弃。选择什么，放弃什么，这是一门学问。人生最重要的是机遇，而正确的放弃，则是真正把握住了机遇。

一个人在沙漠里迷失了方向，酷暑难熬，饥渴难忍。正当快撑不住时，他发现了一幢废弃的小屋，屋子里居然还有一台抽水机。

他兴奋地上前汲水，却怎么也抽不出半滴水来。这时，他看见抽水机旁，有一个装满了水的瓶子，瓶上贴了一张纸条，上面写着：你必须用水灌入抽水机才能引水！不要忘了，在你离开前，请再将水装满！

怎么办？能抽出水当然好，要是水浪费掉了而抽不出水呢？自己不是有可能死在这里吗？如果将瓶中的水喝了，还能暂时远离饥渴啊。这个人犹豫不决。

想来想去，他还是将水倒进抽水机，不一会，就抽出了清冽的泉水，他不仅喝了个够，还带足了水，最终走出了沙漠。

临走前，他把瓶子装满水，然后在纸条上加了几句话：纸条上的话是真的，你只有先舍弃瓶中的水，才能得到更多的水！

有一得必有一失，只有放弃一些东西，才有更多的收获。在沙漠中迷失了方向的人，放弃了维系生命的一瓶水，却得到了维系生命的全部水源。人生好比一个房间，想要搬进新的家具、电器什么的，就得先丢掉一些东西。放弃不是失去，正确的放弃往往是一个全新的转折点，是一个脱胎换骨的再生过程。

老鹰是世界上寿命最长的鸟类，它可以活 70 多岁。但是，当老鹰活到 40 岁时，它的爪子开始老化，无法有效地抓住猎物；它的喙变得又长又弯，几乎张不开嘴；它的翅膀变得十分沉重，飞翔十分吃力。

这时候，老鹰会经历一个十分痛苦的过程。它在悬崖上筑巢，停留在那里，不得飞翔，并用喙击打岩石，直到完全脱落。然后静静地等候新的喙长出来，再用新长出的喙把指甲一根一根地拔出来，当新的指甲长出来后，它们便把羽毛一根一根地拔掉。5 个月以后，老鹰得以再生，重新鹰击长空，潇潇洒洒度过后来三十年的岁月！

在我们的生命中也是一样，有时候我们必须做出放弃甚至牺牲，才能开始一个崭新的历程。老鹰经历了一个十分痛苦的蜕变过程，

但它又获得了新生，它的生命又延续了三十年，有失必有得。

正确的放弃不是逃避、不是懦弱，而是理智的选择。在生活中，我们常常遇到“鱼和熊掌”不可兼得的情况，为了得到熊掌，只有放弃鱼。为了得到更大更长久的利益，只有先放弃一些好处，甚至是忍痛割爱。

心理学家讲：人生总有得与失，对待得失，关键是要调整自己，从而保持积极的心态。积极心态要求你在生活中的一时一事中学会积极的思想，积极思想是一种思维模式，它使我们在面临恶劣的情形时仍能寻求最好的、最有利的结果。换句话说，在追求某种目标时，即使举步维艰，仍有所指望。事实也证明，当你往好的一面看时，你便有可能获得成功。积极思想是一种深思熟虑的过程，也是一种主观的选择。

人生苦短，每一步全靠自己用心去把握。有些时候，经过艰辛的努力，即将得到之时，却不翼而飞，失的不明不白。也有些时候，正在心灰意冷、豪无准备的时候，天上却掉下一个“馅饼儿”，得的不清不楚。更多的时候，是种瓜得瓜，种豆得豆——丰满人生在得失之间！

左右你一生的心理学

1. 很多时候看似简单的一个道理，我们能够理解，却很难真正做到。生活可以历练一个人，而这需要我们懂得总结。当你懂得分辨事物的对错和好坏时，你就能够正确的对待，并时时省悟自己。

2. “事能知足心常乐，人到无求品自高”是心境。放下即舍，有舍必得，舍弃的是身外的，而得到的是那份无求的心境，是更多的福分。

欲望心理——不能被贪念打败，知足常乐

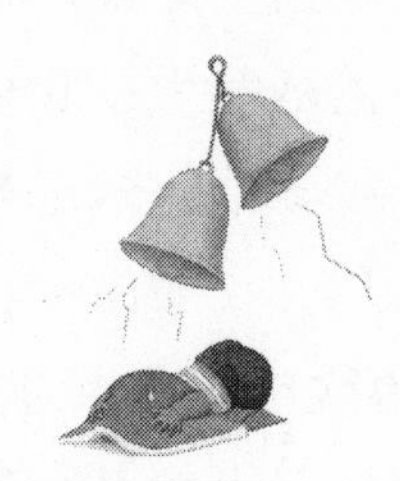

欲望是指想得到某种东西或达到某种目的的要求。对欲望不理解，人就永远不能从桎梏和恐惧中解脱出来。如果你摧毁了你的欲望，可能你也摧毁了你的生活。如果你扭曲它，压制它，你摧毁的可能是非凡之美。

有一位禁欲苦行的修道者，准备离开他所住的村庄，到无人居住的山中去隐居修行，他只带了一块布当做衣服，就一个人到山中居住了。后来他想到当他要洗衣服的时候，他需要另外一块布来替换，于是他就下山到村庄中，向村民们乞讨一块布当做衣服，村民们都知道他是虔诚的修道者，于是毫不犹豫地就给了他一块布。

当这位修道者回到山中之后，他发觉在他居住的茅屋里面有一只老鼠，常常会在他专心打坐的时候来咬他那件准备换洗的衣服，他早就发誓一生遵守不杀生的戒律，因此他不愿意去伤害那只老鼠，但是他又没有办法赶走它，所以他回到村庄中，向村民要一只猫来饲养。

得到了猫之后，他又想到了："要吃什么呢？我并不想让猫去吃老鼠，但总不能跟我一样吃一些野菜吧！"于是他又向村民要了一头乳牛，这样那只猫就可以靠牛奶为生。

但是，在山中居住了一段时间以后，他发觉每天都要花很多时间来照顾那头奶牛，于是他又回到村庄中，他找了一个可怜的流浪汉，带着无家可归的流浪汉到山中居住，帮他照顾乳牛。

流浪汉在山中居住了一段时间之后，他向修道者抱怨："我跟你不一样，我需要一个太太，我要正常的家庭生活。"修道者想一想也有道理，他不能强迫别人一定要跟他一样，过着禁欲苦行的生活。

这个故事就这样演变下去，你可能也猜到了，到了后来，也许是半年以后，整个村庄都搬到山上去了。这其实正是发生在我们每个人身边的故事，欲望就像是一条链，一个牵扯着一个，永远都不能满足。

欲望，是一种与生俱来的东西，人有活着的欲望，有要吃饭、要穿衣、要住房的欲望。最基本的欲望得不到满足，当然是一种痛苦。但是，所有的欲望都得到了满足也未必是一种幸福——何况，人压根儿就不可能有所有的欲望都得到满足的时候，因为，欲望的尽头还是欲望。

托尔斯泰说："欲望越小，人生就越幸福。"这句话蕴含着深邃的人生哲理。它是针对"欲望越大，人越贪婪，人生越易致祸"而言的。古往今来，被难填的欲壑所葬送的贪婪者，多得不计其数。

心理学家告诉你：做人，切记不要太贪婪。

人之所以称万物之灵，就在于有理智。凭理智，人能自己控制自己；人也会比动物更蠢，那是因为人会丧失理智，自己连自己都控制不了。贪心一旦膨胀，膨胀到难以控制时，不仅会丧失理智，还会丧失人性。

如果一味地钻入钱眼里，就会一叶障目，再看不到别的东西，友谊、爱情、亲情，甚至生活都会被忽略掉。人生中钱固然重要，但也不能让钱成为枷锁，锁住了自由，更不能让钱成为坟墓埋葬了自己。

追求并拥有财富，大概是每个人都会有的梦想。关键是财富降临时，如何拥有它。

喀莱尔说："财富是能干的仆人，也是可怕的主人。"正确地驾驭财富，对你对社会都有好处，如果使用和运用不当，就会成为财富的奴隶，其后果怎样设想也不为过。

有一个穷人在田地里锄地，突然锄出一条小蛇，他不愿意打死它就对它说："你快逃吧，不然让人看见了会被打死的。"

小蛇迅速地跑了。

晚上，他做了一个梦，梦见一个白衣少年对他说："我是被你放生的小蛇，为了报答你，我可以帮你实现一个你的愿望。"

穷人说："我能有什么愿望呢，只要能过上有衣穿、有饭吃、有房住的日子就行了。"

小蛇说："这很简单，我给你一个盆，在盆里有一枚金币，你可以去盆里拿金币，每次拿一个，你永远也拿不完，但是要记住，不能太贪婪！"

穷人醒来，果然床前有一个小盆，里面有一个金币，他就拿金币，拿出一个还有一个，金币不断地出现，他总也拿不完。

穷人高兴极了，他不停地拿啊，拿啊。

金币越来越多了，足够他用的了，但他还不愿意停下来。

他饿了，就想，拿了更多的金币以后就可以天天吃佳肴。

他累了，就想，拿了更多的金币，以后就可以什么活都不用干了。

金币已经堆了很高很高了，他依然没有住手，他又累又饿，虚弱得快不行了。

他想："我不能停止，金币还在源源不断地出来啊！"最后他实在坚持不住了，想扶着堆得高高的金币站起来，没想到，没站稳，身子一歪靠在金币上，大堆的金币倒下来，把他砸死了。

贪婪的结果，只是葬送自己的性命。

从心理学角度讲：意外之财不可得，是人人皆知的。但当我们

偶尔拾遗时却会下意识地占有，并期盼再次的不劳而获，于是，有了贪婪。贪婪与懒惰是一对孪生兄弟，它们看不起劳作，忘记了手的功能，于是在馅饼掉下之前便饿死在贪欲上。

对于人们的“欲望”，佛经中的分类更为详尽。《大智度论》二十一卷中列出六类：一、色欲；二、形貌欲；三、威仪姿态欲；四、言语音声欲；五、细滑欲；六、人想欲。

美国俄亥俄大学的学者们近日宣布一项研究结果：人类所有的行为都是由15种基本的欲望和价值观所控制的。

参与测试和调查的2500名全美各阶层人士代表必须如实回答300多个设计好的问题，经过专家学者结合心理学和精神病学的综合分析，得出了15种基本欲望：

(1)好奇心：所有人对学习求知的渴望是不可抗拒的；

(2)食物：对食物的饱腹占有欲望是人本能的需求；

(3)荣誉感(道德)：以此满足个人心理，并构成一个完整的社会结构；

(4)被社会排斥的恐惧：这令人们被动自觉地遵守规矩；

(5)性：弗洛伊德将其置于“清单”的首位；

(6)体育运动：人们对运动锻炼健身的渴望是天性的；

(7)秩序：人人都希望在日常生活中占有一席之地；

(8)独立：对于自作主张的渴望；

(9)复仇：就像莎士比亚著作里的王子那样不会轻易忘记仇恨；

(10)社会交往：渴望成为众人中的一分子并拥有众多的朋友；

(11)家庭：与家人共享天伦之乐的欲望；

(12)社会声望：对名誉和地位的渴望；

(13)厌恶：对疼痛和焦虑的厌恶；

(14)公民权：对服务公共和社会公正的渴望；

(15)力量：希望影响别人。

那么，是什么控制人的这些欲望呢？心理学家学者研究后发现：

一是信仰(道德)，占 80%；二是制度(法律)，占 20%。所以人的正确行为主要源自正确的信仰和道德。

如何正确对待欲望？心理专家告诉你：

1. 节制欲望

有钱人总希望钱再多些；有权的人总企求地位再高些；有名的人总渴望名气再大些。人的欲望是永无止境的。节制欲望，也许你的生活会更快乐。如果我们得不到我们希望拥有的东西，最好不要让忧虑和悔恨来苦恼我们的生活。让我们把一切看得平淡些，看得轻松些，不要期望太高，也不要过分地求全苛刻。

2. 学会放弃

不贪婪就不会有太多坎坷，无论是喜欢一样东西也好，喜欢一个位置也罢，与其让自己负累，不如轻松地去面对、去欣赏。人生短暂几十年，赤条条来，又赤条条去，何必物欲太强，贪占身外之物？“身外物，不奢恋”是思悟后的清醒，它不但是超越世俗的大智大勇，也是放眼未来的豁达襟怀。谁能做到这一点，谁就会遇事想得开，放得下，活得轻松，过得自在。

3. 懂得知足

罗马政治家及哲学家塞尼加也说：“如果你一直觉得不满，那么即使你拥有了整个世界，也会觉得伤心。”让我们记住，即使我们拥有整个世界，我们一天也只能吃三餐，一次也只能睡一张床，即使是一个挖水沟的工人也可以得到这种享受，而且他们可能比世界首富吃得更津津有味，睡得更安稳。

学会知足，才会感恩，也才会懂得珍惜。而懂得珍惜现有的人往往会得到更多。所以，我们要知足常乐，开心快乐地走完自己的人生路。

其实人生在世，好多美好的东西并不是我们无缘得到，而是我们的期望太高，往往在刚要接近一个目标时，又会突然转向另一个更高的目标。西方一位哲人曾说过这样一句话：“人的欲望是座火

山，如不控制就会害人伤己。”

许多老年人，都有这样的话，就是知足常乐。其实这就是欲望管理问题，在物质丰富程度不能够马上解决的情况下，对自我的欲望管理就显得特别重要。欲望高就痛苦，欲望低就快乐。这样的痛苦，就是被自己欲望折磨的结果。但是我们许多人不会欲望的管理，甚至还常常和别人比较，结果更加痛苦。

左右你一生的心理学

1. “当你紧握双手时，里面什么也没有，当你打开双手，世界都在你的手中。”因此，我们在很多时候都应该懂得舍弃。贪婪是一种诱惑，会让你永远不会满足。

2. 美好的东西实在数不胜数，我们总是希望得到尽可能多的东西，其实欲望太多，反而会成了累赘，还有什么比拥有淡泊的心胸，更能让自己充实满足呢？选择淡泊，抛弃贪婪吧！

乐观心理——心中有阳光，神采就会飞扬

乐观，是一种最为积极的性格因素之一。乐观就是在无论什么情况下，即使再差也保持良好的心态，也相信坏事情总会过去，相信阳光总会再来的心境。

有个老太太生了两个女儿。大女儿嫁给伞店老板，小女儿当了染坊店的主管。于是老太太整天忧心忡忡，逢上晴天，她怕大女儿伞店的雨伞卖不出去；逢上雨天，她又担心小女儿染出的布晾不干。老太太天天为女儿担忧，日子过得很忧郁，久而久之，愁出了一身的毛病。

后来一位聪明的人告诉她："老太太，您真是好福气。下雨天，您大女儿的伞店会顾客盈门；而晴天您小女儿的布店又生意兴隆。不论哪一天您都应该高兴才是啊！"老太太一想，果真是这个道理。从此，老太太便整天笑容满面，再也不忧愁了。

事情本来就是这么简单，同样的天气，心态一转，忧愁就变成了幸福。其实，感到不幸，是因为心态不正确，是因为我们排斥幸福，而不是事情本身带有不幸。如果抱着抵触情绪，即使幸福悄然降临身边，也会毫无觉察，与之失之交臂。

所以，用愉快来代替烦闷，烦恼在你的心中就会无趣地走开。用信心点燃希望，生活就始终会闪烁着光芒。

正值事业兴旺期的亨利被查出患了白血病，这对他来说无异于一个晴天霹雳。亨利感到非常绝望，精神也彻底崩溃。从那一刻开始，他觉得生活没有任何意义了，所以他拒绝接受任何治疗。

一天，亨利从医院里逃出来，漫无目的地在街上游荡。突然，一阵略带嘶哑又异常豪迈的音乐声吸引了他。不远处，一位双目失明的老人正摆弄着一件磨得发亮的乐器，扭动着腰肢，向着寥落的人流动情地弹奏。还有一点令人不解的是：盲人的怀中挂着一面镜子！

亨利好奇地走上前，趁盲人一曲弹奏完毕时间道："对不起，打扰了。请问这面镜子是你的吗?"

"是的，我的乐器和镜子是我的两件宝贝！音乐是世界上最美好的东西，我常常靠这个自娱自乐，可以感觉到生活是多么的美好……"

"可这面镜子对你有什么意义呢?"他迫不及待地问。

盲人微微一笑，说："我希望有一天出现奇迹，并且也相信有朝一日我能用这面镜子看见自己的脸，因此不管到哪儿，不管什么时候我都带着它。"

亨利的心一下子被震撼了：一个盲人尚且如此热爱生活，并且有如此坚定的信念，和如此乐观的心态——相信总有一天会出现奇迹，让他那一双瞎了多年的眼睛重见光明。而这也正是他活得如此乐观，如此豁达的原因！

突然间，亨利醒悟了，自己又坦然地回到医院接受治疗。尽管每次化疗他都会感受到死去活来的痛楚，但从那以后他再也没有逃跑过。

亨利坚强地接受了痛苦的治疗。在很长时间以后终于恢复了健康，后来成为一位事业有成的企业家。

有些人之所以常常被困苦缠绕，被烦恼包围，正是因为是从消极的一面看问题。倘若能凡事都往好处想，就能积极面对生活中的一切，创造快乐、享受幸福。

心理学家告诉你：化悲观为乐观可以通过以下几个步骤来进行：

1. 改变消极的思维方式

有位先生家的电话号码末尾的4个号码是“1414”，好像“要死要死”，但这位先生却笑了：“依我看，这号码特别的吉祥，你想想唱五线谱的时候，1414唱什么？唱‘都发、都发’，对不？所以这号码总是发。”

由此可见，当我们遇到挫折和困难时，我们只需把自己的思维向乐观方向转一转，就可以看到希望。而如果能养成乐观的思维习惯，那么你就能长期保持积极乐观的心态了。

2. 改变消极的行为方式

两个犯人都从牢里的铁窗向外望去，一个看到的是黑黑的泥土，另一个看到的却是满天的繁星。“向上看”也许不能立即改变我们当时的困顿状况，但是却能在我们心里播下希望的种子，帮助我们度过艰难的日子。

3. 改变消极的语言方式

在日常生活中，我们常常会听到种种消极的话，如“烦死了”、“不可能的”、“完蛋了”、“没希望了”……也许说这些话的人只是一时发泄，或是习惯性地脱口而出，他们自己并没意识到这些话对他们会产生不好的影响。事实上，这些语言会给他们带来消极的暗示，通过潜意识影响到他们的思维和行动。因此，向往乐观的人一定不要让消极的语言影响了自己的积极性，尽量不要说消极的话。当你觉得很累时，不要说“今天真是累死了”，我们可以说“忙了一天，现在可以放松了，真令人高兴”；当遭遇失败时，不要说“我真笨，又失败了”，而是应该说“这次虽然没有成功，但我也从中学到了不少东西，下次一定能做得更好的”。平时多对自己说积极的话，多鼓励自己，多对自己说“我行”、“我真棒”、“我觉得很快乐”……渐渐的，你就会发现自己真的变成那样了。

4. 改变消极的生活方式

著名作家史铁生在小说《命若琴弦》中讲述了一个故事，说的是一瞎子整天为自己看不到光明而到处求医，后来医生教他学弹琴，等弹断1000根琴弦便自然好了。瞎子高兴地学起了弹琴，于是他的生活每天都在琴声中愉快地度过，生活越来越充实。等他弹断了1000根琴弦时，眼睛并未复明，可瞎子已不再烦恼，因为他已经感到了人生的乐观和愉快。

有些人天性乐观，在他们的眼中，一切都是那么美好。他们的生活中没有苦难，因为他们可以从苦难中发现快乐，甚至享受；他们的天空也永远不会乌云密布，因为他们总是可以从这里或那里，瞥到一丝穿透乌云的阳光；即使是有一天，太阳被层层厚重的乌云所遮盖，他们也不会感到丝毫的恐惧，因为他们的心中会一直相信，太阳就在那乌云之上，永远不曾，也不会消失。

记住：天堂与地狱，就在你心中。

左右你一生的心理学

1. 不管你的生活中有哪些挫折，你都应以欢悦的态度微笑着对待生活，这样，幸运之神就会回到你的身边。

2. 人生短暂，我们应该珍惜生命，在遇到问题，尤其是困境时，千万不要妄自菲薄，与自己过不去，更不要与现实生活相隔离，你应该坦然面对，不把烦恼当烦恼，不在烦恼中死钻牛角尖，如果你把它当做过眼云烟，那么心情也自然会豁然开朗。

吝啬心理——消除吝啬，学会感恩

吝啬，俗称小气，也可以说是“一毛不拔”，是一种有能力资助或帮助他人却不肯付出行动的不正常的心态。

有一部外国小说，描写主人公的吝啬，生怕柜里的酒被人喝掉，于是把一瓶毒酒放在酒柜中。没想到在急剧愤怒时，以酒压愁，自己误服了毒酒而身亡。这故事就证明吝啬者的意识是狭窄的。

吝啬是一种极端自私的表现。其实任何人都有自私的一面，不为自己打算的人很少，但要做到公私兼顾并不困难。所谓礼尚往来，来而不往非礼也。人敬你一分，你回敬三分，这当然好，回敬一分，也不为过。如果尽想让人敬你，而你不回敬，这就会遭到“吝啬”的评价。

吝啬的价值观是很明确的，尤其是对金钱、财富的一毛不拔。凡吝啬的人都是金钱的奴隶，而不是主人。对这类人来说，唯有金钱、财物才是最为重要的。为钱而钱，为财而财，敛钱、敛财是这类人的最大嗜好，也是他们人生的最大目的。他们的生活公式是：挣钱、存钱、再挣钱、再存钱……他们的最大乐趣是“数钱”：今天比昨天多了多少，明天比今天还会多多少。他们的哲学是：多了还要多，永远不会有满足的时候。而事实上，钱是靠赚出来的，不是靠吝啬才能攒出来的。

由于当代社会的经济发展迅速，人民收入普遍增加，像世界四

大吝啬鬼形象：葛朗台、泼留希金、阿巴贡、夏洛克那样典型的吝啬鬼、守财奴在当今已很少见，但吝啬行为也不再限于财物，而是扩展到更广阔的领域。比如：

1. 不愿借钱借物给人。不愿借钱借物给他人的表现，在城市居民里表现得尤其突出。原因可能是城市居民收入的有限性和生活高消费值，使一些人对周围的人与事变得非常小心谨慎，他们从不轻易向人许诺与施舍。

2. 不赡养老人。“老有所养，老有善终”、“孝顺父母”，这是中华民族的优良美德。可是现在有些做儿子的，相互推诿、不承担赡养父母的义务。

3. 不关心周围的事物。有些人遇事，“事不关己，高高挂起，明知不对，少说为佳”。捐款、让座的助人之事他不做；遇到别人有难，他不帮；遇到歹徒他不上。这种吝啬之人已近乎麻木不仁的冷血动物。

从心理学角度讲：吝啬作为一种自私、冷漠的病态行为，它破坏了个人本能具有的社会性。人与人之间存在着各种互助关系，相互关心，相互帮助是人类美好的属性。吝啬之人极度自私，不给别人任何帮助，将人的本性降格为动物般的本性，破坏了人类美好的社会关系、道德关系甚至伦理关系从而导致悲剧，而吝啬之人也必将受到社会的谴责与遗弃。

然而，吝啬贪婪者虽然金钱、财富都不缺，但他真的能愉快吗？不能。其实吝啬者的生活是最不安宁的，他们整天忙着的是挣钱，最担心的是丢钱，唯恐盗贼将他的金钱全部偷走，唯恐一场大火将其财产全部吞噬掉，唯恐自己的亲人将它全部挥霍掉，因而整天提心吊胆，坐立不安，永远不会是愉快的。那么，吝啬者果真能给人带来幸福？不能。因为“小气”，因为狭窄，所以在这类人身上很少体现亲情二字，其内心世界是极其孤独的。尤其是当他们有难的时候，他们才会感到缺少感情支持的悲怆，才会感到因为吝啬而失去的东西实在太多了，才会充分感觉到金钱的真正无能。

心理学家认为：吝啬是吝啬者看不透人生的真实表现。他们不懂得这样的一个简单道理：他，赤条条地来到这个世界，在最后，也只能赤条条地离开这个世界。所以，吝啬实际上是吝啬者为自己头上套上的一条无形的精神枷锁。它使人成为金钱的奴仆，使人活得不自在、不痛快，甚至使人卑鄙和龌龊。

消除吝啬心理，最终要学会感恩，无论贫穷富有，要知道世间最珍贵的莫过于生命和爱。只有有生命，我们才能活着，学会感谢生命和自然，对天地生死有一种畏惧，就不会过于计较个人得失；而活着，如果没有爱，那就是一具行尸走肉，再多的钱财物质也不会让心灵得到真实的平静安宁。

感恩是生活中的大智慧。一个智慧的人，不应该为自己没有的斤斤计较，也不应该一味索取和使自己的私欲膨胀。学会感恩，为自己已有的而感恩，感谢生活给你的赠予，这样你才会有一个积极的人生观，一个健康的心态。

每天怀有感恩地说“谢谢”，不仅仅是使自己有积极的想法，也使别人感到快乐。在别人需要帮助时，伸出援助之手；而当别人帮助自己时，以真诚微笑的表达感谢；当你悲伤时，有人会抽出时间来安慰你等等，这些小小的细节都是一颗感恩的心。

如果你想来表达你对别人或生活的感恩，以下是一些方法。当然感恩是要来自内心的，所以这些方法只是个提示而已。

1. 养成感恩的习惯

每天清晨醒来时，默默地感激已有的生活和所爱的人，当然还包括其他对之感激的人和事情。

2. 一封表达谢意信函

如果别人向你寄来一封表达谢意的信函，你一定会很开心吧！当你表达谢意时，并不需要正式的感谢信，一张小小的卡片(或 E-mail)就可以了，礼轻情义重。

3. 一个小小的拥抱

对你深爱的人，与你共处很长时间的朋友或同事，一个小小的拥抱也能够很好的表达感恩。

4. 对每一天怀有感恩

你并不需要感谢特定的某人，因为你可以感谢生活！感谢今天又是新的一天。当你每天醒来时，应该这样想："我真是个幸运的家伙！今天又能安然地起床，而且还有崭新的完美一天。我应该好好珍惜，去扩展自己的内心，将自己对生活的热情传予他人。我要常怀善心，要积极地帮助别人，而不要对别人恶言相向。"

5. 不求回报的小小善意

不要为了私利去做好事，也不要因为善小而不为。留心一下他人，看看他喜欢什么，或者需要什么，然后帮他们做点什么（倒杯咖啡、递杯茶水等等）。行动强于话语，说声"谢谢"不如做一件小小善事来回报他。

6. 一份小小的礼物

并不需要昂贵的礼物，小小的礼物也足够表达你的感恩了。

7. 一份你感谢别人的理由

列这样一份清单，大概十至五十几条，表达你对他的感受，为什么喜欢他，或者他帮助了你哪些地方，而你对此深怀感激。然后将这份清单寄给他。

8. 公开地感谢别人

在一个公开的地方表达你对他们的感谢。比方说，在办公室里、在与朋友和家人交谈时、在博客上、在当地新闻报纸上，公开致谢。

9. 给他们意外惊喜

小小的惊喜可以使事情变得不一般。比方说，在妻子工作回到家时，你已经准备好了美味的晚餐；当母亲去工作时，发现自己的汽车已经被你清洗得干净又漂亮；当女儿打开便当时，发现你特意做的小甜点。就是一点点的意外惊喜！

10. 对不幸也心怀感激

就像罗斯福总统家中被盗后，他给朋友的回信一样。即便生活误解了你，使你遭遇挫折与打击，你也要怀有感恩。你不是去感恩这些伤心的遭遇（虽然这也使你成长），而是去感恩那些一直在你身边的亲人、朋友；你仍有的工作、家庭；生活依然给予你的健康和积极的心态，等等。

感恩是一个人该拥有的本性，也是一个拥有健康性格的表现。生活、工作、学习中都会遇到别人给你帮助和关心，也许你不能一一的回报，但是对他们表示感恩是必需的。

左右你一生的心理学

1. 消除吝啬心理不妨从小事做起，如：给乞丐以小数量金钱、衣物、食物的施舍，参加一些社会公益活动，为公益事业、鳏寡孤独募捐。通过这些活动对钱财有一个正确的认识，积小善为大善。

2. 学会感恩，你会觉得一切都那么美好，幸福的生活就在你身边。

学会微笑——快乐人生的通行证，爱生活爱自己

只要你心中快乐，你就应发自内心地微笑，因为微笑是善待自己，珍惜生活的表现，它比紧锁双眉好看，它更会让你感觉生活的香甜。

在18世纪，有一位红衣主教患了可怕的脓肿病，濒临死亡，教徒们都已经绝望了，忙着为他准备后事。恰在这时，主教养的猴子滑稽地戴上了红衣主教的红色方帽，穿上了主教的袍子，在大厅里学着主教的样子走路、祈祷。主教看了后哈哈大笑，病情顿时减轻了一半。猴子一连表演了几天，居然挽救了主教的性命。

一笑能救命，由此可见微笑的魔力。

在我们的生活中不能没有微笑。微笑仿佛是一缕春风，化开久冻的坚冰；微笑就是一滴甘露，滋润久旱的心田。假如我们生活在一个没有笑的世界里，那将是多么的可怕、无聊。

伊丽莎白·康黎的《用微笑把痛苦埋葬》一书中有这样一句话："人，不能陷在痛苦的泥潭里不能自拔。遇到可能改变的现实，我们要向最好处努力；遇到不可能改变的现实，不管让人多么痛苦不堪，我们都要勇敢地面对，用微笑把痛苦埋葬。有时候，生比死需要更大的勇气与魄力。"

心理学家指出：一般人无法想象，微笑能产生多大的效果。微

笑可以化干戈为玉帛，微笑可以化仇恨为友谊，微笑可以化怨恨为亲情。总之，醉人的微笑可以带给人春天般的温暖，让人忘记一切怨恨。

一位记者对微笑独特的感受颇深，他说："有一次，我参加一个私人晚宴。有一位女宾身上披着貂皮，浑身上下又是钻石，又是珍珠，叮当作响，热闹非凡！可是那一张面孔，是那么的任性和不可一世，叫人感觉噎了嗓子。她忽略了作为一个女人，脸上的微笑远比身上的衣裳更重要的事实。"

微笑是笑中最美的。对陌生人微笑，表示和蔼可亲；产生误解时微笑，表示胸怀大度；在窘迫时微笑，有助于冲淡紧张气氛和尴尬的境地。所以，日本奇异公司的总裁夏目次郎经常教导他的员工说："你们必须时常地微笑。"

微笑是一种健康文明的举止，一张甜蜜微笑的脸，会让人愉快和舒适，带给人们热情、快乐、温馨、和谐、理解和满足。微笑展示人的气度和乐观精神，烘托人的形象和风度之美。

美国密西根大学心理学教授的麦克尼尔博士，对于微笑说出了这样的感想："面带微笑的人，比起紧绷着脸孔的人，在经营、贩卖，以及教育方面，更容易获得效果。微笑比绷紧的脸孔藏有更丰富的情报。"

微笑要笑得得体、笑得适度、笑得大方、笑得优美、笑得自然、笑得纯真、笑得甜蜜才好，而不是冷嘲热讽的讥笑或无中生有的傻笑。

有些人在第一次见面时，通常会有一种不安的感觉，存有戒心，而真挚友善的微笑，可以消除这种初次见面的心理状态。微笑是好感的象征，是人际关系的润滑剂，一个人脸上时常浮现微笑，会令人感到心中十分舒服。生活中许多人对于不带微笑的寒暄，极易让人产生反感，也不会产生愉快的心情。但假如我们有求于别人，遭到别人微笑地拒绝，我们也不至于太过分地生气。因为同样是拒绝，

如果对方虽然礼貌，却无半点笑容，我们就会觉得受到冷淡，不愉快的心情也就油然而生。

微笑是一种富有感染力的表情，它证明你内心不带虚伪自然的喜悦，你的快乐情绪马上会影响你周围的人，给他人留下一个良好的第一印象。如果我们希望别人喜欢我们，必须时刻牢记保持微笑，因为没有人愿意见到一个脸上布满阴云的人。

原一平，日本的推销之神，才1.53米的小个子，本人也没什么气质与优势可言。在最初成为推销员的几个月里，他连一分钱的保险也没拉到，当然也就拿不到分文的薪水，因为他的薪水与他的保险业务是挂钩的。为了省钱，他只好上班不坐电车，中午不吃饭，晚上睡在公园的长凳上。但他依旧精神抖擞，每天清晨5点起床从“家”徒步上班。一路上，他不断笑着和擦肩而过的行人打打招呼。

有一位他工作时接触到的绅士，看到他这副快乐的样子，很受感染，便邀请他共进早餐。尽管他饿得要死，但还是委婉地拒绝了。当得知他是保险公司的推销员时，绅士便说：“既然你不赏脸和我吃顿饭，我就投你的保好啦！”因为这位绅士，他终于签下了生命中的第一张保单。而且那位绅士是一位大老板，还帮他介绍了不少业务。从此，原一平的命运彻底改变了。由于原一平的笑总能感染顾客，他成了日本历史上最为出色的保险推销员；而他的笑，亦被评为“价值百万美元的笑”。原一平的笑容是如此的神奇，在给顾客带来欢乐与温暖的同时，也给自己带来了巨大的财富和一世的英名。

在这个世界上，每一个发自内心的笑，往往都具有神奇的力量。笑是一种含意深远的身体语言，可以鼓励对方的信心，可以融化人们之间的陌生和隔阂，可以使别人在见到你的第一分钟起，就自然而然地产生一种亲切、信任和感激。

前苏联外长葛罗米柯在政治局会议上推荐戈尔巴乔夫做总书记时，提出了戈尔巴乔夫两个主要优点，其一是戈尔巴乔夫有一副钢铁般的牙齿，表明他很坚强；其二就是戈尔巴乔夫有一副亲切动人的笑容。作为国家第一号领导人，不会微笑是绝对不行的。

在人际交往中，我们需要微笑。微笑是一种令人愉悦的表情，表达一种热情而积极的处世态度。一个热爱生活的人，一个积极向上的人，微笑是他显露最多的表情，也是人所拥有的一种高雅气质，在社交中有很重要的作用。

微笑能散发出凡人无法抵挡的魔力。请人帮忙时，带着微笑，别人几乎无法拒绝你的请求；感谢别人时带着微笑，别人会加倍领受你的感激之情；心情郁闷时，微笑会解除你的烦恼；开心快乐时，微笑会令你更加愉快。

微笑可以融解客人的拘谨。客人来访，由于陌生和羞涩，往往十分拘束。主人一边与客人握手，一边神情愉悦地微笑，可以帮助客人放松情绪，感到温暖亲切。

微笑可以缓解紧张的气氛。有时在某种场合，当一个人被另一个人讥笑；自己做错了事，气氛紧张时，善于社交的人能用适时的微笑或开个幽默玩笑，转移视线，以缓和气氛，解除僵局。

微笑可以帮助你拒绝他人。由于种种原因对于别人的请求不好拒绝时，板起面孔必然得罪别人。这时候婉言谢绝地微笑，对方容易心悦诚服。

从心理学角度讲：微笑是自信的象征、是礼貌的表示、是心理健康的标志。假如有两个人站在我们面前，一个人面带微笑，另一个冷若冰霜。那么我们宁愿与第一个人交往，而不愿意同第二个人交往，因为第一个人给我们一种亲近的感觉。

行动往往比言语更能传递感情，一个微笑所包含的含义是：“我很高兴看到你，你带给我快乐，我喜欢你。”

在日常生活中，如果我们能够微笑，能够有安详愉快的心境，那么不但我们自己身心受益，而且即使我们身边的人也受到感染和滋润。当看到别人的微笑之时，即使自己还在不开心，但是看到那抹笑容，忍不住也会心地微笑起来。微笑的力量是可以传播到每个人身上的。

每一天，其实我们都可以纯粹、自然地度过，悠闲地散步、微笑，与友人品味清茗，庆祝彼此的成就，就好像我们是这个地球上最快乐的人。这不是逃避，而是一种治疗和康复活动。微笑意味着我们是自己，意味着我们对自己拥有主权，意味着我们没有被淹没于无明当中。

微笑是一种态度：爱生命，爱生活，爱自己！

左右你一生的心理学

1. 如果你没有微笑的习惯，那没有关系，因为习惯是可以培养的。你要强迫自己微笑，如吹吹口哨、哼个曲子，使自己高兴起来，这样脸上就会露出微笑。记住：笑一笑十年少，笑一笑烦恼少。

2. 不论你到何处，都要以愉快的心情、甜美的微笑去招呼每一个你认识的人，诚恳地与别人握手，不要怕表错情，也不要记恨别人。时时想着快乐的事，久而久之，你就会发现自己的生活充满乐趣，自己的目标已随时可以达到，世界变得多么可爱。你的人生也会因为你的微笑，而少了许多坎坷。学会微笑，是你快乐人生的通行证。

幸福是一种感觉

有人说过：“真正的幸福是不能描写的，它只能体会，体会越深就越难以描写，因为真正的幸福不是一些事实的汇集，而是一种状态的持续。”

幸福是什么？

幸福是一个谜，让一千个人来回答，就会有一千种答案。

幸福，是偎依在妈妈温暖怀抱里的温馨；

幸福，是依靠在恋人宽阔肩膀上的甜蜜；

幸福，是抚摸儿女细嫩皮肤的慈爱；

幸福，是注视父母沧桑面庞的敬意。

幸福，是与朋友在一起时的开心快乐。

幸福是不管外面的风浪多大，你都会知道，家里，总有一碗热腾腾的面等着你。

也有很多人说，平平淡淡的生活就是幸福。

当我们浑浑噩噩、忙忙碌碌时，可能不会去想，而当偶尔静下来的时候，常常会问自己。自己到底是不是幸福的？

其实，活着就是幸福，幸福是种感觉！

英国诗人华兹华斯曾经说：“一个人要对于昨天的日子感到快乐，对于明天感到有信心。”

我想，你如果做到这样那就是幸福了。其实幸福是不用外求的，幸福只是一种内在的感觉，在某一刹那，心中的某一根隐秘的弦，

忽然被拨动，泛出圈圈甜美的满足感，那便是幸福。

很多人却忽略了这种感觉，不知道什么是幸福，什么是生活，总以为幸福在别处，别处才是自己的归宿，总盼望着别处不同的生活，总以为那未知的生活就一定是好的，所以不停地追寻，直到有一天猛然发现幸福原来就在这里，就在此时。享受自身的吃、喝、玩、睡，享受各种甜、酸、苦、乐，才是生命的真谛。

其实，幸福不在别处，幸福就在你身边，在日复一日的单调劳作中，在一日三餐的清茶淡饭中。你们在追求着幸福，幸福也时刻伴随着你们。

心理学家指出：活着，不要为自己没有的东西去悲伤，而要为自己拥有的东西而欢喜。不要感叹你推动的或未得到的，而应该珍惜你已经拥有的。当你沮丧的时候，试着想想人生中的美好事物。

当我们感到沮丧的时候，请自问：你有没有完好的双手双脚？有没有一个会思考的大脑和健康的身体？有没有亲人、朋友、伴侣、孩子？有没有某方面的知识和特长？如果你有完好的双手双脚，比之残疾人，那么你就是幸福的；如果你有思考的大脑和健康的身体，比之已经逝世的同辈人，那么你就是幸福的；如果你有亲人、朋友、伴侣、孩子，可以享受亲情、友情、爱情、骨肉之情，比之感情上有残缺的人，那么你就是幸福的；如果你有虽不丰富但却有足以展现的知识和能力，比之逊于你的人，那么你也是幸福的。把注意力放在你所拥有的，而不是没有的或失去的部分，你就会发现，原来自己已经够幸福了。

1929年，纽约股市崩盘，美国一家大公司的老板忧心忡忡地回到家中。

“你怎么了，亲爱的？”妻子笑容可掬地问道。

“完了，完了！我被法院宣告破产了，家里所有的财产明天就要被法院查封了。”他说完便伤心地低头哭泣。

妻子柔声问道："你的身体也被查封了吗?"

"没有!"他不解地抬起头来。

"那么，我这个做妻子的也被查封了吗?"

"没有!"他拭去了眼角的泪，无助地望了妻子一眼。

"那孩子呢?"

"他们还小，跟这档子事根本无关啊!"

"既然如此，那么怎能说家里所有的财产都要被查封了呢?你还有一个支持你的妻子以及一群有希望的孩子，而且你有丰富的经验，还拥有上天赐予的健康的身体和灵活的头脑。至于丢掉的财富，就当是过去白忙活一场算了!以后还可以再赚回来的，不是吗?"

三年后，他的公司再度成为《财富》杂志评选的五大企业之一。

人生最可惜的事，莫过于忽视所拥有的!直到失去以后，才发现在拥有时是多么的痴傻!其实失去的本身并不那么可惜，再多、再好也会失去；学会珍惜，就懂得拥有的真谛。

当团聚的时候，可以珍惜那份快乐；当孤单的时候，也可以珍惜那份安谧；当成功的时候，可以珍惜那份成就；当失败的时候，也可以珍惜那份深刻。珍惜拥有的青春，善待生命中的每一天，你将无怨无悔；珍惜拥有的缘分，握紧手中的每一份爱，你将得到温暖；珍惜拥有的机遇，抓住幸运的每一个瞬间，你将创造奇迹；珍惜拥有的人生，踏实前进中每一个脚步，你的旅途将充满光辉。

台湾女作家三毛说："真正的快乐，不是狂喜，亦不是苦痛，在我很主观的来说，它是细水长流，碧海无波，在芸芸众生里做一个普通的人，享受生命一刹那间的喜悦，那么即使我们不死，也在天堂里了。"这就是幸福，每天准时上下班，下班后能跟爱人一起看书、看电视、聊天。每天早晨醒来，看见第一缕阳光，确定自己还真实地存在着，这就是幸福!

这个世界并不安全，充满了变化多端，但是，不管这个世界是

否充满着悲哀至恸，我们依旧可以感受到人世间最深刻的幸福与感动。能够过自己喜欢过的生活，做自己喜欢做的事，这是活着赐予你的，这就是真正的幸福美满，并且真实自在。

林肯说过："大部分的人，在决心要变得幸福时，就会有那种幸福的感觉。"幸福是一种感觉，幸福的根源是我们的头脑，而不是口袋里所藏的东西。所以说，幸福只在一念间。

为了存在而存在，为了幸福而幸福吧！幸福是一种感觉，感觉不用说出来，你感觉到了，便是拥有。

左右你一生的心理学

1. 幸福是一种感觉。是在荒无人烟的黑夜突然见到一缕亮光的惊喜；是历经风雨漂泊后终于抵达港湾的轻松和安逸；是苦涩之后的甜蜜，泪水之后的笑颜，甚至它还是粗茶淡饭中过滤出来的温馨。只要你有以一颗平常心看待幸福，幸福就在你眼前！

2. 幸福是一种感觉。可能只是一瞬，也可能会是永久，只有用真心去体会，才能憧憬明天的绮丽和未来的美好。不管你是否幸福，请相信：它就在你的身后……

第七章 没有规矩不成方圆，别让你的权利睡着了——管理心理学

一个领导者，怎样才能让企业长久地生存下去？又怎样才能保持基业常青？这是所有企业家都无法回避的问题，必须给出一个答案。这个答案将会给企业带来两种截然不同的结果——要么杰出，要么被淘汰，没有第三种。

权威效应——以身作则，给下属树立好榜样

权威效应，又称为权威暗示效应，是指一个人要是地位高，有威信，受人敬重，那他所说的话及所做的事就容易引起别人重视，并让他们相信其正确性，即“人微言轻、人贵言重”。

一位牧师走到海边，正好目睹一艘船在海上遇难，船上所有的人都掉进海里死了。牧师开始对上帝感到怀疑，忍不住责怪地道：“上帝也太不讲理了！为什么只因为在这艘船上有一个罪犯，就要让这么多人一同受害。”

正当牧师喋喋不休时，他发觉自己被一大群蚂蚁围住了！原来他正站在一个蚂蚁窝旁边。有一只蚂蚁爬到他身上，并且咬了他一口，牧师非常生气，立刻用脚踩死了所有的蚂蚁。没想到，此时上帝忽然出现，对牧师说道：“既然你能用与我相同的方式，去对待那些可怜的蚂蚁，那你还有什么资格批评我呢？”

从心理学角度讲：上述的寓言故事，生动地描述了阻碍管理绩效的心态：宽以律己，严以待人。这也是员工最厌恶的主管类型之一。当管理者标准不一，不能以身作则，反而以放大镜来检视员工的行为，造成管理上的冲突，使员工产生“多做多错，少做少错，不做不错”的心态，甚至“上行下效”，导致组织团队毫无作为。

《世界上最伟大的一堂课》里讲到：只有物品才能管理，人是没法

管理的，人只能被领导。所谓“领导”，是一种技能，用来影响别人，让别人心甘情愿地为他做事。“管理”可以让人做事，“领导”才能让人心甘情愿地做事。

身为管理者，你的一举一动即是员工的表率，因此必须言行谨慎。当你拿着放大镜看别人，却放纵自己的同时，员工也必定是拿放大镜来检视你，这其中会产生的冲突可想而知。

管理者千万不要以为自己的行为与企业的员工无关，对于一个企业来说，领导是一个非常特殊的人物。在一定程度上，领导者的行为就是企业的杠杆，领导者想把企业塑造成什么样的组织，他就必须自己首先那么做。同样，领导者错误的表率常常会给企业带来难以遏制的坏习气。所以，要提高企业效益，首先就要求领导以身作则，起好带头作用。也就是正确地运用好“权威效应”。

在惠普，各级管理人员，不管什么级别的，都没有独立的办公室，大家坐在一起，平等相待。而且在这样一个环境当中，大家直呼其名，即使级别再高的管理者，都直接叫他的名字。这样让人感觉很亲切，体现出一种平等的同事关系。如果老总某天上班忘记了带胸牌，同样他也要像普通员工一样戴一个临时的胸牌。因此不管是谁，你只要没有带胸牌上班，保安就不会让你进去，保安不会因为你是老总就放行，这是严格的制度。老总只有以身作则，处处做出表率，才有资格去要求员工。

其实，儒家创始人孔子早就对领导者以身作则、率先垂范特别重视，他说：“君子之德风，小人之德草，草上之风，必偃。”意思是说，领导者的所作所为就像风，臣下的行为举动如同草，风向哪里吹，草就向哪里摆，领导怎么做，臣下就怎么做。

所以说：其身正，不令而行；其身不正，虽令不从。

作为现代企业的领导者就应该以身作则，给部下树立一个好榜样。

那么，怎样成为一名优秀的领袖？如何脱颖而出？

1. 要注意自我修养和自我提高

管理者必须注意自己的修养。首先应当摆好位置，放下架子，不要高估了自己，低估了别人，要以普通人员的身份和心态与大家共事；思想上要与监理人员沟通，工作上多与大家交流；处理问题多听取大家的意见，避免主观武断；有错就主动自我批评，不要光顾面子；多关心与照顾监理人员的个人问题，生活上与他们打成一片，与他们同甘共苦。同时，还要在工作中不断地积累经验，向别人学习、向实践学习、向书本学习，这样才能逐步提高自己的知识水平与工作能力。

衡量企业成功的尺度是创新能力，而创新来源于不断的学习，不学习不读书就没有新思想，也就不会有新策略和正确的决策。

李嘉诚说："一个人只有不断填充新知识，才能适应日新月异的现代社会，不然你就会被那些拥有新知识的人所超越。"知识不仅是指课本的内容，还包括社会经验、文明文化、时代精神等整体要素，才有竞争力，知识是新时代的资本。

2. 明确管理目标

世界级企管大师班尼士下了个定义："创造一个令下属追求的前景和目标，将它转化为大家的行为，并完成或达到所追求的前景和目标。"企业管理者们知道，要使员工能奉献于企业共同的愿景，就必须使目标深植于每一个员工的心中，必须和每个员工信守的价值观相一致；否则，不可能激发这种热情。有"神奇教练"之称的米卢•蒂诺维奇已经创造纪录，他所带的每支球队都有一个明确的目标，就是打进世界杯的决赛圈。

3. 重视人才

企业最好的资产是人，企业管理者的美德在于挑选好的合作伙伴。选一个适合的人，比选一个优秀的人来得重要。除了专业所必备的素质之外，他们找人要看三种东西：一是必须精力充沛。有精神、有气派，这样的人可以走长途，可以感染人，适应变动。二是要正直。考虑个人利益的同时，能够考虑到公司的利益。三是要有智慧和胆识，有进行思考的能力和魄力。

4. 充分授权

人的精力是有限的，我们不可能一个人做所有的事，所以，作为一个企业管理者必须学会把权力授予适当的人。授权的真正手段是要能够给人以责任、赋予权力，并要保证有一个良好的报告反馈系统。美国前总统里根是一个出名的放任主义者，他只关注最重要的事情，将其他事情交给手下得力的人去负责，自己因此可以经常去打球、度假，但并不妨碍他成为美国历史上最伟大的总统之一。

5. 激励团队

组织起一个优秀的团队，是一件非常艰难和重要的事情。激发起他们的热情，挖掘出每一位团队成员的聪明与潜力，并将他们协调起来，是成功的管理者必须具备的一种能力。一个企业管理人必须是一个能激发起员工动力的人。

海尔的张瑞敏曾经说过："管理者要是坐下，部下就躺下了。"只有管理好自己的人，才能管理好别人。现在的企业管理要求它的领导者都能以身作则，用自己的实际行动影响员工，带头变成员工的表率。领导者能身先士卒，以积极正确的示范作导向，就可以调动员工的积极性，激发他们努力向上的干劲；反之，领导者持一种消极、观望的态度，只能削减员工的工作热情，对企业的发展前途失去信心。

心理学家认为：没有沉不了的船，没有垮不了的企业，一切取决于自己的努力。员工要三倍的努力，干部要十倍的努力。

左右你一生的心理学

1. 最有效果的沟通是行动，行动远比言辞更重要。所以，管理者要靠以身作则、身体力行来影响他人，为员工树立起榜样。

2. 管理者要以身作则、身先士卒，以自己无比坚强的意志感召部下，进而同心协力、共铸辉煌。对管理者来说，凡是自己做不到的事情，不能要求别人去做，否则就不会赢得部下的尊重和信任。

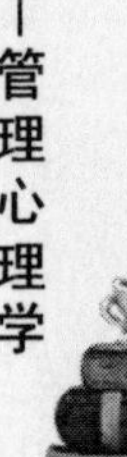

苛希纳定律——企业并不是人多就好

苛希纳定律：如果实际管理人员比最佳人数多2倍，工作时间就要多两倍，工作成本就要多4倍；如果实际管理人员比最佳人员多3倍，工作时间就要多3倍，工作成本就要多6倍。

在19世纪80年代，美国有一家组织准备淘汰一批落后的机器设备，以此来提高组织的整体效益。对于这些落后的机器设备，到底该怎么处理，组织的高层领导人物专门开了一次会议：

董事长说：“这些设备虽然落后，但是不能扔，日后可能还用得上，所以还是找个地方安置吧。”

于是，董事会成员说：“找地方麻烦，就在组织附件建造一间仓库吧。”

董事长说：“建仓库可以，那怎样去防火防盗啊，那些东西是用钱购买回来的。”

于是，董事会成员说：“那要不找个人来看管吧。”

董事长说：“那个人要是玩忽职守该怎么办?”

于是，董事会成员说：“那就成立个计划部，一个人负责下达任务，一个人负责制订计划。”

董事长说：“那组织怎样才能了解这些人的工作绩效?”

于是，董事会成员又说：“那就再成立一个监督部，一人负责绩效考核，一个人负责写总结。”

董事长说：“既然这些人的工作职务都不一样，那薪金就该区别开来。”

于是，董事会成员又说：“那就再成立财务部，一人负责计算工时，一人负责发放工资。”

董事长说：“这些人在工作期间出了岔子谁来负责？”

于是，董事会成员说：“那就成立管理部，一人负责计划部工作，一人负责监督部工作，一人负责财务部工作，一人是总经理，对董事会负责。”

会议就此结束，董事会成员举手表决通过。但找来会计人员掐算，用于仓库这笔费用就高达20万美元。这个费用太高了，董事长和董事会成员当然不会通过，于是仓库计划宣告破产。

这个故事讲的是“苛希纳定律”的现象。

苛希纳定律揭示了管理中的用人规则，是西方管理学中的一条著名定律。它指的是：

如果实际管理人员比最佳人数多两倍，工作时间就要多两倍，工作成本就要多四倍；如果实际管理人员比最佳人数多三倍，工作时间就要多三倍，工作成本就要多六倍。

管理大师杜拉克举过一个例子。他说，在小学低年级的算术入门书中有这样一道应用题：“两个人挖一条水沟要用2天时间；如果4个人合作，要用多少天完成？”小学生回答是“1天”。而杜拉克说，在实际的管理过程中，可能要“1天完成”，可能要“4天完成”，也可能“永远完不成”。这正是验证了管理学上著名的苛希纳定律：人多必闲，闲必生事；民少官多，最易腐败。由于实际的人员数目比需要的人员数目多，诸多弊端由此产生，形成恶性循环。

苛希纳定律的现象告诉我们：只有缩减不必要的管理人员才能减少工作时间和工作成本。而唯有精简才能达到这一目的。

那么，如何精兵简政呢？

全球最著名的管理学大师汤姆•彼得斯在其最近写的一本书中提到了“五人规则”，指的是营业额在10亿美元的企业配备5名管理人员就可以了。对此，他举了总部设在瑞士苏黎世的国际电气工程(ABB)公司的例子加以说明。

ABB公司是生产发电机、机车以及防公害设备的具有世界水准的重型机电设备企业，年销售额为300亿美元。1988年瑞典的阿塞亚公司和瑞士的布朗•保彼公司合并时，该公司总裁帕西•巴奈彼科将总部原有的1000多人缩减到150人，而且他们几乎都是负责生产一线的管理人员。通常由总部担负的职能，如财务、人事、战略规划等都下放给基层，由分布在不同国家和地区的业务部门自行完成。

该公司还有一个引人注目的地方，就是它拥有5000个“利润中心”，每个中心平均有50名员工。各中心分别拥有各自的损益计算表、资产负债平衡表，与客户保持直接的业务联系。这种利润中心的最大优势是具有独立性，它可以摆脱各种制约，最大限度地接近市场，为客户提供全面、满意的服务，是一种最能代表顾客需要的企业组织形式。能够与市场保持最紧密的业务运营可以说是精干的总部的最大优势。此外，它还有很多优点，如决策迅速、便于内部交流，以及对经营资源的分配较为高效。

铲除官僚主义，面对市场变化进行快速反应和决策，对提高员工的工作热情很有帮助。当然，在改革之初，都会伴随着某种阵痛。如ABB公司在将总部上千名员工派往各业务部时，由于人员调动不可避免地涉及到迁居等实际问题，也确实产生了某种不稳定和震荡。

建立精干的总部还有利于培养员工的创新意识。大幅度放宽权限后，促进了员工创新素质和能力的提高，打破了过去那种逐级晋升的垂直移动，取而代之的是以水平调动的方式来磨炼员工的创新精神。

这样，ABB公司作为一家大型企业就更能适应未来世界市场的变化。美国通用汽车公司(GM)总裁约翰•史密斯说，通用汽车在欧洲的事业取得成功，也正是因为他改变了以往的做法，采取了类似ABB公司精兵简政的策略。ABB公司的这个经验值得在全世界广泛推广。

要想使你的组织更有效率、更有活力，就必须先给你的组织“瘦身”。

苛希纳定律就是要告诉管理者们：在管理上，并不是人多就好，有时管理人员越多，工作效率反而越差。只有找到一个最合适的人数，管理才能收到最好的效果。

左右你一生的心理学

1. 在一个越来越充满竞争的世界里，一个企业要想长久地生存下去，就必须保持自己长久的竞争力。

2. 企业竞争力的来源在于用最小的工作成本换取最高效的工作效率，这就要求企业必须要做到用最少的人做最多的事。只有每个部门都真正达到了人员的最佳数量，才能最大限度地减少无用的工作时间，降低工作成本，从而达到企业的利益最大化。

懒蚂蚁效应——善扬其长，力避其短

懒蚂蚁效应：懒于杂物，才能勤于动脑。在蚁群中，“懒蚂蚁”也很重要；而在企业中，能够注意观察市场、研究市场、分析市场、把握市场的人也更重要，这就是所谓的“懒蚂蚁效应”。

日本北海道大学进化生物研究小组对三个分别由30只蚂蚁组成的黑蚁群的活动进行了观察。结果发现。大部分蚂蚁都很勤快地寻找、搬运食物、少数蚂蚁却整日无所事事、东张西望，人们把这少数蚂蚁叫做“懒蚂蚁”。

有趣的是，当生物学家在这些“懒蚂蚁”身上做上标记，并且断绝蚁群的食物来源时，那些平时工作很勤快的蚂蚁表现得一筹莫展，而“懒蚂蚁”们则“挺身而出”，带领众蚂蚁向它们早已侦察到的新的食物源转移。

原来“懒蚂蚁”们把大部分时间都花在了“侦察”和“研究”上了。它们能观察到组织的薄弱之处，同时保持对新的食物的探索状态，从而保证群体不断得到新的食物来源。

相对而言，在蚁群中，“懒蚂蚁”更重要；而在企业中，能够注意观察市场、研究市场、分析市场、把握市场的人也更重要，这就是所谓的“懒蚂蚁效应”。

松下幸之助指出：用人必须注意“适才适用”，善扬其长、力避其短。扬长，就能使所用之人发挥出最佳效能，为公司在商战中制胜出力；避短，则不会使精明人变愚蠢，导致商场败绩出现。

美国南北战争初期，林肯先后选用过三四个将军，他们都没有什么明显的缺点。尽管有人力、物力的绝对优势，但是在三年多的时间里，北方却屡屡受挫，有一次几乎把华盛顿都丢了。

林肯很震惊，经过分析，他发现南方首领罗伯特·李将军手下的每一位将领几乎都有各自严重的缺点，但是每个人又各有所长，李将军所用的正是他们的特长。结果，林肯所作用的完美无缺、没棱没角的人一次又一次地败在李将军作用的有缺点的将领手下。

林肯开始省悟，他开始物色能够打败南方军队的指挥官，他的目光瞄准了格兰特。尤利塞斯·格兰特曾在西点军校受训，由于酗酒，曾被解除过军职。林肯也知道酗酒误事，但是他更知道，格兰特能够运筹帷幄、决胜千里，这才是更重要的。后来的事实证明，对格兰特将军的任命正是南北战争的转折点。

金无足赤，人无完人。管理者用人的根本原则就是扬长避短、唯才是用。领导者用人的要诀是如何发挥人的长处，而不是寻找十全十美的完人。正如美国著名管理学家杜拉克所说：“有效的管理者选择和提拔人员时，都以一个人能做什么为基础。所以，我用人的决策，不在于如何减少人的短处，而在于如何发挥人的长处。”

同样，在一个分工协作的组织内部，勤者与懒者都是不可或缺的。大量勤者的存在，是一个组织赖以生存的必要条件。但是一个组织的生存和发展，还需要有必要懒于具体事务，却勤于思考创新的决策、计划、组织、协调、指挥者。没有了这样的懒者，勤者极易无所适从，乱了头绪，多会作无谓劳作，往往事倍功半。

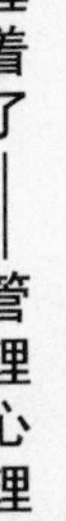

唐太宗对手下大臣的优缺点了如指掌，并且能知人善任，把他们安排到最恰当的位置上，令下属心服口服、自叹不如。高士廉公正无私、不结朋党，唐太宗任其为礼部尚书；岑文长于文章，供职

于中书省；杨师道平和忠诚，被用为侍中，随侍左右；马周治吏颇有心得，才堪大用，遂破格提拔，十多年间，从一介布衣提升至宰相；魏征以其性直充当诤谏之臣；李靖以其骁勇执掌军事。这样的人事安排，即使有人没有被授予职务，也会毫无怨言，因为他知道该位置上的官员的确比自己强。

在人才的运用和配置中，更需要分清人才的类型和特点，加以合理运用，把各类人才放置在恰当的位置，盘合和优化人力资源。对于不能成为“懒蚂蚁”的勤劳蚂蚁，要尊重他们的工作价值，根据其能力和特点分配工作，使他们正确定位，不断认识和提高自我，注重扬长避短，充分发挥能力，和“懒蚂蚁”相互支持、相互依托、和谐共处，贡献其最大智慧和能量，携手确保企业安全、稳定、发展，深入推进企业和谐发展。

懒蚂蚁效应说明，企业在用人时，既要选择脚踏实地、任劳任怨的“勤蚂蚁”，也要任用运筹帷幄，对大事大方向有清晰头脑的“懒蚂蚁”。这些“懒蚂蚁”不被杂务缠身而长于辨别方向和指挥前进，能想大事、想全局、想未来。

张瑞敏在讲述海尔的人才观时说：“兵随将转，无不可用之才。作为一个领导者，你可以不知道下属的短处，却不能不知道下属的长处。要能够容忍之短，用其所长。能翻多大的跟头，就给搭多大的舞台。”

左右你一生的心理学

1. 每个人总是有长处的，高明的管理者总是善于从每个普通的员工身上发现有价值的东西，并加以引导和开发。

2. 世上没有垃圾，只有放错位置的财富。

鲶鱼效应——合理刺激，才能共同进步

鲶鱼效应即采取一种手段或措施，刺激一些企业活跃起来投入到市场中积极参与竞争，从而激活市场中的同行业企业。其实质是一种负激励，是激活员工队伍之奥秘。

挪威人喜欢吃沙丁鱼，尤其是活鱼。市场上活沙丁鱼的价格要比死鱼高许多，所以渔民总是千方百计地想方设法让沙丁鱼活着回到渔港。可是虽然经过种种努力，绝大部分沙丁鱼还是在中途因窒息而死亡。但却有一条渔船总能让大部分沙丁鱼活着回到渔港。船长严格保守着秘密，直到船长去世，谜底才揭开。原来是船长在装满沙丁鱼的鱼槽里放进了一条以鱼为主要食物的鲶鱼。鲶鱼进入鱼槽后，由于环境陌生，便四处游动。沙丁鱼见了鲶鱼十分紧张，左冲右突，四处躲避，加速游动。这样一来，一条条沙丁鱼欢蹦乱跳地回到了渔港。

这就是管理学界有名的“鲶鱼效应”。

鲶鱼，一种生性好动的鱼类，并没有什么十分特别的地方。然而自从有渔夫将它用作保证长途运输沙丁鱼成活的工具后，鲶鱼的作用便日益受到重视。沙丁鱼，生性喜欢安静，追求平稳。对面临的危险没有清醒的认识，只是一味地安逸于现有的日子。渔夫，聪明地运用鲶鱼好动的作用来保证沙丁鱼活着，在这个过程中，他也获得了最大的利益。

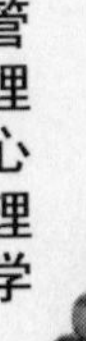

鲶鱼效应对于“渔夫”来说，在于激励手段的应用。渔夫采用鲶鱼来作为激励手段，促使沙丁鱼不断游动，以保证沙丁鱼活着，以此来获得最大利益。

在企业管理中，管理者要实现管理的目标，同样需要引入鲶鱼型人才，以此来改变企业相对一潭死水的状况。

鲶鱼效应对于“鲶鱼”来说，在于自我实现。鲶鱼型人才是企业管理必需的。

鲶鱼效应对于“沙丁鱼”来说，在于缺乏忧患意识。沙丁鱼型员工的忧患意识太少，一味地想追求稳定，但现实的生存状况是不允许沙丁鱼有片刻的安宁。“沙丁鱼”如果不想窒息而亡，就应该也必须活跃起来，积极寻找新的出路。

在管理中运用“鲶鱼效应”，是指当一个组织内部人浮于事、缺乏效率等情况下，在内部挖掘或从外部引入一些“鲶鱼”。通过提升他们的积极性和主动性，来带动和刺激组织的其他人员，从而在组织内部形成一个人人向上的良好竞争氛围。而应用鲶鱼效应的关键就在于如何应用好鲶鱼型人才。

许多人都知道草原狼的例子。澳大利亚某牧场上狼群出没，经常吞噬牧民的羊。牧民于是求助政府和军队将狼群赶尽杀绝。狼没有了，羊的数量大增，牧民们非常高兴，认为预期的设想实现了。可是，若干年以后，却发现羊的繁殖能力大大下降，羊的数量锐减且体弱多病，羊毛的质量也大不如从前。牧民这才明白，失去了天敌，羊的生存和繁殖基因也退化了。于是，牧民又请求政府再引进野狼，狼回到草原，羊的数量又开始增加。

动物亦如此，人更是如此。

日本是一个推崇终身聘用制的国家，大多数人喜欢从进入一家公司始一直待到退休。相应的，用人单位也大都倾向于招聘第一次就业者，很少采用中途聘用的方式。但是，本田公司每年都保持很大的中途聘用比例，在日本的企业中显得非常“另类。”

这项措施来源于本田宗一郎对公司内部员工的一次考察。他在对内部员工进行考察之后发现，公司的人员基本上由三种类型的人组成：一是约占20%的不可缺少的干将之才；二是占了约60%的以公司为家的勤劳人才；三是终日东游西荡，拖企业后腿的人，这种人约占20%。那么，如何使前种人增多，使第三种人减少呢？

如果对第三种类型的人员实行完全的淘汰，需要面对来自工会组织等方面的压力，同时，也会让企业的形象受损，显然不是好办法。有什么更好的办法让自己的公司充满活力呢？这是本田宗一郎当年碰上的一个棘手问题，而据说，解决的灵感，最后来自于前文讲的鲶鱼的故事。

受此启发，本田宗一郎立即开始对公司进行人事方面的改革，不是要淘汰第三种类型的人，而是着手向外部引进“鲶鱼”，以激活那些缺乏活力的“沙丁鱼型”员工。

改革首先从气氛沉闷的销售部门着手，本田宗一郎从其他公司挖来一个年轻的销售部副经理担任公司的销售部经理。此人出任销售部经理后，员工的工作热情被极大的调动起来，活力大为增强，公司的销售业绩接连上升。更重要的是，在销售部的带动下，公司其他部门的员工也受到冲击，热情和活力被激发出来，整个公司的精神面貌为之一新。

从此，本田公司每年重点从外部“中途聘用”一些精干的、思维敏捷的、30岁左右的生力军，有时甚至聘请常务董事一级的“大鲶鱼”。这样一来，公司上下的“沙丁鱼”都有了触电式的感觉，业绩蒸蒸日上。

由此可以看出，“鲶鱼效应”在管理中的作用表现在两个方面：带动作用和刺激作用。带动作用，是因为那些“鲶鱼”有着较高的个人素质、较强的业务能力和较强的个人感召力，周围的人群总是

在关注着他们、不知不觉地仿效并追随他们。刺激作用，是因为“鲶鱼”积极向上、能力强，能够获得比其他人更多的领导关注、支持和更好的待遇，会给组织内其他人群带来压力，从而刺激他们的自尊心，若再辅以得当的引导，就会出现“比、学、赶、超”的良好氛围。

同时，适当的竞争犹如催化剂，可以最大限度地激发人们的潜力。

鲶鱼效应的根本就是一个管理方法的问题，而应用鲶鱼效应的关键就在于如何应用好鲶鱼型人才。如何对鲶鱼型人才或组织进行有效的利用和管理是管理者必须探讨的问题。由于鲶鱼型人才的特殊性，管理者不可能用相同的方式来管理鲶鱼型人才，已有的管理方式可能有相当部分已经过时。因此，鲶鱼效应对管理者提出了新的要求，不仅要求管理者掌握管理的常识，而且还要求管理者在自身素质和修养方面有一番作为，这样才能够让鲶鱼型人才心服口服，才能够保证组织目标得以实现。因此，如今的企业管理在强调科学化的同时，应更加人性化，以保证管理目标的实现。

左右你一生的心理学

1. 一个气氛不良，机制不完善，正在步入慢性死亡的公司。如果最高管理层真正希望改变现状，创建一种活跃、良好、具有凝聚力和建设性冲突的组织氛围，就有必要去挖掘和提升类似的“鲶鱼型”员工。

2. 管理者要正确运用鲶鱼效应。企业中通过引进外来优秀人才，增加内部人才竞争程度，从而促进企业内部“血液循环”的良性发展。

破窗效应——及时修好“第一块被打碎的玻璃”

破窗效应，是指一种心理暗示造成的某种效应。人的行为和环境均具有强烈的暗示性和诱导性，若有人打坏了窗户玻璃，又没及时修复，别人就会受到暗示，去打碎更多的玻璃。

美国斯坦福大学心理学家菲利普·辛巴杜于1969年进行了一项实验，他找来两辆一模一样的汽车，把其中的一辆停在加州帕洛阿尔托的中产阶级社区，而另一辆停在相对杂乱的纽约布朗克斯区。停在布朗克斯的那辆，他把车牌摘掉，把顶棚打开，结果当天就被偷走了。而放在帕洛阿尔托的那一辆，一个星期也无人理睬。后来，辛巴杜用锤子把那辆车的玻璃敲了个大洞。结果呢，仅仅过了几个小时，它就不见了。以这项实验为基础，政治学家威尔逊和犯罪学家凯琳提出了一个“破窗效应”理论，认为：如果有人打坏了一幢建筑物的窗户玻璃，而这扇窗户又得不到及时的维修，别人就可能受到某些暗示性的纵容去打烂更多的窗户。久而久之，这些破窗户就给人造成一种无序的感觉。结果在这种公众麻木不仁的氛围中，犯罪就会滋生、频繁。

从心理学角度讲：“破窗效应”说的更为直白一点，就是环境对人的暗示和诱导作用。

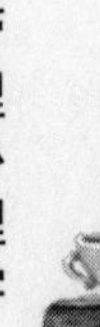

一块窗户玻璃被人打破，如果不及时更换，其他的玻璃很快也会被人打破；清洁的墙面被人乱画几笔，如果不及时粉刷，很快就会一塌糊涂；街道一角有人丢了垃圾，如果不及时清除，很快就会垃圾成堆，……这也许是很多人认为司空见惯的现象，却被美国心理学家詹巴斗称为“破窗效应”。

从“破窗效应”中，我们可以得到这样一个道理：任何一种不良现象的存在，都在传递着一种信息，这种信息会导致不良现象的无限扩展，同时必须高度警觉那些看起来是偶然的、个别的、轻微的“过错”，如果对这种行为不闻不问、熟视无睹、反应迟钝或纠正不力，就会纵容更多的人“去打烂更多的窗户玻璃”，就极有可能演变成“千里之堤，溃于蚁穴”的恶果。

在企业中，同样如此，一个企业如果想要顺利地运营下去，一个公司想要发展壮大，就必须有严格的规章制度，并要严格照着规章行事。

曾几何时，在国内保健品行业夺目耀眼的三株集团，在短短的三年时间里，销售额提高了64倍，达到80亿元，打造了一个无比辉煌的保健品帝国，销售网络遍布全国，触角直达各地村镇。总裁吴炳新自豪地说：“中国第一大网络是邮政网，第二大网络就是三株网。”然而谁也没能想到，一个“常德事件”便使拥有15万员工的庞然大物轰然倒下。

事实上，“八瓶三株口服液喝死一位老汉”的报道刚刚见诸报端时，三株拥有足够的时间和机会避免这个悲剧的发生。当时，原告曾直接找到三株，要求其赔偿20万元。本来可以“大事化小”的事件，可三株公司却拒绝了对方的赔偿要求，选择了对簿公堂。

三株胜诉了，但没落的悲剧也已无法避免了。1997年三株口服液的销售额接近2亿，但是事件发生后的1998年4月，销售额只有几百万元。一审判决后，三株正式员工从15万人减为2万人，直接损失40多亿元。

按常理来讲，三株完全可以事后补救，找到解决的良方，但是他们根本就没有去做，最后只能看着千里之堤，毁于蚁穴。

作为管理者，一个小小的决定都直接影响着企业的成败。1%的失误导致了100%的失败。

1984年，国际某家著名的跨国公司，因为管理上的疏忽，发生了一次毒气泄漏事故，造成3000人丧生，5万人双目失明，20万人中毒，10万人终生致残的悲剧，酿成了20世纪以来最大的一起工业惨案。

1984年12月3日子夜，公司下属的某农药厂的一个储气罐的压力在急剧上升。储气罐里装的4.5吨液态剧毒性异氰酸甲酯是用来制造农药西维因和滋灭威的原料。0时56分，储气罐阀门失灵，罐内的剧毒化学物质漏了出来，以气体的形态迅速向外扩散。由于缺少严格的管理和防范措施，事故发生后，生产工人惊慌失措，只顾自己逃跑。没有一人去实施抢救措施，也没有人向公司领导报告，直到毒气形成的浓重烟雾笼罩在全市上空。

从农药厂漏出来的毒气越过工厂围墙，首先进入毗邻的贫民区，数百名居民立即在睡梦中死去。火车站附近，有不少乞丐因怕冷而拥挤在一起。毒气弥漫到那里，几分钟之内，便有10多人丧生，200多人出现严重中毒症状。毒气穿过商店、街道，飘过25平方英里的市区。那天晚上没有风，空气中弥漫着大雾，使得毒气以较高浓度缓缓扩散，传播着死亡。

发生事故的第二天早晨，整个市区好像遭到了中子弹袭击一样。一座座房屋完好无损，但是到处都是人和牲畜的尸体，好端端的城市变成了一座恐怖之城。

事故发生以后，警察以“玩忽职守，造成严重伤亡事故”的罪

名，逮捕了公司的主要负责人。这件震惊世界的毒气泄漏事件发生后，该公司破产倒闭了。

储气罐阀门失灵，是化工企业经常会碰到的一个问题。任何一个化工企业，对于装有剧毒化学物质的储气罐的管理，都会有严格的规定。作为一家著名的跨国公司，当然也不会例外。这里的制度包括：对阀门的检验，查出问题后的维修或更换，更包括出现泄漏事故后，如何实施抢救，如何向上级报告等。制度订好后，要对生产工人进行培训，使他们知道在事故面前应该怎么办。问题在于这些细节没有落到实处，导致出现事故后，“生产工人惊慌失措，只顾自己逃跑。没有一人去实施抢救措施，也没有人向公司领导报告，直到毒气形成浓重烟雾笼罩在全市上空”。

一个细节上的疏忽，使一个闻名世界的跨国公司倒闭，教训不可谓不深刻。

因此，管理者，一定要及时修好“第一块被打碎的窗户玻璃”，否则，小心你的玻璃被打得精光。

心理学家告诉你：管理者要重视公司的小事情，不要因小失大，你必须做好以下几点：

1. 对管理层来说，每一个决定都直接影响着企业的生死。管理者决定企业的生死，一点也不夸张。因此，要周密及细致的考虑任何一件事情，不要让任何一件小事情影响到企业的“生死”。

2. 公司里所有员工要平等对待。不要以为人物渺小就去无意识的忽略他们，有时小人物也会帮上大忙的，把每一个员工都当成生命中的贵人，尊重每一位与你共事的人。

3. 管理中任何一个细节，都可能意味着整体的失败。只有对任何一件小事都给予足够的重视，才不会因细枝末节而导致影响全局。

其实，我国早就流传许多类似的说法：比如“小洞不补，大洞一尺五”，“破罐子破摔”，“一日新，二日旧，三日扔进废纸篓”，

"千里之堤，溃于蚁穴"，等等。

天下难事，是由易事构成的。要做好难事，必须从易事做起；要做好大事，必须从小事做起。管理更是如此。

左右你一生的心理学

1. 不要忽视了小事情的存在，所谓"细节决定管理的成败"，能否从小事做起，关注细节，直接关系到领导者职务和事业能否从低到高，从小到大。

2. 海尔总裁张瑞敏说："把每一件简单的事情做好就是不简单；把每一件平凡的事情做好就是不平凡。"

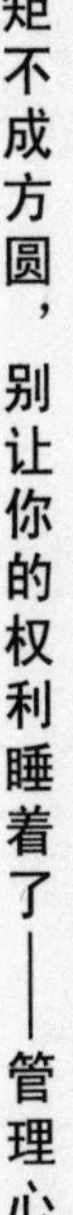

热炉法则——严谨的制度是企业管理的关键

热炉法则又称惩处法则，是指企业规章制度面前人人平等。罪与罚能相符，法与治可相期。

马谡是诸葛亮很喜欢的一员爱将。诸葛亮在与司马懿对战街亭时，马谡自告奋勇要出兵守街亭。诸葛亮虽然很赏识他，但知道马谡做事未免轻率，因而不敢轻易答应他的请求。但马谡表示愿立军令状，若失败就处死全家，诸葛亮只好同意给他这个机会，并指派王平将军随行，并交代马谡在安置完营寨后须立刻回报，有事要与王平商量，马谡一一答应。可是军队到了街亭，马谡执意扎营在山上，完全不听王平的建议，而且没有遵守约定将安营的阵图送回本部。司马懿派兵进攻街亭时，在山下切断了马谡军的粮食及水的供应，使得马谡兵败如山倒，蜀国的重要据点街亭因而失守。面对爱将的重大错误，诸葛亮没有姑息他，而是马上挥泪将其处斩了。

诸葛亮所运用的就是“热炉法则”。

火炉面前人人平等，谁摸谁挨烫。诸葛亮不因为马谡是自己的爱将就网开一面，从而保证了惩罚的平等性。事前预立军令状，做到了预防性。撤军后马上执行斩刑，体现了即时性。正是因为能做到这些，才使蜀国在实力最弱的情况下存活了那么长时间，军队也保持了长久的战斗力。

热炉法则这个源自西方管理学家提出的惩罚原则，它的实际指导意义在于有人在工作中违反了规章制度，就像去碰触一个烧红的火炉，一定要让他受到“烫”的处罚。与奖赏之类的正面强化手段相反，而惩罚之类则属于反面强化手段，“热炉法则”应用“三性”来完善管理制度，即：即刻性、预先示警性、彻底贯穿性。

纪律是一切制度的基石，组织与团队要能长久存在，其重要的维系力就是团队纪律。纪律的维系力通过严格的执行来完成。

每个企业都有自己的“天条”及规章制度，员工中的任何人触犯了都要受到惩罚。制度明确规定了员工该做什么，不该做什么，就好像是标明了在哪里有“热炉”，一旦碰上它，就一定会受到惩罚。只有这样，才能做到令行禁止、不徇私情，真正实现热炉法则。

人们常说这样一句话：“一个和尚挑水喝，两个和尚抬水喝，三个和尚没水喝。”其实，解决三个和尚没水喝的问题并不难，关键就在于要制定一套有执行力的制度。

一个公司不能依赖于人，人可以成就一家公司，也可以毁掉一家公司。

一家川菜馆，少了主厨师傅就难以为继，而赫赫有名的麦当劳，走了一个制作汉堡的员工，依然运转如流。这中间的差异是什么？就在于麦当劳对操作流程进行了规范化，建立起有执行力的制度。

企业要有完善的经营管理，除了要有“懂事”的人做领导外，还要有科学的管理制度。任何一家企业的成功，都应归功于制度执行的成功。企业只有通过规范化的制度来完善自己的整体策略规划，促使员工按照制度的要求来规范自己的行为，才能调动起企业员工的工作状态，使员保质保量地完成自己的工作任务。

王永庆是最早探索和实行企业管理制度化的企业家。台塑的制度化，是设计一套可行的经营制度，使员工按照所设定的操作规范与事务流程去做事；同时，主管也能主动地做考核和追踪。工作量可以计算，工作品质可以衡量，这是台塑制定管理制度的最基本原则。

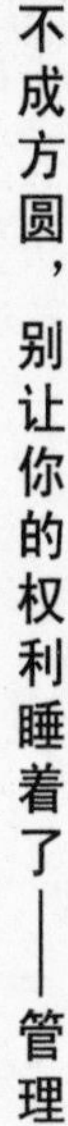

王永庆认为，一个拥有良好管理制度的企业，其每个员工所担任的工作都有明确的目标，他们只要依照达到目标的途径处理事务，根据工作成绩来判定每一个成员的工作效率，使每一个人都能发挥自己的潜力。能够做到这种地步，企业自然就具备竞争力。

有了管理制度后，接下来就是推行的问题。再完美的管理制度，倘若不能彻底去推行，那就等于没有制度。

王永庆于1973年在台塑正式成立“总管理处总经理室”，其首要任务就是全面推行管理制度。管理制度推行成败的关键，全在于企业领导的重视程度。如果领导很重视，又能身体力行，那就表示了领导贯彻管理制度的决心，这样一来，没有不成功的。

台塑推行管理制度时曾遭遇到了极大的阻力，为此，王永庆特地成立“午餐汇报”制度，借助领导直接鞭策，有效推动管理制度的实行。

王永庆为了表示自己的决心，对于午餐汇报中表现不佳的主管，不惜马上撤职或撤换。因此在午餐汇报之后，常常有主管回去之后找不到自己座位的情形。就这样历经六年时间，到了1979年，管理制度的成效才显现出来。

管理制度推行之后，还应对现行的制度不断检讨，以从中发现不合理之处，再找出切实可行的改善方法，以求对管理制度不断完善。

海尔集团有个规定，所有员工走路都必须靠右行，在离开座位时则需将椅子推进桌洞里，否则，都将被罚款。在实践中，海尔就是这样做的。

在奥克斯集团的各项纪律中，有一项规定是开会时不得有手机铃声，若违反，每记铃声罚款50元。在奥克斯集团内，无论大会小会，都不会受手机铃声的干扰，即使是刚进奥克斯的新人也知道必须养成这样的良好习惯，绝不触犯。

这些企业之所以做这样的规定，用意无非是希望全体员工在心目中形成一种强烈的观念：制度和纪律是一个不可触摸的“热炉”。

惩罚制度毕竟是手段而不是目的，使用过滥就会适得其反。企业制订和推行惩罚制度，关键是要遵循公开、公正、公平、公心的原则，并从技能培训、企业文化建设和建立科学的奖惩机制入手，使员工心悦诚服、勇于认错。这样的话，热炉给员工的就不仅仅是烫、而且会有温暖的感觉了。

“火烈，民望而畏之，故鲜死焉；水懦弱，民狎而玩之，则多死焉”。由《左传·昭公二十年》中郑国子产的话，想到西方管理学家提出的“热炉法则”。这一法则形象地阐述了执行法规制度时的惩处原则，对于如何惩治和预防腐败不无借鉴意义。

1. 预警性原则。热炉通红，不用手去摸就知道炉子是热的，会烫伤人。这通红的“火炉”就好比党纪法规，是一柄时刻悬在每个人心头上闪着寒光的“达摩克利斯剑”。每个领导者虽权力在握，但不可忘乎所以，必须常怀敬畏之心，自觉接受党纪法规的约束和教育，时时想想那通红灼人的“火炉”，想想人生道路上的“红绿灯”，就不敢为所欲为了。

2. 必然性原则。每当你触摸到热炉时，无论是谁采取什么方式触摸，都肯定会被灼伤，也就是只要触犯了国家法律和党纪党规，就一定会受到严肃惩处。“树上有一只鸟被打死，其他九只鸟却吓不跑”。这些“菜鸟”就是抱着一种侥幸心理，以为自己摸了“热炉”，不一定会被灼伤。克服这种现象，必须树立制度法规约束力的绝对权威，使那些贪婪之人，掂量掂量炙热“火炉”的温度，也就不敢伸手了。

3. 即刻性原则。当你碰到热炉时，立即会被灼伤，也就是惩处必须在错误行为发生后及时进行。

4. 公平性原则。“热炉”没有任何“弹性”，无论什么人，无论何时何地，只要触摸了“热炉”，都会被灼伤。“伸手必被捉”。只要做到“不辨亲疏，不异贵贱，一致于法”，除恶务尽，有贪念者

就不敢再去触碰“热炉”了。

国有国法，家有家规。无论是国法或家规，重要的是必须赏罚分明。一个军队赏罚分明，可以提升军中的士气；一个公司赏罚分明，可以提升公司的业绩。如果赏罚不明，大众必定不服气，所以“功、过”一定要给予适当的奖赏处分，赏罚一分明，制度就容易建立。

心理学家认为：关于赏罚分明要注意三个方面：

第一、有功必有赏。

部属有功劳而不奖赏，他会产生不服气的心理，以后就不肯立功，甚至造成上下离心离德，难以领导。《说苑》言：“有功者不赏，有罪者不罚；多党者进，少党者退；是以群臣比周而蔽贤，百吏群党而多奸；忠臣以诽死于无罪，邪臣以誉赏于无功。其国见于危亡。”所以有功必赏，可以激励工作态度，也能融洽上下关系，让部属“鞠躬尽瘁，死而后已”。

第二、有过必有罚。

一个团体必须讲究纪律，不能因这个人平时对我好或者是亲朋好友，有过就不惩罚，如此很容易引起别人的反弹。孔明挥泪斩马谡的故事就是一个很好的例子。所以有过必罚，不能优柔寡断，感情用事，这样上下才能团结一致。

第三、双管齐下。

赏与罚双管齐下，并且两手都要硬。下属取得成绩，即使给予肯定，不吝啬表扬；下属犯了错误，给予指正，并先检讨自己是否教会了下属正确的工作方法。“罚”的目的在于“惩前毖后，治病救人”。

这里有一个小故事值得借鉴：有一天，工厂男浴室屋顶灯泡坏了，浴室里一片漆黑，工人吵吵嚷嚷。领班通知电工去换，但谁也不去，领班说：“谁去换灯泡，给100元。”一会儿浴室顶上七个灯泡全换好了。厂长说道：“这笔钱从集体奖金中扣。”不但如此，还规定以后公共场所灯泡坏了，若电工们不去换而别人去换，则换一个灯泡就拿奖金，且一律从电工组奖金里扣。这一招真灵，从此，走廊、厕所。浴室总是亮光光的，再没发生过黑灯暗火的事情。由此可见，赏罚分明，双管齐下都员工的心理震慑力是何等的强大。

当然，赏罚分明固然重要，但也要讲求公平，否则会引起员工的抵触心理。生命有两个最基本的范畴：尊重与公正。这也是作为个体的人最需要的两样东西。员工也不例外，尊重自不待言。因为人要过社会性的生活，其生活的美好程度最终有赖于社会制度和社会各方面条件是否有益于人的生活和生长，此时，公正的社会秩序便成为每一个人的追求，公正也成为每一个社会人发自内心的需要。事实上，我们在员工中作调查，他心目中的好管理者应该是什么样的？无论你在哪里作调查，公正这个品质都是必不可少的。

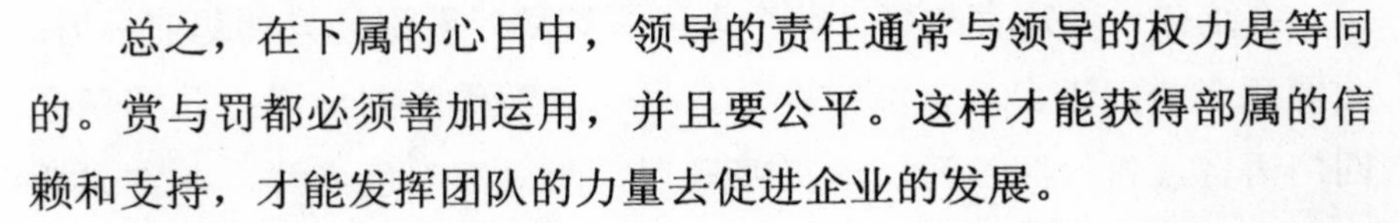

总之，在下属的心目中，领导的责任通常与领导的权力是等同的。赏与罚都必须善加运用，并且要公平。这样才能获得部属的信赖和支持，才能发挥团队的力量去促进企业的发展。

“巨壑虽深，兽知所避；烈火虽猛，人无蹈死。”企业管理中，管理者必须充分发挥“热炉法则”的巨大威力，使贪腐者真正受到惩处和震慑，这样教育才有说服力，制度和监督才有约束力。

左右你一生的心理学

1. 每个企业都应该有自己的“天条”及规章制度，员工中的任何人触犯了都要受到惩罚。

2. 如果不去执行，再好的制度也没有用；反过来说，再不完善的制度，如果认真执行，并经过反复的检讨与修改，也会逐渐变成一个好的制度。

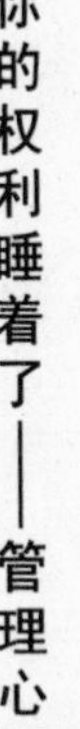

管理是一门学问

什么是管理？管理是要以有效的方法达到目的的具体行为。这就必然要求在实践上设计一种行得通的解决办法。管理的核心是“人”，建立分工合作的、融洽的人际关系是其重点；管理的对象是“事”，充分利用各种资源以满足人类物质和精神需要的“事”；管理的目的是以最高的效率达到目标。

有这样一个寓言故事，一个人去买鹦鹉，看到一只鹦鹉前标道：此鹦鹉会两门语言，售价二百元。另一只鹦鹉前则标道：此鹦鹉会四门语言，售价四百元。该买哪只呢？两只都毛色光鲜，非常灵活可爱。于是这人转啊转，拿不定主意。结果突然发现一只老掉了牙的鹦鹉，毛色暗淡散乱，却标价八百元。这人赶紧将老板叫来：“这只鹦鹉是不是会说八门语言？”店主说：“不。”这人奇怪了：“那为什么又老又丑，又没有能力，会值这个价钱呢？”店主回答：“因为另外两只鹦鹉叫这只鹦鹉老板。”

由此可见，老板(管理者)——其地位是何其重要呀。

管理者的地位重要，重要在哪儿呢？管理好下属首当其冲。可是，究竟怎样才能有效地去管理好下属呢？这个问题困扰着每一位管理者，也有众多的专家学者费尽心思研究这个问题……

在一次亚洲最佳管理者调研中，参加调研的 8 个市场中 305 家公司的首席执行官们在公司经营和员工管理上普遍面对着新的挑战。

而当选的 20 家公司的 CEO 们认为，驱动公司业务发展的关键因素在于员工，在公司的人力资源管理上，他们普遍认为存在三大挑战。最佳管理者们认识到，要迎接所面临的这些挑战，必须从公司内外部管理做起，从各方面完善自身。

在这次亚洲最佳管理者调查中不难发现一个现象：很少有蓝筹股大公司入选。这虽然不能说明这些公司刻薄对待员工，但至少可以说明，能否成为一个最佳管理者，并非一定要和公司的资产、规模或市场占有率成正比。那么，如何当一个让员工满意的雇主呢？翰威特资源专家认为：其中并无多少玄机，最根本的还是需要一个令人愉快的人事调配制度和管理层的统御力——员工对企业满意并不单只是对老板满意，这是一个公司整体协同运作能力的问题，而不是个人问题。

调研发现，与那些没有当选的其他公司相比，最终胜出的20家公司在六大方面与众不同。

1. 重点明晰，并与员工坦率且有效地沟通

最佳管理者的CEO们与员工交流公司经营战略和发展方向的频繁程度是其他公司的2.5倍。

当选最佳管理者的公司中87%的员工感觉到他们得到了足够的有关公司业务成果和绩效的信息，而其他公司的员工反馈满意的只有57%。

89%的最佳管理者公司员工认为，他们知道公司对自己工作的期望值，比其他公司高了25个百分点。

2. 不遗余力地开发最优秀人才并努力使他们处于领先地位

最佳管理者知道怎样发挥那些有能力的员工的才能，并且知道怎样留住这些员工。实际上，最佳管理者公司中，包括CEO和员工都表示，他们并不太为人才短缺问题而感到烦恼（最佳管理者中有50%表示担心，而其他公司则达73%）。

最佳管理者善于发现那些有能力的员工，他们洞悉其潜力、并使用有效的政策支持这些员工开展工作。与之相比，其他公司中也有相关政策，但是未能有效开展。

最佳管理者为员工提供更多的酬劳和培训项目。其他公司平均每年为每位员工支付 596 美元提供 49 小时的培训，而最佳管理者平均每年为每位员工支付 670 美元提供 68 小时的培训。

3. 集中精力处理最重要的事，避免分散精力

最佳管理者不盲目地追随潮流。他们知道如何使用有关联性和针对性的人力资源管理方案来管理他们的公司。他们起到的是领头羊的作用，而非随大流。

最佳管理者的员工们表示，他们所处的工作环境有助于自己最大限度地发挥工作效率。在这一点上，最佳管理者和其他公司表示满意的员工分别占 82%和 43%。

84%的最佳管理者的员工认为自己的老板支持并有效地执行了公司的人力资源管理方案，而其他公司只有 49%的员工这样认为。

4. 让员工对工作结果负责，积极认可他们的成就，以显示对员工的尊重

许多公司认为他们的绩效很出色，但事实上有些做到了，有些却没有。最佳管理者在提供机会和支付酬劳方面十分突出。在最佳管理者公司中，93%的员工认为公司对于员工绩效的奖励措施积极，而其他公司这一比例仅为 75%。

调研发现，30%的最佳管理者公司中，同一部门业绩优秀的员工基本酬劳的增幅是那些业绩普通员工的 3 倍。没有一家最佳管理者公司在公司中的加薪幅度是整齐划一的。而在其他公司中，只有 13%为取得不同业绩的员工提供相称的奖励。6%的公司甚至仍旧执行全体员工“扯平”的加薪政策。

83%的最佳管理者公司员工认为，他们得到酬劳和赞许是因为他们帮助公司取得了好的经营业绩。同时，公司业绩也直接影响了他们得到的薪酬。在其他公司中这一比例仅有 47%。

5. 鼓舞并保持一种追求卓越成果的激情

调研发现最佳管理者对待员工都十分热情周到，从而鼓舞员工以同样的热情来对待工作。有88%的最佳管理者公司员工感到自己每天都受到鼓舞去做好工作，而其他公司的员工反馈为56%。

最佳管理者公司有89%的员工觉得从工作中得到成就感，而其他公司只有60%。83%最佳管理者公司员工对每天的工作都感到精力十足，而其他公司中这一比例不到一半。最佳管理者公司的员工从工作中切实体会到自己对整个社会作出了贡献，体现出主动精神。

6. 利用公司文化的力量并营造一种家庭式的工作氛围

最佳管理者公司的最高层领导对企业文化都十分重视。对于他们来说，企业文化对公司而言就像呼吸对于生活一样重要——从他们处理与公司各级主管、各位员工和各位客户的关系中逐渐孕育，并且利用任何合适的机会加以发展。

最佳管理者公司的CEO们在员工管理问题上花费更多的时间。这个比例在最佳管理者和其他公司之间分别是46%和35%。

在最佳管理者公司中，到处都有积极学习进取的气氛。82%的最佳管理者公司成员认为，公司为他们提供了充分的机会发展工作技能以便胜任自己的岗位。而其他公司中只有45%的员工这样认为。

最佳管理者公司中，员工犯的错误被当做学习过程中的正常现象。公司会经常给他们提一些建议。每位员工都被赋予充分的权力进行工作决策，为的只有一个目标：更好地满足客户需要。对于CEO们而言，得人心就是要让员工在理智和情感上都能对公司具有认同和归属感。

“最佳管理者”都体现出一些共同点，它们都能“让员工感到自己和公司的工作有着密切联系”；它们“经常和员工讨论交流公司经营目标和方向”；它们“采用员工绩效管理方法和员工职业生涯发展计划使得员工更加紧密地与他的工作联系在一起”；而且，它们“将员工收入与员工个人绩效以及企业经营状况挂钩”。

调查还发现，老板们在希望留住心腹爱将的时候，单提薪水和假期已经不够有效了。好的员工可能会提出得到公司的股份、上班穿便装，甚至希望公司向他们提供免费的薄饼。

好的雇主可以了解员工的需求，并会在物质和精神上寻找一个让员工满足的平衡点——这往往并不需要花太多的钱。不过要寻找这个平衡点也实非易事，因为员工的精神状态是无法以数量计算的。翰威特人力资源专家指出：成为最佳管理者，凭借的不是资产规模、市场占有率，也不是老板的个人魅力，而是一个公司整体协同运作的能力。创造愉快的工作环境是最佳管理者的首要秘诀。

管理是一门大学问，只要掌握了这门学问，管理不但不累，而且还是一种乐趣。

左右你一生的心理学

1. 管理是一门高深的艺术，任何经营成果的取得，都是在管理中应运而生的。为此，掌握管理的妙法，必将对企业的良好动作和稳步发展起到决定性的作用。

2. 掌握一个领导者的看家本领，你事业的成功，也必然随之而来。

摒弃恶习，培养良好的生活习惯——健康心理学

生活中存在一些具有不良嗜好的人，而且也不难发现，这些不良嗜好往往是由心理上的原因引起的，挖掘这些不良嗜好的深层原因，有助于人们克服这些不良嗜好，培养良好的生活习惯。

吸烟成瘾——慢慢燃尽你生命的“火焰”

香烟是精神活性物质，能让人“成瘾”。吸烟有让人“提神解乏”的感觉，主要是烟草中主要成分尼古丁起作用。烟雾中的尼古丁通过呼吸道进入血液和各组织器官，产生不同的生理反应，并在血浆中达到一种相对平衡状态，这种平衡状态则由吸烟者无意识地进行自我调整。一旦血浆中的尼古丁含量相对减少，吸烟者就会出现要吸烟的愿望，当吸到一定剂量，即尼古丁的血浆浓度又达到相对高的水平时，一种“满足感”就会发生，这时就会停止吸烟，这就是尼古丁的依赖性表现。

阿杰的真情告白：“我挺喜欢吸烟的。我觉得烟这个东西挺适合我的，虽然我年龄不很大，但各种好烟我都尝过，这方面的经历我不比任何人差。现在进入了高三，我越发感到我离不开烟了。有时觉得有点疲劳时，也会偷偷地向老师请假上厕所，实际上是出去过烟瘾。有时候，我很想戒掉抽烟，原因很简单，父亲最近下岗了，家里的经济来源出了点问题，给我的零花钱就少了，好烟自然也抽不起。在我周围的同学中，也有不少‘老烟鬼’，大家课间聚在学校的一角，就会轮着发烟抽。每次当我发誓要开始戒烟时，这些人都三番五次地劝我，最后我就挡不住别人的三言两语的劝诱，重新开始抽。父母对我抽烟早有耳闻，也不想拿我怎样，只不过内心里，我很想以新的形象表现给父母看，只是我也不能肯定什么时候我才会戒烟成功。”

在日常生活中，烟民随处可见。他们把烟当成了维持自己生命的手段之一，他们需要烟的力量振奋自己的情绪。有些嗜烟成瘾的人一日也离不开香烟，而一些正处花季的少男少女也盲目地抽烟以显示自己的“成熟”与“潇洒”。当然男女吸烟的心理也存在差别，来自美国加州大学的戴尔菲诺和贾姆纳通过研究发现，男性吸烟的主要目的是通过吸烟驱除不良情绪，如很多人希望通过吸烟控制自己的紧张、焦虑，不少人在自己情绪低落、悲伤时吸烟量增加，也有些人通过吸烟解除疲劳，集中注意力。相反，女性吸烟则较少出于上述动机。她们之所以吸烟，更多的是希望通过吸烟表示自己自立、与男性平等、新潮。

从心理学角度讲：青少年吸烟的心态有多种多样，阿杰戒烟难的问题在于，对吸烟行为的观念在不知不觉影响他：好探险心理，由于青少年时期是个体从权威人物的影子中挣脱出来的过程，青少年时常会尝试做一些父母平时不允许做的事情（当然这不意味着应去做出格或违法的事情），以满足个人的好探险心理、从众心理（身边的朋友都吸烟，自己抽才能体现彼此有交情）、虚荣心（别人经常散烟，自己怎能老抽“伸手牌”香烟？有来无往，非礼也）。

因此，心理专家指出：吸烟习惯的形成，主要是受外界环境的影响：

1. 好奇。对于大多数吸烟的青少年来说，开始只是出于好奇，常听人说：“饭后一支烟，快乐像神仙”，便想亲自去体检其中的滋味。

2. 模仿。香烟具有多种象征作用，历史上许多伟人都是烟鬼，例如丘吉尔的雪茄，斯大林的大烟斗，这些伟人形象许多青少年去模仿。此外，成人或同伴的影响，吸烟者那种潇洒自如、悠然自得的神态对青少年具有很大的诱惑力，吸引着年轻人去模仿。

3. 交际的需要。在中国，吸烟已成为一种交际手段。敬烟往往是社交的序曲，能缩短人与人之间的心理距离。互相敬烟能沟通感情，产生心理上的接近，有利于问题的解决。许多人开始纯粹是因为社交上的应酬，办事前，首先要给对方敬上一支，随后再为自己点上一支；别人给你敬烟，不接受又显得不礼貌。随着这种“礼尚往来”的增多，慢慢地由抽一支烟半天不舒服到半天不抽烟就不舒服，终于加入到吸烟者的行列。

4. 消愁。有不少人在工作、学习、生活中受到挫折以后，便借抽烟来缓解自己的紧张情绪，消除一切烦恼。

5. 提神。吸烟上瘾之后，人们发现烟具有一定有兴奋作用，而生理上的烟瘾使得抽烟成为一种习惯和享受，许多吸烟成瘾的人不吸烟就无精神，而一抽烟，就精神焕发，思路大开。

6. 显示自己的成熟。在许多青少年眼里，抽烟是一种男子汉的标志，是成熟的标志。为了证明自己不再是小孩，而选择了吸烟这种方式。

吸烟有一定的社会性，在社交中具有一定的社会功能，但同时又可能诱发多种疾病，对个体健康危害极大。

世界公认吸烟是肺癌致病的最危险因素之一。大量研究已经证明吸烟者肺癌的发病率比普通人高20—25倍，且与吸烟的量和吸烟时间的长短正相关。

烟草依赖又称尼古丁依赖，特点是对尼古丁的渴求无法克制，以及连续地、强迫性地使用尼古丁制品，以体验其带来的快感和愉悦，并逃避因缺乏尼古丁而可能产生的不适感觉。什么是尼古丁呢？这种大名鼎鼎的物质实际是一种难闻、味苦、无色透明的油质液体，通过口鼻支气管黏膜很容易被机体吸收。对人体而言，它是一种有毒物质。据测算，20—25支香烟的尼古丁含量足以致人死亡。

这个数据可能会使很多吸烟者感到疑惑——为什么我们抽了这么多烟却没有事呢？有专家解答道：“这是因为，在抽烟的过程中只有20%的尼古丁被机体吸收，之后又很快被解毒随尿排出。”

不过，千万不要因此就判定尼古丁对人体无害。ATND专家组

的研究表明，尼古丁会被人体组织迅速吸收，并产生非常强的刺激性与行为改变效果，反复摄取尼古丁会导致大脑神经通路变化，使得吸烟者无法摆脱对尼古丁的依赖，产生烟瘾。因此，尼古丁依赖对人的侵蚀是慢性的、累积性的。

尼古丁依赖是一种慢性病，而不仅仅是一种生活上的“坏习惯”，这个慢性病最核心的特点就是成瘾性。根据ATND与会专家统计，吸烟者一旦成瘾，每30—40分钟就需要吸一支烟，以维持大脑尼古丁稳定水平；当达不到这一水平时吸烟者就会感到烦躁、不适、恶心、头痛并渴望补充尼古丁，这些表现似乎与吸毒无异。这就给烟草中的其他有害物质大开方便之门，使得人们在依赖尼古丁的同时不断被侵蚀健康，并最终引发各种致命疾病。

就像人们常说的“温水煮青蛙”，作为一种慢性疾病，尼古丁依赖带来的危害并不像有些疾病那样立竿见影，甚至会潜伏十年、二十年，甚至更长时间后才开始发作。一个长期吸烟者比起不吸烟者患肺癌、喉癌、冠心病和气管炎的可能性要大得多：在发达国家中，吸烟与85%的肺癌死亡人数有关，与75%的支气管炎及肺气肿总死亡数有关，与25%的心脏病总死亡数有关。在中国，每年死于烟草相关疾病的人数为100万，超过因艾滋病、结核、交通事故以及自杀死亡人数的总和。

除了尼古丁本身的致依赖性潜力以外，维持吸烟行为的另一重要因素是条件反射，特别是长期吸烟的人，往往在情绪、生活、工作等方面和吸烟建立起了密切联系，“吸烟往往是不由自主的嗜好”。因此，只要有毅力，在停止吸烟后克服心理上对香烟的渴求，戒烟是完全可以成功的。

当一个吸烟者决心戒烟时，一定要深思熟虑，切忌在心理准备尚不充分的情况下戒烟。否则，强烈的生理反应和心理依赖会使你难以忍受，痛苦、犹豫之后可能让你重新吸烟，并得出“我这辈子是戒不掉烟”的结论。这也是有的人多次戒烟、多次失败的原因。

心理专家建议：吸烟者首先要弄清自己嗜烟的程度，然后根据自己的依赖程度制定比较可行的戒烟计划。

戒烟的疗法很多，下面介绍几种主要的戒烟方法。

1. 认知疗法

帮助患者充分认识吸烟对自己及他人的危害，树立起戒烟的决心和信心，不要认为自己抽烟历史较长而戒不掉，一定要想到：我一定会成功。《钢铁是怎样炼成的》一书中曾描写到：一次保尔•柯察金与同伴们一起谈论戒烟的问题，别人认为他是吹牛，根本做不到，他说："人应该支配习惯，而不能让习惯支配人……"接着，就把嘴上的烟卷拿下来揉碎，并声称"我决不再抽烟了"。从此他果真戒了烟。在日常生活中，也有许多烟瘾很大的人，多次戒烟都未成功，后来得了不宜抽烟的疾病，下定决心后还是戒掉了。

2. 厌恶疗法

对嗜烟者的抽烟行为可选用一些负性刺激方法使之对其产生一种厌恶感。例如采用快速抽烟法，首先让患者以每秒钟一口的速度深吸地将烟吸入肺部，由于这种速度远远超出正常的吸烟速度，使尼古丁在短时间内被大量地吸入，这时患者会产生强烈的生理反应，如头晕、恶心、心跳过速等。再要求患者好好体验这种不良感觉，然后让他呼吸一会儿新鲜空气，两者形成鲜明的对比。随后又让患者快速抽烟，直到不想再抽、看到香烟就不舒服为止。这种疗法只要连续进行 2—3 次，一般都会把烟戒掉。注意此法不能用于患有心脏病、高血压、糖尿病、支气管炎、肺气肿等疾病的人。

3. 系统戒烟法

要求戒烟者一下子就将烟完全戒掉，是比较困难的，特别是对烟瘾大的人说更不现实。因此，应当采取逐步戒烟的方法。抽烟成瘾者往往是在下意识状态下抽烟的，所以在戒烟前，要制定一个戒烟计划，计算好每天吸烟的支数，每支烟吸多长时间，将下意识抽烟习惯转变为有意识的抽烟。在戒烟过程中，要逐步减少每天吸烟

的支数，逐步延长吸烟的间隔时间，如两天减少一支烟，一天减少一支烟，半天减少一支烟，这样不断的递减；一小时抽一支烟、两小时抽一支烟、半天抽一支烟，间隔时间不断递增，最后达到戒烟目的。

4. 控制环境

许多人吸烟往往同一定的生活、环境、情绪状态联系在一起，因此应设法避免这些因素的影响。例如，你在写作或思考问题时喜欢一支接一支地抽烟，那么就可有意识地在身边少放点烟，或放点瓜子糖果之类的点心来替代香烟。已故美国总统里根，就曾经用口香糖成功地将烟戒掉。对于外来的抽烟刺激，也应尽量避免。当别人敬烟时，对初次见面者可说不会抽，对熟人朋友可说喉咙不舒服或直言已戒烟了。只要态度诚恳坚决，别人一般不会强行敬烟。

5. 家庭治疗

妻子和孩子可做戒烟者的监督人，帮助吸烟者彻底戒掉。如妻子可把丈夫原来每天吸烟的钱积攒下来，买件有意义的物品送给他作为奖励。如违约，则给予一定的惩罚。

6. 饮食治疗

戒烟者可以吃戒烟糖或喝戒烟茶，以帮助戒烟。

由于吸烟的害处很多，不仅为自己增加一笔巨大的开支，还威胁自己的身体健康。另外，美国精神卫生协会发言人认为，吸烟与抑郁症之间确实存在某些联系，吸烟是导致心理疾病众多危险因素中的一种，因此烟民要学会控制自己的吸烟行为。

左右你一生的心理学

1. “很多人都知道吸烟会上瘾，但只把对烟草的依赖看作是一种不良嗜好。”其实你仔细看了上面的叙述，就知道危害有多大。

2. “世界卫生组织明确指出，烟草依赖是一种慢性成瘾性疾病，嗜烟者实际上是慢性病人！”因此，吸烟者要及早戒烟，不仅利己，而且利人。

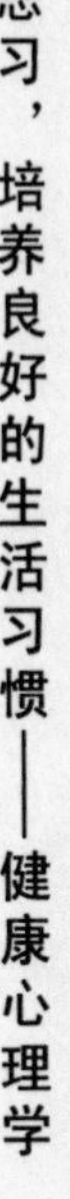

酗酒成性——酩酊是暂时性的自杀

医学界将酗酒定义为：一次喝5瓶或5瓶以上啤酒，或者，血液中的酒精含量达到或高于0.08。由于大量酒精会杀死大脑神经细胞，长此以往，会导致记忆力减退。还可能引起脂肪肝、肝硬化等肝脏疾病，情况严重者必须进行肝脏移植才能保全性命。

现代社会，随着人际关系的复杂、交际的增多，聚会也变得多了起来，各种名目的聚会，似乎都少不了“酒”。同学会喝，同乡会喝，联谊会喝，联欢会喝，拜年喝，相聚喝，高兴喝，痛苦喝，有事喝，没事照样喝……总之，喝酒的花样名目繁多得数不胜数，一时间，似乎找不到不喝酒的理由。

一切事情都有一个度，由于酒有一定的扩张血管、兴奋神经的作用，分时间分场合适量饮用是有益的。但是，饮酒的历史和现状告诉我们，人们对酒的需求更多的是一种心理需要。据调查，只有3.5%的人饮酒是为了身体的需要，96.5%的人饮酒是由于社会和心理因素使然。饮酒往往是为了祝贺、结交、助兴或排遣忧愁等等。然而一个滴酒不沾的人发展到酒鬼，中间又有怎样的一个心理过程呢？

李某，由于家教很严，从小就滴酒不沾。高中毕业那年由于考上了省外一所不错的大学，家中办了一场喜事，李某被好友灌得酩酊大醉。第二天，李某就感到眼球不适，几天后眼睛中长出了异物。医生告诉他，是由于上火引起的，需要很长时间的治疗和休养。从那天起，李某就知道自己喝不了酒，决定以后再也不沾那玩意了。然而，大学毕业的那一阵，由于离校在即，好友聚会在所难免。出于礼节，李某一次又一次地苦命应酬。后来他发现自己竟然也喜欢上酒了，常常在心情不佳时独酌。对自己的变化他有些迷惘。

许多专家认为，酒瘾君子不是天生的，其主要成因还在于生活环境。人产生饮酒的心理原因一般表现为：

1. 从众模仿。随着身心的逐渐发育成熟，青少年处处要求以成人自居，看到许多长辈饮酒，便认为“只有饮酒才是大人样”，于是就模仿起来。

2. 出于好奇。青少年好奇心强，看到别人把杯问盏、怡然自得，便想亲自体验一回饮酒的滋味。

3. 社交需要。社交场合中，碰碰杯可缩短心理距离，上面的案例中李某正是为了社交需要迫于无奈而一步步地端起酒杯的。

4. 逆反心理。有些青少年对正面宣传产生逆反心理，你越是劝阻，他越是跃跃欲试。

5. 寻求解脱。古语云：“何以解忧，唯有杜康。”一些青少年在学习、工作和生活中受到挫折，如失恋、考试落榜、待业无助、人际关系紧张等，就借饮酒来寻求解脱，以此消愁解忧，逃避现实。

因此，一个人养成饮酒习惯，是一种习惯的不适应的行为模式。以后为了满足其生理和心理的依赖，这种陋习就被维持下来。家庭和社会中年长者的行为模式，对一个人的影响尤为深刻。饮酒日久则上瘾，而且过度沉溺其中，还会形成中毒症状。由于运动机制失调，人际交往、求学就业方面也将受到严重影响，做出不负责任的甚至反社会的行为。

心理学家告诫：酗酒的危害很大：

1. 酗酒必伤肝

大量的临床试验证实：酒精中的乙醇对肝脏的伤害是最直接，也是最大的。它能使肝细胞发生变性和坏死，一次大量饮酒，会杀

伤大量的肝细胞，引起转氨酶急剧升高；如果长期饮酒，还容易导致酒精性脂肪肝、酒精性肝炎，甚至酒精性肝硬化。据上海某研究室的一项科研报告披露：近七年间，因大量长期饮烈性白酒造成酒精中毒的患者上升 28.5 倍，死亡人数上升 30.6 倍。

2. 酗酒可损伤大脑

酗酒伤身的道理众所周知，但酒精对大脑的损害却很少引起"酒仙"们的重视。大量饮酒为什么容易伤脑，导致痴呆呢？酒精之所以损害健康的脑组织，是因为乙醇能直接通过胃黏膜吸收入血，并很快通过血脑屏障进入大脑。酒精是一种亲神经物质，具有神经毒性作用，能直接杀伤脑细胞，使之溶解、消亡、减少。长期饮酒者脑细胞死亡速度会越发加快，脑萎缩也会越来越严重。伴随脑血流量的减少，脑内葡萄糖代谢率、脑神经细胞活性均减低，大脑功能随之衰退。

3. 长期酗酒将造成心肌脂肪化，损伤心脏功能，诱发高血压等疾病

酒精对食管和胃的黏膜损害很大，会引起黏膜充血、肿胀和糜烂，导致食管炎、胃炎、溃疡病。酒精主要在肝内代谢，对肝脏的损害特别大，肝癌的发病与长期酗酒有直接关系。研究表明，平均每天饮白酒 160 克，有 75%的人在十五年内会出现严重的肝脏损害，还会诱发急性胆囊炎和急性胰腺炎。诱发脑卒中酒精影响脂肪代谢，升高血胆固醇和甘油三酯。大量饮酒会使心率增快，血压急剧上升，极易诱发脑卒中。长期饮酒还会使心脏发生脂肪变性，严重影响心脏的正常功能。

4. 经常酗酒会损伤生殖功能

医学研究证实：酒精对精子和卵子也有毒副作用，不管父亲还是母亲酗酒，都会造成下一代发育畸形、智力低下等不良后果。孕妇饮酒，酒精能通过胎盘进入胎儿体内直接毒害胎儿，影响其正常生长发育。而丈夫经常酗酒的家庭中平均人工流产次数比其他家庭高很多。大量的酒精对精子和胎儿都有致命的"打击"和损伤。

酒鬼的后代出现的弱智和畸形悲剧就是明证。中国历史上著名文学家陶渊明曾以《桃花源记》等名作备受世人称颂，但由于一生嗜酒，连生五子非呆即傻全是畸形弱智儿。

5. 酗酒对社会也具有极大危害

酗酒者通常把酗酒行为作为一种因内心冲突、心理矛盾造成的强烈心理势能发泄出来的重要方式和途径。酗酒者常通过酗酒以期来消除烦恼，减轻空虚、胆怯、内疚、失败等心理感受。如果全社会对酗酒现象熟视无睹，不采取有效措施加以规劝，醉鬼们就可能危害社会治安，让我们遭遇到偷盗、杀人、家庭暴力行动后的离异等。这并非耸人听闻，我国每年因酗酒肇事立案的高达400万起；全国每年有10万人死于车祸，而三分之一以上的交通事故的发生与酗酒及酒后驾车有关。

因此无论是家庭，还是青少年个人，都应对此有正确认识。

在心理方面，要想戒掉酗酒的“瘾”患，关键在于自己对酗酒的危害性要有深刻的理解，树立“健康第一”的意识并采取自我克制措施。心理专家建议参照以下方法：

1. 主动避开诱因。特别是尽量少和原来的酒友见面，少去原来常喝酒的饭店就餐。

2.最好有家人和好友的支持。一旦饮酒成瘾，要想三天两日戒掉是很不容易的。这时候亲朋好友的鼓励和支持戒酒的积极配合至关重要。比如每天晚餐都要来个一醉方休的习惯，就坚持把酒杯收起来改成吃过晚饭来点新鲜水果。然后和家人一起去室外散散步、看看电视，总之要把与酒有关的心思转移开，并且用另外一个内容取代之。

3. 千万别给自己找借口。比如把酒柜里现存的几瓶酒喝光后就不买啦……白酒不喝，啤酒、葡萄酒总可以喝吧……别的酒不喝，这瓶老战友送来的茅台总不能浪费了吧……诸如此类想喝酒的借口有的是，一定要把住“进口”关，说不喝就不喝，不给“酒虫子”留下喘息的机会，只有这样才能立竿见影地把酗酒恶习连根铲除。

每当酒瘾的“浪花”向你袭来时，你要立即想到这是冲向你

“健康防波堤”的恶浪，千万别动摇，只要坚持5—10分钟，这股子成瘾性冲动便会逐渐减退。同时采取出去散散步或听一段音乐或找个朋友聊聊天等方法，转移一下注意力就过去了。

一般人都把嗜好喝酒当做是一种个人爱好，无法理解酒精成瘾也是一种疾病，需要到医院接受治疗。事实上，一部分人长期饮酒后，酒量会逐渐增多，出现一系列的临床症状，这就表明已经患上一种特殊的慢性病——酒精依赖。

所以，对于酒精依赖者而言，在戒酒一段时间后，试图控制自己的饮酒量或只饮用较低浓度的酒，都是危险的。除了在医生的指导下完成脱酒治疗外，还要接受长期的康复治疗，包括对相关心理疾病的治疗、防复饮药物的治疗，以及加入一些自助的康复组织。

大多数饮酒成瘾的人都同时有其他的心理问题。有句老话叫做“借酒消愁”。很多人把喝酒作为一种逃避现实的方法，所以要解决酒依赖的问题，必须重视心理健康。比如，有人喝酒是因为生活中的挫折。而据调查，很多人都有社会适应不良、不会表达情感的情况存在。这就需要调整心态，学习应对技能，解决其他不愿意去面对的心理问题。

左右你一生的心理学

1. 在我们的生活中嗜酒者不在少数，一旦长期嗜酒成瘾后，不仅身体和精神承受痛苦，同时也对家庭和社会造成不小的危害。

2. 很多人反复戒酒后复饮，最常见原因的就是因为心理上的渴求，主要的表现就是患者一旦遇到一些应急事件的时候，首先就会想到用酒来帮助自己。还有周围环境的影响，包括亲戚朋友聚餐时候的劝酒，都可能会诱发再次饮酒。因此，戒酒人周围的亲朋好友一定要起到监督的作用，不要诱其饮酒。

赌博成瘾——伤财又伤身的“双响炮”

赌博是一种拿有价值的东西做注码来赌输赢的游戏，是人类的一种娱乐方式。赌博成瘾、嗜赌如命其实也是一种“心瘾心病”，形成这种病有多种因素：赌徒的心理因素、寻求刺激和冲动性格等。

南方一城市的麻将桌上发生过这样的事：由于两人输了要扳回来，另外两人赢了还想再多赢一些，结果，两夜三天的鏖战使得一人因中风死亡，一人因憋尿而见上帝，还有一人因中风而半身不遂。

以上故事不得不说是一个悲剧。在国家明令禁赌的今天，赌局却难禁绝。

人人都知道赌博会对人的身心造成损害。因为，参赌者精神过分紧张，长期处于此种状态，会造成免疫机能下降；赌博破坏了洁净空气，会经常患呼吸系统疾病；参赌时的突然激动亢奋，更可能促发心脑血管疾病的危急症状，甚至命丧赌场。参赌时都有“输了要翻本，赢了再赢”的心理，但客观上是输多赢少。在输得较为心痛的时候，失常心理诱发人性障碍，或冲动而聚众闹事，或劫盗筹资，因赌博而导致的刑事案件，以及赌徒无奈轻生的案例，随处可见。

近年的科学研究，已找出赌博成瘾的身心原因。

赌博是以某种简单方便或带有娱乐性的方式，使参与者的财富做重新分配。持有寻求刺激心理者、好奇消遣心理者、投资取巧心理者，最可能与赌博一拍即合，逐渐上瘾，成瘾难戒。

赌博这个社会毒瘤难以彻底剔除，归根结底在于部分人妄想不劳而获的侥幸致富心理。

1. 为赢利而赌。其参赌者获胜的机会越大，参赌的动机越强；其赌注得失的差额越大，对赌徒的吸引力也就越大。赌徒如果在赌场赢了，促使他继续赌，想赢得更多；输了，想把损失挽回，也会促使他继续赌下去。这对赌徒形成一种间歇性的强化机制，使他们在希望与绝望之间越陷越深，不能自拔。

2. 为娱乐而赌。很多人在游戏中加入了赌博的成分，由于赌的数额很小，赢了能享受到成功的喜悦，输了损失也不大。但由于金钱对人的巨大诱惑，这种以娱乐为主的动机，很容易发展为赢利的动机。

3. 从参赌之中体验竞争。技术性赌赛活动的竞争性很强，有些人有强烈的好胜心理，希望通过参赌战胜对手，以满足好胜心理。

4. 通过参赌寻求刺激。其参赌项目越富刺激性和冒险性，对以赌博寻求刺激的人吸引力就越大。

5. 想以参赌逃避社会现实。这些人开始的动机多是在于逃避家庭或者社会对自己的压力或责任，达到麻醉自己的作用。

曾几何时，赌博这个恶习慢慢开始侵蚀着我们的生活。多少个原本幸福的家庭被毁灭，由此带来的一系列社会问题也显而易见。多少人最终因为参与赌博而堕入毁灭的深渊……

出纳员蔡某，因沉迷赌博游戏机，在不足9个月的时间里，竟输掉公款16万余元。被市第二中级法院以挪用巨额公款罪，依法判处七年徒刑。

蔡某最初迷上游戏机，后来，觉得不够刺激，就改玩上了“赌机”。很快，他就输掉了3万元。此时蔡某已经上了瘾，发誓要把钱捞回来。没有钱，他就把眼光盯在了单位的公款上。执迷不悟的蔡某越想赢，输得就越多，有时一次竟能输掉2万余元。就这样，在不足几个月的时间里，蔡某总共输掉公款16万余元。

眼看，年底单位结算的时间到了，预感到大祸临头的蔡某，急忙找亲友，筹到12万元。见到还差一部分，赌性难改的蔡某再次来到了游戏机房，妄图翻本。不过，很快他又输掉了4万元。之后，蔡某在补还了单位剩余公款后，到监察局投案自首。

宣判后，蔡某痛哭失声。他说，赌博机就像毒品一样，让人无法控制自己。他希望借此向社会疾呼：青少年们，一定要远离游戏陷阱！

从家庭来看，由于参赌必须占用大量的时间，并造成经济损失，严重时会耗尽家庭财产，背上满身债务，也缺少与家人团聚的时间；还常会虐待配偶和孩子，导致家庭不和睦、子女教育不良，甚至与配偶分居或离异等家庭悲剧。

从社会角度看，赌博是导致社会不安定的重要因素，而且常常与犯罪联系在一起，从而破坏社会秩序，影响社会治安。

从医学角度看，赌博更是健康的大敌。赌博成瘾对个人的身心健康影响极大。经常参赌之人，喜怒哀乐变化无常。因求赢心切，或输了又想捞回来，常提心吊胆，心绪不宁；因债台高筑，导致家庭失和，因而吵闹不休，故烦恼、愤怒；因一夜之间突发横财，又兴奋、激动、狂喜等，各种情绪变化往往交织在一起。

长期处在紧张激动的情绪状态之中，会导致心理、生理上的许多疾病。赌博有百害而无益。

赌徒是现实生活中常常大悲大喜的人物。赢钱时兴高采烈，欣喜若狂；输钱时垂头丧气，懊悔不已，甚至铤而走险。然而，无论是赢钱还是输钱，他们都离不开赌场。对此，一般的解释是，赢了钱，还想赢，输了钱，想要拼命捞回来。所以赌徒才有一种强迫性行为。他们对赌博的渴求与成瘾可以像吸毒者一样达到歇斯底里的强烈程度。

赌博的成瘾完全不亚于吸毒。

赌博成瘾、嗜赌如命其实也是一种“心瘾心病”，形成这种病有多种因素：赌徒的心理因素、寻求刺激和冲动性格等。

1. 须认识到赌瘾是一种不能强行控制的病态，这就要求戒赌不能强迫“一步到位”，可以采取逐步减少赌注金额和赌博时间的办法，循序渐进戒赌。

2. 对嗜赌者要有足够的耐心和关怀，不要吝啬家庭的温暖和身体力行的鼓励，亲人言语之间切忌埋怨或恶语相向，否则可能导致其“破罐破摔”。

3. 应鼓励嗜赌者参与有益身心的活动，远离赌博的外部环境。最后，鼓励和支持赌友创业干实事，这种支持不应只是金钱上的帮助，更多应是技术上、信息上的扶持以及情感上的寄托。

4. 应该鼓励嗜赌人士参与有益身心的活动。比如参加社会义工，不取报酬地为一些弱势人群提供方便。还可以定期去看望孤儿院的小朋友们，给那些失去亲人的小朋友献出一份爱心。

在亲情和友情等多方面给予嗜赌人士更多的支持。帮助这些沉迷于赌博中的朋友远离赌博泥潭。既可以是言语上的鼓励，也可以是行动上的支持。特别是那些因为赌博输掉了家产的朋友，要帮助他们重新创业。这种帮助不要只是金钱上的帮助，更多地可以给他一些技术上的帮助，信息上的帮助等。

同时，赌博成瘾者也可以尝试以下的自我控制方法：

1. 避免出席任何赌博场合，培养其他可取代赌博的嗜好，打消赌博的念头。

2. 定一个限额，无论你正在赢钱或输钱，只要赌款达到所定的限额，便立即停止赌博。然后逐渐减少你的限额，直至根除赌瘾。

3. 控制精神压力。定时做运动(如缓步跑)及学习松弛的技巧(如冥想或瑜伽)，或进行休闲活动（如听音乐、与朋友逛街)，借此驱走闷气，舒缓紧张的情绪。

4. 养成记录的习惯，写日记可助你了解自己的赌博行为，找出赌博的倾向和模式。

赌博不仅伤己，而且严重影响到家庭及孩子。因此，有赌博嗜好的朋友们，还是尽早离开赌场，早日回到工作、家庭中，做一个积极、健康的人！

左右你一生的心理学

1. 赌博是一种习惯性行为，戒除赌博很不容易，但如果你拥有坚定的意志，则绝对可以应付或克服赌博问题。

2. 赌博不论输赢，对参赌者都是有百害而无一益。

上网成瘾症——别让网络“害”了你

“上网成瘾症”是一种过度使用互联网行为的心理疾病。它指在人的生命过程中，对网络产生较强的依赖性而成瘾，在心理和生理的某种尝试行为中产生了愉悦反应。这种反应的多次重复，就形成了人对愉悦刺激的依赖。

“妈妈，我让网吧给害了！”2004年3月3日《钱江晚报》偌大的一个标题触目惊心。报道讲述了浙江省某市一位十六岁少年因沉迷上网而三次自杀，妈妈悲痛欲绝又无可奈何……

福建省某县一个名叫王力(化名)的高一学生，因为迷恋上网，造成学习成绩下降，继而旷课、逃学，最终患上了精神分裂症，被送进精神病医院治疗。经过二十多天的治疗，王力的病情才有所好转。

负责治疗王力的医生指出，王力患的是精神分裂症。主要原因是上网成瘾，导致学习成绩下降，并形成巨大的精神压力所致。

……

美国心理学家 Kimberly S.Young 认为“上网成瘾”与沉溺赌博、酗酒、吸毒等无异，导致的损害是多方面的：学业成绩下降、损害身体健康、夫妻关系障碍或离异、影响正常工作等。

患上“上网成瘾症”的人对网络有一种心理上的依赖感，在使用网络过程中不能有效地控制时间，经常无节制地花费大量时间和精力上网，从中获得满足感和愉悦感，使网络几乎成为现实社会的替代品，沉湎于网上的虚拟世界，“嗜网如命”而无法自拔，出现一些人格障碍，导致个体心理生理受损。其症状可发展为食欲不振、头昏眼花、情绪低落、精力难以集中等，严重的可导致神经紊乱，免疫功能降低，引发心血管疾病、抑郁症及眼睛方面的疾病等。

如果有关症状和类型的描述只是让你觉得新奇，甚至你还跃跃欲试的话，下面这些曾发表在专业期刊上的研究结果可能会让你警惕起来。

首先，网络成瘾虽然不像真正的毒品那样会危及我们的生命，但长时间上网必然影响我们的健康：视力下降、肩背肌肉劳损、睡眠被剥夺以及免疫功能变弱。当然，更为严重的是网络成瘾给学习、工作和家庭生活带来的灾难。

如果你是个学生，那么小心了，网络成瘾会使你的学习成绩下降。虽然互联网被广泛认为是一个重要的教育工具，加利福尼亚州的一项调查显示，86%的中小学老师认为，使用互联网并不能提高学生的学习成绩。另一项调查发现，宾夕法尼亚州某个大学里58%的大学生因为花费太多时间上网而影响了学习。得克萨斯州大学奥斯汀分校的心理学家更是发现，至少有14%的在校学生符合互联网成瘾症的标准。马里兰大学心理咨询中心的肯得尔医生在对本校学生进行调查后，立刻组织了全校性的互助小组来帮助上网成瘾的学生。

如果你是个公司职员，那么小心了，网络成瘾会危及你的工作效率。一项对全美前一千家大公司的调查显示，超过55%的管理人员认为，很多雇员把上班时间用在与工作无关的网络活动上。纽约州一家公司暗中统计了本公司职员上班时间的网络活动，发现其中仅有23%是真正与工作相关的。由于上班时间在网上漫游而被辞退的雇员更是不断增加。

如果你有一个温暖的家庭，而最近你丈夫对上网的兴趣越来越大，那么小心了，网络成瘾可能会使你成为“电脑寡妇！”匹兹堡大学心理学教授金伯利·杨在过去三年中亲自访谈了数百名网络成瘾患者。她发现一个患有网络成瘾的丈夫，每天和他心爱的计算机在一

起的时间，远比和他亲爱的妻子在一起的时间要长。更糟糕的是，或许他已一“网”情深地爱上他的“因特恋人”，正准备带上他的电脑离你而去。离婚律师会告诉你，由网络恋情而引起的离婚案正不断增加。

根据一项大型民意调查的结果发现，美国约6%的互联网用户均有不同程度和类型的“上网瘾”。

发起进行这项调查的治疗师兼研究员戴•格林菲尔德说：“婚姻被破坏，孩子惹来不少麻烦，有人在网上犯罪，也有人在网上消费过夜。这都是上网成瘾带来的悲剧后果。作为一名治疗师，这类例子我见过不少。”

格林菲尔德和美国广播公司合作进行了这次调查研究，通过美国广播公司的网页发放及回收了17 251份有关使用互联网情况的问卷。问卷的问题多是用来测试“网瘾”的问题，包括问受访者是否曾通过使用互联网来逃避烦恼，是否无法克制减少使用互联网的失落感，以及是否觉得自己不在使用电脑时仍幻想着上网等。

如受访者在十个问题中有五题以上的答案是“是”，他们便算是上了“上网瘾”了。调查的结果发现有990名受访者，即5.7%的人已成了“上网瘾君子”。按此比例计算，则全球两亿网民中，便应共有1140万名“上网瘾君子”了。

“上网成瘾症”的表现是多种多样的，一般症状主要有：

1. 上网时间长，而且控制不住时间；

2. 上网时精神极度亢奋并乐此不疲，而下网后则有烦躁不安、情绪波动等现象；

3. 上网的行为常常不能自制，宁可荒废学业或事业甚至抛弃家庭，也要与电脑为伴；

4. 工作和学习积极性较差，沉醉和崇尚虚幻的网络世界，对现实生活缺乏起码的热情；

5. 严重者有自虐行为，上网期间不吃不喝不睡，有的因沉迷网上的不健康内容而导致疾病。

“互联网心理病”这项新兴研究的先导者金伯利·杨认为格林菲尔德的研究层面广泛，可证明大家关注“上网瘾”问题并非杞人忧天。

根据格林菲尔德的分析，网民有“上网瘾”的原因包括“感觉亲密”、“没有时间限制”和“没有禁制”。格林菲尔德说：“互联网的影响力与其他导致大家上瘾的力量截然不同，是我们从没处理过的。”

虽然5.7%是目前最准确的估计之一，这个数目只是从访问浏览同一个网页的人中得出的结果，故代表性可能不够全面。

那么上网成瘾者应如何自我调适：

1. 不要把上网作为逃避现实生活问题或者消极情绪的工具

请注意：“借网消愁愁更愁。”理由之一，当你几小时后下网的时候，问题仍然在那儿“逃得过初一，逃不过十五”。理由之二，你的上网行为在你不知不觉中已经得到了强化，你看：上网——注意力从现实中转移——忘记生活烦恼，不需要几次，你就会如同巴甫洛夫的狗记住铃声会带来食物一样，记住上网能忘忧。以后，你一听到调制解调器的声音就会兴奋不已。

2. 上网之前先定目标

每次花两分钟时间想一想你要上网干什么，把具体要完成的任务列在纸上。不要认为这个两分钟是多余的，它可以为你省十个两分钟，甚至一百个两分钟。

3. 上网之前先限定时间

看一看你列在纸上的任务，用一分钟估计一下大概需要多长时间。假设你估计要用四十分钟，那么把小闹钟定到二十分钟，到时候看看你进展到哪里了。如果嫌用闹钟麻烦的话，可以在电脑中安装一个定时提醒的小软件，在上网的同时打开，这样就能有效控制你的上网时间了。

随着电脑的普及，网络成为人类科技进步的产物，正在促进着

人类社会的更大进步。所以我们一方面要防止上网成瘾，另一方面要建立正确的网络观，正确地使用网络。让网络真正地为“我”所用，而不要将“健康”渐渐消失在虚拟空间的某个黑洞之中。

左右你一生的心理学

1. 上网时间过长，轻者导致“网络综合征”出现手腕关节不适、腰酸背痛、活动不灵、肌腱炎、腱鞘炎、视力下降及注意力不集中、紧张、焦虑、失眠、心情抑郁等身心症状；严重的甚至会像练气功一样出现“走火入魔”而导致精神异常。因此，不要让网络成为“凶手”，而要让网络在工作和学习中发挥出它的真正“作用”。

2. 沉湎于网上的虚拟世界，上网成瘾是危险的，建立正确的网络观，正确地、有节制地使用网络方为上策。任何过分依赖网络的行为，都是不科学的。

恋物癖——畸形心理下的迷恋

恋物癖是指对性爱对象的一种象征意义上的迷恋。恋物癖患者通过抚弄、嗅、咬或玩弄某种物品来获取性快感。所恋对象可以是与性有关的，如头发、内衣等，也可能是与性较少关联的物品。

22岁的阿强窃藏女性内衣、内裤等物品已有三年，他还曾因两次偷窃女性内衣时被抓获而受处分。当他最近因一次潜入女浴室偷女性贴身用品被派出所扣留。

据他自己交代，他年幼时父亲因工作常不在家，父母间及父子间缺乏情感交流。其父嗜酒如命，性格粗鲁，时常在家与其母争吵，动辄打骂妻子。阿强自幼胆小畏缩、内向。9岁时父母离异。阿强憎恨父亲，依恋母亲，愿意和女孩一起玩耍，并由于其少年老成的关心体贴常博得女孩的好感。12岁时，一次偶然的机会他看到姐姐裸体洗澡及之后穿内衣躺在床上，当时产生了强烈的好奇心和性冲动。此后常回想此情景，并伴有手淫。高一时与一女生开始恋爱，感情甚笃，以致多次性关系。相爱三年后女方家长棒打鸳鸯，女方被迫嫁给他人。阿强为此心情苦闷，借酒浇愁，酒后常拿出女友的内衣裤抚摸。

一次，他从女工宿舍楼旁路过，看到晒在外面的女性内衣内裤，心中突然产生一种冲动，迅速上前偷取了两条内裤，随即有一种紧张而又满足的感觉。从此，每当他路过这幢楼时，就不由自主地寻找晒着的女性内衣内裤。一旦看见就极度紧张，心跳加快，大脑中

想法极为模糊，只想取走这些内衣内裤。拿到后心满意足，要是拿不到就非常焦虑，紧张不安。有时他也上商店去购买这类物品，有时则直接钻进又更衣室，女浴室去窃取。他自知行为丑陋，无颜面世，也曾下决心痛改前非，写过许多自我警告的誓言，但每当欲念发作时，又身不由己，不能自制。而事后又往往陷入悔恨、自责的深深痛苦之中。

在这则案例中，阿强的发病根源是其父亲粗鲁、蛮横的教育方式所致。特别在儿童期偷看姐姐浴后裸体的好奇心理、求快心理未得到满足的性欲望，在无意识中留下痕迹，青春期时恋爱并多次发生性关系，使久被压抑的性欲得以释放，但对方家长的坚决反对终于使有情人难成眷属。这种成年后由于客观阻拦导致的心理和性的挫折，使其增高了的性兴奋不得不另寻出路，以过时的幼儿方式表现出来，以求得宣泄和满足，这是一种变态的性生活。

阿强的这种行为和心理，在心理学上就是“恋物癖”。

生活中有像阿强这样的人为数不少，他们专门热心于异性的贴身物品，采取各种手段，甚至不惜牺牲自己的名誉去行窃来获得他们想要的物品，并从这些物品上得到性心理满足。这对一般人来说感到不可思议，但社会上确实有人因得了此病而感到痛苦和烦恼。

心理学家认为：这些专门伸手于妇女日用小物品的人，和一般小偷有很大的区别，他们实质上是一种性心理病态，也就是恋物癖。患这种心理病症的以男性为多，他们不是通过性接触达到性满足的目的，而是通过与异性穿戴或佩戴的物品相接触而引起性的冲动和性的满足。他们偷取女性穿戴的内衣、内裤、乳罩、头巾、丝袜等，加以抚摸，收藏起来。

当逮住这些“小偷”，搜查他的衣箱、橱柜，会发现大量这些东西。如果要查作案动机，他们的交代则是凡看到这类衣物就控制不住要偷，否则不能解除心理紧张。他们通过偷和偷回去后抚摸衣物而得到快感，而他们却一犯再犯，屡教不改。而如果调查一下他们的平日为人，并没有其他道德败坏或侮辱妇女的表现。除了有这种行为以外，一般难以得出品质恶劣的结论。

有恋物癖的人表现大体都差不多，基本上是经常反复地收集异性使用过的物品，并将此物品作为性兴奋与满足的唯一手段。他们为了满足自己不正常的心理与习性，会千方百计地收集自己偏爱的异性的物体，不惜冒偷窃、名誉扫地、前途黯淡的危险。若拿不到这些东西，便会产生焦虑不安的情绪。而恋物癖患者对异性本身毫无兴趣，只是单纯地把性欲专门指向物品，至于这些物品是什么人的则无关紧要，而正常的恋物心理则与此相反，是一种“爱屋及乌”的心理。

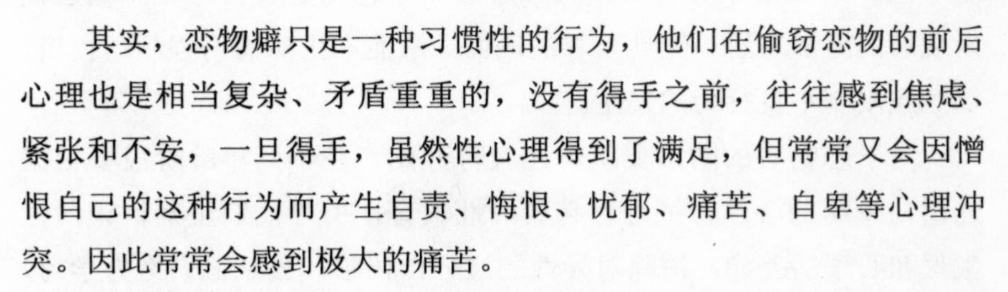

其实，恋物癖只是一种习惯性的行为，他们在偷窃恋物的前后心理也是相当复杂、矛盾重重的，没有得手之前，往往感到焦虑、紧张和不安，一旦得手，虽然性心理得到了满足，但常常又会因憎恨自己的这种行为而产生自责、悔恨、忧郁、痛苦、自卑等心理冲突。因此常常会感到极大的痛苦。

恋物癖患者常因其变态行为而给自己造成许多麻烦与不幸，但却不能克制自己的行为，因此常常会感到极大的痛苦。

对此，要怎样治疗与克服恋物癖呢？

1. 恋物癖者内心一般都是很清楚自己的行为是不正常的，从内心来说，他们根本不愿意如此行径，只是无法控制自己。所以，要克服恋物心理也不是很难的事情，只要帮助他们树立矫正自己异常行为的坚定决心和信心，慢慢会有所改观。让他们充分认识到不要因为自己的行为难于纠正和易复发而自卑，要加强道德修养，主动参加有益身心健康的社会交往活动，少接触易引起性冲动和性挑逗的情境和物品，少看带有色情内容的文艺作品和影视节目。

2. 作为家长或者医生，帮助他们努力回忆并叙述幼年的生活条件和症状产生、发展的原因和过程，然后帮助他分析发病根源，分

析其少年生活事件与日后行为的关系，给他讲解正常性心理发育过程，使其认识、领悟到窃藏异性贴身用品，以此获取性满足是一种变态的性生活，是一种变态与不成熟的性心理表现，是一种十分幼稚和愚蠢的行为。

3. 告诉其每当产生恋物意念时，就尽可能地去回想过去由于恋物受到的责备、唾骂和处分，联想将来对个人前途、家庭及后代的影响。通过厌恶联想，可以很有效地控制自己的恋物行为。

恋物癖患者也可以通过医学和心理学的方法进行治疗。医学的方法即激素疗法，是通过注射剂以降低性欲，这种方式需要经医师诊断后方可进行。心理学的方法包括认知领悟疗法、暗示疗法、厌恶疗法、脱敏治疗等。如，厌恶疗法即让恋物癖者自己设想偷窃被发现时的羞愧难忍、无地自容的场面，从而产生对偷窃强烈的畏惧，以达到限制不良行为的发生。

对于恋物癖的防治要从幼儿教育开始，在不同年龄阶段要根据儿童与少年的心理特征进行必要的性教育，引导他们正确认识两性生理和心理的差异，消除对异性的过分神秘感，鼓励他们努力学习，积极参加集体活动，培养良好的个性质量，尤其是自制力、果断性和品德修养。这些措施都有助于预防恋物癖。

左右你一生的心理学

1. 丰富自己的生活，培养一些爱好，尽可能地避开接触异性物品的机会和色情影视。

2. 恋物是一种变态与不成熟的性心理表现，因此有这种行为的人应尽可能地控制自己的行为。

暴食症——心理“饥饿”引发的病症

暴食症是一种饮食行为障碍的疾病。患者经常在深夜、独处或无聊、沮丧和愤怒的情况下，顿时引发暴食行为，无法自制地直到腹胀难受才肯罢休。暴食后虽然暂时得到了满足与安全感，但马上又产生罪恶感、自责感，使其利用不当的方式(如催吐、节食或过度激烈运动)来清除已吃进的食物。

英国王储查尔斯和戴安娜王妃的童话式婚姻于1996年正式结束，戴安娜王妃婚后一直饱受查尔斯和卡米拉的婚外情、暴食症和抑郁症等困扰，多次企图自杀。

想必很多人都还记得，戴安娜王妃在接受采访时的一幕：高贵的王妃微微颔首，一双淡蓝色的眼睛向上抬起，流露出无限的忧郁，讲述着不愉快的婚姻和皇室生活压力，使她在相当长的时间里陷入了厌食和贪食，多次自杀，割腕、撞柜子……就是这份哀怨，使英国人再也无法原谅他们未来的君王。

在婚礼的前夜，戴安娜的情绪好了很多，因为她收到了查尔斯王子送给她的礼物。礼物是一枚刻有查尔斯名字的戒指，并附带着一张情意绵绵的卡片，上面写道：“当你出现时，我会为你感到骄傲，明天我在教堂等你。在观众面前别紧张，要敢于正视他们。”

这张卡片的确有助于抚慰戴安娜的不安，然而，它却不能完全平息几个月来郁积在她心中的苦恼。那天晚上，她吃了好多的食物，然后病倒了。这在很大程度上是由于紧张的生活气氛和环境所致，

但王储与卡米拉互赠礼物一事也是她患神经性贪食症的一个因素。这种病在以后的岁月里对她的身体损害极大。

在戴安娜日后的宫廷生活中，虽然戴安娜依旧是身材修长、亭亭玉立、婀娜多姿、美丽动人，然而，她却因为冲突、焦虑、痛苦、忧郁等，使得她患上了多种心理障碍。因此，她经常要吃很多食物，有时候，她甚至要溜进厨房寻找食物来快速地填入腹中，而这些东西，也成了她个人生活中的一大特点。

食物是我们每天都在接触的东西。它可以是一份享受，它也可能成为问题的根源。以上故事中，戴安娜王妃患的是心因性暴食症，通常被简称为暴食症，它的特点就是暴食——在短短的时间内，吃下大量食物。然后再想办法排除食物的热量，消除这些食物。

暴食症全称精神性暴食症，是一种精神上的异常，患者在生理上并不需要进食，但心理上却有长期饥饿的感觉，因而摄食欲望或行为常呈发作型，一旦产生了进食欲望便难以克制和抵抗，每次进食量较大；但在进食后病人又担心自己发胖，故常常在进食后自行催吐，也有服用泻药或增加运动量等来消除暴食后引起的发胖的；上述的暴食症现象每星期至少发作 2 次，且至少已连续出现 3 个月以上。具备这些特点，就会被诊断为“贪食症”。另据心理医生的相关调查，大部分的患者是中上阶层的少女及年青女性，且多为长期反复在减重的人，由于生活压力过大。

暴食症患者往往容易感受到焦虑，每当焦虑就习惯用食物来进行发泄。同时暴食症患者的自尊心不强，对自己缺乏信心，她会非常极端地用身材来评价自己。只要自己一胖起来，她就觉得自己丑得要死。

心理学也将这种现象解释为心理冲突躯体化。在许多神经症病人的生活中，我们都可以见到各种各样的躯体化现象。比如有人出现皮疹，有人发生哮喘，有人腹泻，有人便秘，有人睡不着觉，有人常睡不醒，当然也会有人吃不下饭，有人总也吃不饱，在卓别林的电影舞台生涯中我们也看到了女主角由于对演出结果过度担心而突然下肢瘫痪的无奈场面……

凡此种种，心理机制有二：一方面是当事人在潜意识中寻求自我保护，以躯体的不适缓解心理的紧张；另一方面也可获得别人的关注和同情，满足对爱的渴望或对畏难之事的逃避。还有一些心理学家通过研究指出，这种用咀嚼食物以减缓心理压力的习惯，可能与患者在幼小时经历母亲不正常的育儿方式有关。

红是一名大学一年级的新生，最近她就出现了这种暴吃暴食而不能自制的怪毛病。每天都要去商店买一大堆零食，无论在寝室、教室还是路途上，都吃个不停。一走进食堂就更无法遏制食欲，只要食堂卖的食品她都要吃一遍，吃了饺子想吃包子，吃了包子想吃烙饼，看到小点心又要吃小点心，非要吃到胃被撑得难受才算罢休。如果想吃的东西没吃，就会没心思上课或上自习，晚上连觉都睡不好。

由于不断地暴食，身体变得越来越臃肿，红苦恼不已，一再发誓不吃零食。但一走进商店、食堂又无法控制自己，尤其是心情不好时。吃多了消化系统负担很重，所以老是昏昏欲睡，上课打不起精神，学习成绩直线下降。为此，她内心十分痛苦，几乎对自己失去信心。

在心理医生的诱导下，红说起了过去的故事。原来小的时候，她父母经常给红的一位表妹买好衣服穿，送好东西吃，却从未这样对待过自己。并且父母对食欲很强的红经常告诫，叫她少吃点东西。红感到万分委屈，我还是你们的孩子吗？为什么你们爱表妹而冷落我？在伤心之余，红产生了一种报复心理，偏偏不听父母的话，每天吃大量的东西，身体也变得越来越胖。当年龄大了以后，她终于意识到贪食对自己有害无益，却再也难以改掉这个习惯了。

在这个案例中，红出现贪食症的主要原因还是一种不成熟的报复心理，结果对自己造成了伤害。

治疗暴食症不像治疗感冒一样，吃点药过一段时间就好了。它比较像戒烟和戒酒，需要持续地努力和警觉。

那么，如何才能克服和治疗暴食症呢？心理专家告诉你：

1. 改变生活的环境

不要总是让自己处于一种缺乏监管、节奏懒散的环境，让自己忙碌起来，转移一下注意力，过有节律的生活，让自己充实起来，无暇顾及食物，或者不给自己接触到食物的机会。

2. 不要让自己成为饥饿的疯子

即使是减肥不需要让自己全天饥饿，有很多方法降低自己的饥饿感，有很多技巧让低热量饮食也能丰富多彩。早餐午餐是可以吃饱的，不饿就没有暴食的欲望了。晚餐不吃或者少吃就行了，晚饭时间后可以去健身、做家务以转移注意力。

3. 培养良好的生活习惯，做到饮食健康有规律

每天按时吃饭，做到早吃好，午吃饱，晚吃少。养成良好的生活及饮食习惯。

医生采用以心理治疗为主、药物治疗为辅的治疗方法。因为，它是一个病程较长，难度较大的治疗过程，需要一个全面的由心理和医学专家给出的治疗计划，有时也需要家庭的合作。在一些案例中，家庭问题的解决，对暴食症的康复是极其重要的。

目前对此最有效的治疗，是包括对个人或对整个家庭进行的认知行为治疗。认知行为治疗是心理医生通过奖励或示范正确的行为，来改变患者的进食行为，并且帮助患者改变扭曲或僵化的思维模式，这种思维模式与他们的症状有着不可分割的关系。

如果不进行治疗，暴食症有可能变成慢性障碍，并对健康造成严重威胁。

左右你一生的心理学

1. 在心理上，“贪食者”要积极参加一些体育锻炼，努力参加社会活动，找出病根，尽可能地转变各种不良心态。

2. 在饮食上，治疗重点在于养成一日三餐、营养均衡的饮食习惯，避免在两餐之间吃零食或高脂、高糖的食物。

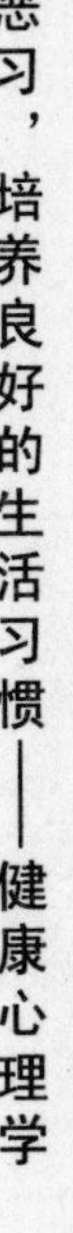

厌食症——哈哈镜下的“苗条病”

厌食症，主要由精神因素引起进食障碍，是一种以有意识地控制饮食和体重明显减轻为主要特征的心理疾病。约95%为女性，常在青少年时期就有类似的性格倾向，因此又称青春期厌食症。

2005年夏天的一天凌晨，北京世纪坛医院急诊楼，一群医生围着一个女孩，不停地为她做心脏复苏。急诊科解大夫说，刚看到这个女孩时，他们都倒吸一口气。据大夫说，女孩的大腿只有成人的小臂粗，手臂只有两根手指并在一起那么粗。这个女孩最终还是没有逃离死神的魔掌，医生说，她的死因是饥饿过度导致身体各脏器衰竭。

“饿死”的女孩名叫曾娟，15岁，湖南岳阳人，岳阳四中的学生，曾是班长兼学习委员，成绩优异。曾娟的三姑曾秀莲说，曾娟从小就能歌善舞，还曾获岳阳市三好学生。她喜欢唱歌，经常在家里唱卡拉OK。去年，她迷上了湖南卫视的“超级女生”节目，每场必看。今年6月间，她还曾向父母表示，自己要参加明年的“超级女生”节目。

此后，曾娟开始注意自己的形象。那时，身高1.55米的她体重44公斤，可曾娟认为“不符合标准”。今年4月起，曾娟开始控制食量。曾秀莲说，曾娟决定减肥后，食量越来越少，到最后干脆不吃东西，即使吃了也会马上到厕所用手抠喉咙将食吐出。很快，她就骨瘦如柴。4月11日，曾娟的父亲曾勇带着女儿从岳阳赶到长沙求医。经专家会诊，确定曾娟患有神经性厌食症。随后，曾娟住进了医院精神科。经过治疗，她的病情有所好转，又被父母接回家中。

“回到家中，她心情就一直不好，不愿说话。”曾秀莲说。因曾娟对父母将她送医院一事耿耿于怀，7 月 12 日，她将曾娟接到自己家中。曾秀莲说，曾娟在她家里表现得很乖。每次吃饭，她都给曾娟盛一勺饭，曾娟都能全部吃完。

曾娟的生日在五姑家过的。席间，大家开始劝曾娟回医院接受治疗，曾娟没说话。此后，她留住在五姑家中。可第二天早上，五姑在客厅桌上发现一张纸条：“姑姑，我下去玩一会儿，等会再上来。”此后，曾娟再没回家。曾娟的父亲开始四处寻找。然而一直没有曾娟的任何消息。

8 月 21 日下午，曾娟的姥姥突然接到一个电话。电话里，曾娟有气无力地告诉姥姥，她在北京，并希望家人到北京“救”她。亲戚们很快联系上了他们在北京的朋友肖先生。肖先生赶到西站时，发现一群人围在一起，警察已经赶到了现场，还有 999 的医护人员。他挤进人群，发现一个女孩躺在地上，于是上前问她是不是曾娟，女孩吃力地点了点头。随后，曾娟被送到北京世纪坛医院。而曾娟的父母得知消息后，立即乘火车赶往北京。曾娟的父母赶到北京，他们在医院里见到的是曾娟的遗体。曾娟的母亲拿着女儿生前背的小包发呆。此前，她因伤心过度，曾多次哭昏过去。曾娟的背包里放着一个蓝色的日记本。曾娟的三姑打开日记本，上面还有一篇曾娟 7 月份的日记：“我要好好努力，要争取做一个健康的好女孩……”

曾娟得的就是一种“神经性厌食症”，这种疾病的产生原因就是因为她追求苗条。这种神经性厌食症严重到会夺走一个人的生命。患者对自身的感知发生了扭曲，总感到自己太胖、腿太粗、臀部太大……即使自身已相当消瘦，仍是固执己见，丝毫听不进旁人劝说。她们几乎对任何食物都缺乏食欲，尤其是对营养丰富的食物如肉类、

乳制品等更是厌恶，而只愿吃一些不至于使她们“发胖”的食物，如水果、青菜等。有的患者在进食之后，还会随自己的意愿将所吃的东西吐出来。有的患者长期服用缓泻剂，将肠胃中的食物尽量多地排出体外。由于长期的营养缺乏，她们逐渐消瘦。

同样的事情在2006年8月，22岁的模特路易塞尔•拉莫斯死在了走秀场上，她是因厌食症引发的心脏衰竭而死。同年12月，巴西骨感模特莱斯顿死于因厌食症引发的并发症。2009年3月，根据杭州《都市快报》报道，杭州一漂亮女孩死于厌食症。这样的例子不胜枚举。

什么是神经性厌食症呢？神经性厌食症又称为厌食症，是患者自己有意造成的体重明显下降至正常生理标准体重以下，并极力维持这种状态的一种心理障碍。它又叫苗条病，是妙龄少女追求线条美、魔鬼身材的结果。多见于青春期女孩和年轻妇女，以长期原因不明的厌食、显著的体重减轻和闭经为其特征。发病年龄在10岁以上，女性青少年为多，若不及时治疗，可导致严重的营养不良、机体极度衰竭，影响青少年的身心健康与发育。

如何判断是否患有神经性厌食症呢？上海健康管理师提出了以下几个方面，可以帮助你做出判断：

把减肥当成了自己生活中一种必不可少的习惯，就算体重已经很轻了，身材很苗条了，但仍然把减肥时不时地挂在口边。对自己评价的标准就是自己的身材是否有曲线美，自己的体重是否过重，对肥胖极端恐惧，想要减轻体重的欲望十分强烈。再怎么饿也强迫自己拒绝进食，或者就是在进食之后服用泻药，或者刚吃下去就进行自我催吐等。在短期内吃下大量食物，然后迅速把食物排出体外，长期下来造成肠胃功能衰竭，一吃就吐，无法进食。出现月经失调或暂停的情况。

这些都是判断一个人是否得了神经性厌食症的标准，如果你发现自己已经出现上述症状，那就证明你就已经具有得神经性厌食症的前兆了。也许会让你很紧张，但是，健康管理医师告诉你，不要过分紧张，以下一些意见可以帮助你克服这些问题：

1. 一天三顿正餐，定时定量，适当控制零食

必须养成规律的进餐习惯，消化系统才能有劳有逸地“工作”。到正餐的时候，消化系统就会渴望进食，然后是进餐补充人体能量。但绝对不吃零食也是不现实的，关键是零食吃得不能过多，不能排挤正餐，更不能代替正餐。零食不能想吃就吃，应该安排在两餐之间，或餐后进行，否则会影响食欲。

2. 对冷饮和甜食要适当的节制

冷饮和甜食，口感好，味道香，基本上每个人都爱吃，但这两类食品均影响食欲，而且这两类食品饱腹作用强，影响吃正餐，所以要有节制。

3. 饮食荤素合理搭配

人体活动所需的营养物质要靠从食物中摄取，但对这些营养素的需要并不是等量的，有的营养素需要得多，有的需要得少，所以应了解这方面的知识，注意各营养素间的比例，以求均衡饮食。

4. 适当补充营养，以此来改变营养不良的状况

因为营养不良对一个人的影响是不可低估的。如果长期不进食不仅会造成自己营养不良，而且还会使胃肠功能极度衰弱。所以，为了克服神经性厌食症，进食可以从软食、少量多餐开始，逐渐增加，不能急于求成。

所以，女性不能为了追求苗条就盲目地限制饮食，我们应该提倡科学控制饮食，以不影响学习工作为度，配合适当的体育锻炼，循序渐进地增强体质。活力、健康、自然才是女孩子所应追逐的“时尚之美”。

左右你一生的心理学

1. 爱美之心人人有。控制体重是应该的，但不可盲目减肥。

2. 神经性厌食多发生于比较富裕的社会，患者也往往是一些品学兼优的青年人，人们在吃穿不愁之后才有心思注意自己的体态形象。殊不知，健康才是最重要的。

疑病症——不要自己给自己找“病”

疑病症，又称疑病性神经症，主要指本病患者担心或相信患有一种或多种严重躯体疾病的持久的先占观念。病人诉躯体症状，反复就医，虽然经反复医学检查阴性和医生的解释没有相应疾病的证据也不能打消病人的顾虑，常伴有焦虑或抑郁。

在河南一个县城的一所中学里，有一个叫王金山的同学，在高考前体检时，正巧他感冒发烧。医生在为他听心脏时，低声自语说：“心尖区有点风吹样杂音……”王金山就紧张地问医生是不是他得了心脏病，严重不严重？医生回答他，这是生理性杂音，不要紧的。但王金山同学却放心不下，他联想起上“生理卫生”课的老师曾说过心脏病是有杂音的，现在医生的话只是安慰自己罢了。从此之后，他只坚信老师的话是对的，医生的话只是安慰的话，他确信自己患上了心脏病，并且到处求医。虽然许多医生都认为他心脏正常，但他总认为医生是在安慰他或者他所在的医院医术不够权威。后来，他甚至离开所居住地，到北京、上海、广州等地四处求医，医生都说他是自己瞎猜疑。他很生气，说：“我难道还真希望自己生病不成？病生在我身上，我自己还不清楚？”最后，经心理医生诊断，王金山同学患的是疑病症。

如果身体有不适到医院检查是正常的，但像王金山这样经反复检查无病的情况下，仍到处求医，就可以认定他有心理障碍——疑

病症。

在现实生活中，也经常有些人常常怀疑自己患了某种事实上并不存在的疾病，医生的解释和客观检查均不足以消除其看法。这类人患了心理上所说的疑病症。患者往往感觉过分敏感，主要特征是对自身健康状况或身体某一部分功能过分关注，怀疑自己患上某种躯体或精神疾病，但与其实际健康状况不符；医生对疾病的解释或客观检查，常不足以消除患者的固有成见。病人整个心神被对疾病的疑虑和恐惧所占。

临床症状的内容为：疑病性烦恼，如对健康过分注意；疑病性不适；感觉过敏；疑病观念。

疑病症的临床表现可概括为：

①对自身健康毫无根据的先占观念，叙述身体的某部有特殊的不适感。疼痛或异常感觉。

②认为自身患了某种严重疾病或坚信某种异物侵入身体，病人终日为之忧虑、恐惧，四处求医，然而最终常是医药无效。

那么疑病症产生的原因是什么？

①人格问题：不少学者描述了疑病症人格的特征，这种人自我中心强烈，心理活动指向自身内部，依赖性突出，易紧张、易烦恼。

②社会文化对病人的影响：每个人对疾病和健康的态度都存在较大差异，这一方面来自社会文化对病人的强有力影响，另一方面来自个体对疾病威胁的认识阈值。

任何社会中，一个人一旦进入病人的角色，不仅会豁免一定的社会责任，而且由于生病也会缓解社会对自己违反道德规范的谴责，同时能赢得更多的谅解和同情。

由于对疾病威胁的认识阈值低，当生活中发生什么不快，或遭遇重大挫折时，便很容易产生病感体验，表现出疾病行为。特别是一个人难免于羞耻或内疚的痛苦时，疑病症的表达可能是自我防卫的一种表现形式。

③医源性影响：医源性影响指错误的诊断，反复检查和长期未能确诊；错误的治疗；以及医生以不恰当的语言、表情、态度和行为对病人所起的不良影响。如医生对病情的不恰当解释，反复拉网式的躯体检查，更新换代的药物治疗等，可强化病人的疑病观，使他们认为自己的疾病很重且难治。

患疑病症的人与其神经类型及心理素质有密切关系。这类人的共同特点是没事喜欢乱琢磨，遇事更爱钻牛角尖，精神状态不稳定，对周围事物高度敏感，性格内向、抑郁寡欢、心胸狭窄、谨小慎微；还有些是受过精神刺激或者对自己过度关心。

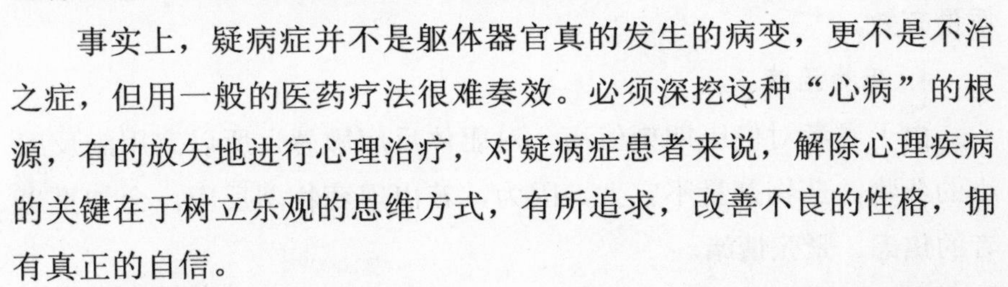

事实上，疑病症并不是躯体器官真的发生的病变，更不是不治之症，但用一般的医药疗法很难奏效。必须深挖这种“心病”的根源，有的放矢地进行心理治疗，对疑病症患者来说，解除心理疾病的关键在于树立乐观的思维方式，有所追求，改善不良的性格，拥有真正的自信。

对疑病症者用一般的简单解释说服很难奏效，而过多的检查和不当的解释会造成许多医源性暗示，而患者自己去阅读有关医学书籍则更容易造成自我暗示，这一些做法都容易使患者的症状变得复杂难愈。因此，青少年患者一定要做好早期的预防工作，即使患上疑病症，也要做好自我调节工作。

心理学家指出：对这类病人的治疗，可从几个方面同时进行：

1. 消除心理压力，即证明无病

要对心怀疑病观念的患者进行全面、细致的体格检查和必要的化验及仪器检查，根据检查结果表明他(她)并无躯体性疾病，以打消其思想顾虑。

2. 完善个性

疑病症患者往往具有固执、多疑、敏感、谨慎等性格特点。遇事总是过多地考虑悲观或不幸的一面，缺乏自信，这是疑病症发病的主要原因之一。为此，疑病症患者要做到心胸宽广，努力培养乐

观情绪，提高生活信心。要走向社会，丰富自己的生活，如养花、钓鱼、下棋、绘画等。还应做一些力所能及的工作和家务活，每天坚持体育锻炼，要多与朋友和亲人交流，培养幽默感，从而战胜消极悲观情绪和不良心理状态，最终治愈疑病症。

3. 心理治疗

对患者进行解释、指导、疏泄，使其了解本病知识，并予以心理支持；对疑病观念明显，且有疑病性格倾向的患者，可用认知矫正治疗，有远期疗效；使患者了解症状实质上并不严重，从而接受症状，带着症状学习顺其自然生活。本疗法对缓解症状、提高生活质量有效。

4. 药物治疗

由于患者对健康期望值高，对躯体反应敏感，所以宜用副反应小的药物，药物剂量不宜大。因为，若出现药物副反应，会加重患者的焦虑、紧张情绪。

心理学家认为，心理压力过大也是引发“疑病症”的主要原因。压力往往会以躯体的症状表现出来而困扰人们。因此，有疑病倾向或已患有疑病症的人，应及时调整自己的心态，及时找心理医生进行专业的帮助指导，早日让自己恢复到正常的生活中，健康快乐地生活！

左右你一生的心理学

1. 若身体真有不适，要及时就医，但要相信医生，不能随意推断或者夸大医生的诊断。

2. 杜绝经常自我注意、自我检查、自我暗示的不良生活习惯。无根据的担心疑虑，本身就是一种不良的心理因素，是诱发多种身心疾病的导火线。

健康是最大财富

叔本华告诉我们："在一切幸福中，人的健康胜过其他幸福，我们可以说一个身体健康的乞丐要比疾病缠身的国王幸福得多。"

单亮，是西安交通大学外语学院学生，2004年6月4日，因突发高烧被同学和老师送入医院，6月13号凌晨离开了人间。单亮同学曾担任校学生会的干部，学习成绩一直居于专业前列，多次获得校综合奖学金，2004年被定为免试研究生。医生说，单亮被送到医院的时候，已经深度昏迷，体温高到41℃，伴有肾功能的损害，还有呼吸功能的衰竭。在治疗的过程中，情况逐步加重，后来又出现了多器官功能衰竭，最终不治身亡。

医院诊断他已经患了一种很少见的细菌感染。病情严重的话，可以导致败血症，可以导致化脓性脑膜炎，甚至严重到可以导致人各个器官功能的衰竭，最后导致死亡。

单亮生前有多份兼职，它们分别是：(1)私立大学外聘英语老师；(2)两个学生的法语家教；(3)为一位公司经理补习外语；(4)为一家公司翻译资料；(5)一位中专生的家教。

据单亮的同学反映，单亮平时不注意营养，早饭从来不吃。午饭有时候工作起来忘了吃，有时候在外面跑了一个上午，午饭来不及吃，到了晚上9点钟以后回来买方便面总凑合着三顿并成一顿吃。生活不规律，食物没有营养，高强度的工作，不从医学角度理解，就是从一个普通人的角度理解，这些也都是会使身体受到损害的。

单亮的去世给我们提了一个醒，重精神而轻肉体的结果——由

于对肉体的长期忽视甚至虐待，终会招致肉体对生命的报复。但是，倘若单亮是幸福的，不仅没发生意外，而且在不久之后，他的梦想都如愿以偿地实现了，那么在外人眼里，甚至在他自己眼里，早年的那些超负荷打拼和对身体的亏待，会不会成为另一种不被质疑的东西呢？比如某种值得标榜和推崇的精神资本？在很多名人的成功故事和现身说法里，我们不是早已熟悉了这种东西吗？可是我们怎么可以拿我们的生命去打赌呢？

在人的一生中，最值得珍惜的东西是什么？不同的人有不同的答案，有的人说是快乐，有的人说是金钱，有的人说是家庭。你的答案是什么呢？曾经有人用“10000000000”来比喻人的一生，其中“1”代表健康，各个“0”分别代表生命中的事业、金钱、地位、权利、快乐、家庭、爱情、房子……纷繁冗杂的“0”充斥了人们的生活，“1”常常被忽略，但“1”一旦失去，所有浮华喧嚣都将归于沉寂。

当我们看到这个比喻的时候，我们是不是会感到震惊呢？我们往往为了工作而投入大量的精力和时间，以至于没有时间休息、运动和注意自己的健康。再加上在现代生活的压力之下人们常常又患得患失，精神上压力很大。其实在现代都市中生活的上班族，很多人都处于一种亚健康状态中。可以试想，一个生命垂危的人，即使有万贯家财，即使拥有豪宅美酒，恐怕也无福受，转眼间一切成为过眼云烟。

财富的最大功能，应该是改善一个人的生活，提高一个人的社会地位，实现一个人的理想和抱负。否则，金钱也只是银行账户上一堆没有用的数字而已。我们关心自己的身体健康，然后又用健康的身体去追求成就和财富，这也不是太困难的事。可是许多朋友却因为各种原因忽视了健康的重要性，在健康的时候不知道保健，在亚健康的时候不知道调理，在患病的时候才知道治疗，但已悔之晚矣。

实践证明，今天的预防胜过明天的治疗！似乎很多人都等有了病才知道没病时候的幸福，健康的时候忽略了对自身的保养，生活习惯不注意，喝酒抽烟，熬夜打麻将……这些看起来似乎并无大碍的行为，其实是多种病因的潜在因素。或许我们无法改变生死，但疾病我们是可以预防的，我们需要做的只是正常化我们的生活习惯，对自己多一点关心。“身体是革命的本钱”，一切的一切都得基于健康的身体，所以，请爱惜我们的身体吧，那才是人生真正的财富！

你如果珍爱生活，那么你就一定珍爱健康。

良好的情绪是心理健康的保证，快乐则可以说是一剂健康的良药。正如俗话所说：“笑一笑，十年少。”健康与我们的生活息息相关，没有了健康，我们的生活便如死水一潭，失去了活力。快乐则如同一粒石子，它可以使潭水泛起涟漪，使生命充满活力。

快乐可使人健康长寿，良好的情绪则是心理健康的保证。

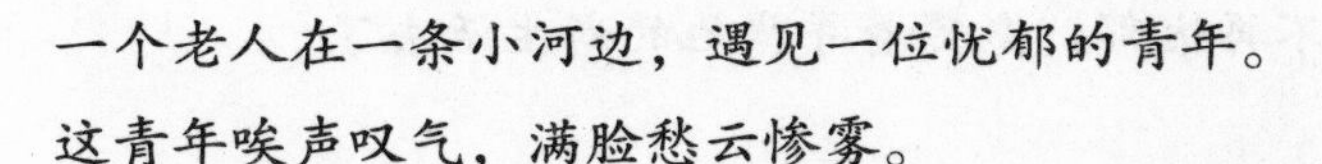

一个老人在一条小河边，遇见一位忧郁的青年。

这青年唉声叹气，满脸愁云惨雾。

“孩子，你为何如此郁郁不乐呢？”老人关切地问。

青年看了一眼老人，叹了口气：“我是一个名副其实的穷光蛋。我没有房子，没有老婆，更没有孩子。我也没有工作，没有收入，整天饥一顿饱一顿地度日，老人家，像我这一无所有的人，怎么能高兴得起来呢？”

“傻孩子，”老人笑道，“其实，你应该开怀大笑才对！”

“开怀大笑？为什么？”青年不解地问。

“因为，你其实是一个百万富翁呢。”老人有点儿诡秘地说。

“百万富翁？老人家，您别拿我这穷光蛋寻开心了。”青年不高兴了，转身欲走。

“我怎敢拿你寻开心？孩子，现在，能回答我几个问题么？”

“什么问题？”青年有点好奇。

“假如，现在我出20万元，买走你的健康，你愿意么？”

“不愿意。”青年摇摇头。

“假如，现在我再出20万，买走你的青春，你愿意么？”

“当然不愿意！”青年干脆地回答。

“假如，我再出20万，买走你的美貌，你可愿意？”

“不愿意！当然不愿意！”青年头摇得像个拨浪鼓。

“假如，我再出20万，买走你的智能，让你从此浑浑噩噩，度此一生，你可愿意？”

“傻瓜才愿意。”青年一扭头，又想走开。

“别慌，请回答完我最后一个问题——假如现在我再出20万元，让你去杀人放火，让你从此失去良心，你可愿意？”

“天哪！干这种缺德事，魔鬼才愿意。”青年愤愤道。

“好了，刚才我已经开价100万元了，仍然买不走你身上的任何东西，你说，你不是百万富翁，又是什么？”老人微笑着问。

青年恍然大悟。他笑着谢过老人的指点，向远方走去。从此，他不再叹息，不再忧郁，微笑着寻找他的新生活去了。

健康就是你一旦失去它的时候，才惊觉它曾经存在着。你才知道本来是应该珍惜它的，你才明白过去对健康实在是太忽视了，你才想到健康原来和你竟是那么不可分离。健康哪怕离你一会儿，你都会有很多深切的体验；如果健康永远地离你而去，你也许会觉得整个世界都是没有意义的，都是令人难以忍受的。

这就是健康，我们应该过健康的生活，为健康投资，花时间照顾自己的身体，这是最好的善待自己与照顾自己，是没有风险只有回报的决策。

左右你一生的心理学

1. 健康是人的第一幸福，第二是温和的秉性，第三是正道得来的财产，第四是与朋友分享快乐。

2. 良好的健康状况和由之而来的愉快的情绪，是幸福的最好资本。

3. 拥有了健康，才能将抱负变成现实，否则一切都将是空谈。